Читайте романы
примадонны иронического детектива
Дарьи Донцовой

Сериал «Любительница частного сыска Даша Васильева»:

Сериал «Евлампия Романова. Следствие ведет дилетант»:

Сериал «Виола Тараканова. В мире преступных страстей»:

1. Черт из табакерки
2. Три мешка хитростей
3. Чудовище без красавицы
4. Урожай ядовитых ягодок
5. Чудеса в кастрюльке
6. Скелет из пробирки
7. Микстура от косоглазия
8. Филе из Золотого Петушка
9. Главбух и полцарства в придачу
10. Концерт для Колобка с оркестром
11. Фокус—покус от Василисы Ужасной
12. Любимые забавы папы Карло
13. Муха в самолете
14. Кекс в большом городе
15. Билет на ковер—вертолет
16. Монстры из хорошей семьи
17. Каникулы в Простофилино
18. Зимнее лето весны
19. Хеппи—энд для Дездемоны
20. Стриптиз Жар—птицы
21. Муму с аквалангом
22. Горячая любовь снеговика
23. Человек—невидимка в стразах
24. Летучий самозванец
25. Фея с золотыми зубами
26. Приданое лохматой обезьяны
27. Страстная ночь в зоопарке
28. Замок храпящей красавицы
29. Дьявол носит лапти

Сериал «Джентльмен сыска Иван Подушкин»:

1. Букет прекрасных дам
2. Бриллиант мутной воды
3. Инстинкт Бабы—Яги
4. 13 несчастий Геракла
5. Али—Баба и сорок разбойниц
6. Надувная женщина для Казановы
7. Тушканчик в бигудях
8. Рыбка по имени Зайка
9. Две невесты на одно место
10. Сафари на черепашку
11. Яблоко Монте—Кристо
12. Пикник на острове сокровищ
13. Мачо чужой мечты
14. Верхом на «Титанике»
15. Ангел на метле
16. Продюсер козьей морды

Сериал «Татьяна Сергеева. Детектив на диете»:

1. Старуха Кристи – отдыхает!
2. Диета для трех поросят
3. Инь, янь и всякая дрянь
4. Микроб без комплексов
5. Идеальное тело Пятачка
6. Дед Снегур и Морозочка
7. Золотое правило Трехпудовочки
8. Агент 013
9. Рваные валенки мадам Помпадур
10. Дедушка на выданье
11. Шекспир курит в сторонке
12. Версаль под хохлому

Сериал «Любимица фортуны Степанида Козлова»:

1. Развесистая клюква Голливуда
2. Живая вода мертвой царевны
3. Женихи воскресают по пят—ницам

А также:
Кулинарная книга лентяйки
Кулинарная книга лентяйки—2. Вкусное путешествие
Кулинарная книга лентяйки—3. Праздник по жизни
Простые и вкусные рецепты Дарьи Донцовой
Записки безумной оптимистки. Три года спустя.
Автобиография

Дарья Донцова

Путеводитель по Лукоморью

роман

ЭКСМО

Москва

2012

УДК 82-3
ББК 84(2Рос-Рус)6-4
Д 67

Оформление серии *В. Щербакова*

Донцова Д. А.

Д 67   Путеводитель по Лукоморью : роман / Дарья
Донцова. — М. : Эксмо, 2012. — 352 с.

ISBN 978-5-699-54449-3

До чего же негостеприимный городок! Не успела я приехать,
как сразу подслушала разговор, что визит писательницы Арины
Виоловой хуже десанта зеленых человечков. Если бы не секретное
задание, ноги бы моей здесь не было! Не так давно в Беркутове
объявилась... добрая волшебница: художница Ирина Богданова,
направо и налево раздающая «исполнялки». У обладателей этих
чудесных картинок, талантливо накорябанных в стиле «палка-
палка-огуречик», мигом сбываются любые желания! Правда, есть
небольшая неувязочка: Ирина Богданова... погибла несколько лет
назад! Кто же занял место художницы и коварно вжился в ее роль?
Я обязательно разберусь, только сначала приму душ из лейки в
местном пятизвездочном отеле и выгоню влюбленную парочку,
зачем-то забравшуюся в мою постель!

УДК 82-3
ББК 84(2Рос-Рус)6-4

ISBN 978-5-699-54449-3

Глава 1

Никогда не стоит перепрыгивать через забор, если не знаешь, зачем его поставили.

Я медленно подошла к деревянным щитам, перекрывавшим почти всю дорогу, и стала осторожно протискиваться между забором и стеной деревянного дома. Одно из окон полуразвалившейся избенки открылось, оттуда вывесилась аккуратная круглолицая бабуля в белом отглаженном платочке и светло-серой кофточке с брошкой на кружевном воротничке.

— Ну и за каким... ты сюда прешься? — спросила она.

Вот уж от кого не ждешь площадного ругательства — это от такой вот старушки с добрым лицом, на котором цветет ласковая улыбка. Я опешила. Наконец пришла в себя и сказала:

— Хочу пройти на Октябрьскую улицу.

— Сама-то откуда? — неожиданно проявила любопытство пенсионерка.

— Из Москвы, — ответила я. — Уж извините, заплутала в вашем городе. Остановила на площади какого-то мужчину, он показал дорогу, но, похоже, ошибся, тут все перегорожено.

— Октябрьских у нас две, — пустилась в объяснения бабка, — новая и старая. Первая раньше называлась Ленинской, так ее переделали в Октябрьскую. А та, что раньше Октябрьской считалась, нынче Свободная, но народ ее все равно Октябрьской зовет.

— Я ищу дом художницы Ирины Богдановой, — вздохнула я. — Куда мне направиться?

— Тебе совсем не сюда, — заявила бабулька, — пехом попрешь или на метро сядешь?

— В Беркутове есть метро? — поразилась я. — Неужели сюда дотянули ветку?

— У нас оно поверху гоняет, — сказала старуха, — от здания управы до поворотного круга и назад.

— Вообще-то у меня машина.

— И где ж она? — спросила собеседница.

— Стоит на соседней улице, — вздохнула я. — Мне еще издали стало понятно, что тут не проехать, вот я и пошла пешком на разведку.

— Ну так топай назад, — велела старушка, — а потом кати через мост, речку, пустырь. Доедешь до магазина «Говядина вторсырье», там и спроси, куда дальше переть. У продавщицы поинтересуйся, ее Светкой кличут. Ты с ней поговори, Светлана может без очереди во двор Богдановой отвести.

— Говядина вторсырье? — изумилась я. — Как такое возможно? Вторичной переработке подвергаются металл, бумага, тряпки, а о продуктах питания, полученных подобным образом, я никогда не слышала.

Но старушка уже захлопнула окно, и мне не оставалось ничего другого, как вернуться к своему автомобилю. Я снова проехала по мосту через речушку, которую пересекла минут пять назад, миновала пустырь и увидела здание, которое украшала замечательная вывеска «Мясо секонд-хенд из Америки».

Припарковавшись на площадке, усеянной разнокалиберными ямами, я еще раз внимательно посмотрела на лавку. Судя по полному отсутствию людей, она не пользовалась особой популярностью. Это и понятно, ведь мало кому захочется купить «мясо секонд-хенд». Но по мере приближения к торговой точке мне стало ясно, что передо мной не один, а два магазина. Один назывался «Мясо», второй «Секонд-хенд из Америки». Просто их вывески висят встык, никаких кавычек на них, естественно, нет, а фасад здания был слишком мал, чтобы сделать между надписями промежуток. Мне стало смешно. Вот почему бабулька, любящая употреблять крепкое словцо, говорила про вторсырье — человеку ее возраста трудно запомнить его иностранный вариант «секонд-хенд». Ну и в какую дверь лучше зайти? Чем торгует упомянутая старушкой Светлана — продуктами или шмотками?

Поколебавшись мгновение, я потянула на себя правую и сделала новое открытие: у лавочек одно помещение, границей между ними служит касса, за которой восседает рыжая веснушчатая девушка.

— Сделайте одолжение, подскажите, как пройти к дому Ирины Богдановой, — обратилась к ней я.

Кассирша осторожно поправила щедро облитые лаком волосы и простуженно прохрипела:

— Ехайте на Октябрьскую. А лучше вам на метро сесть, пехом далековато.

— Вас Светой зовут? — улыбнулась я.

Девушка удивилась:

— Откуда вы знаете?

— Заблудилась в вашем городке. Потом вроде добралась до нужной улицы, но она оказалась перегорожена, забор там поставлен, — повторила я свои объяснения. — Только стала мимо него пробираться, из окошка бабуля выглянула, очень милая с виду.

— А, Раиса Кузьминична... — Света засмеялась. — Хотите, я расскажу, что дальше произошло? Баба Рая вам про две Октябрьские напела и сюда отправила, велела у меня дорогу на поле желаний спросить, да еще пообещала, что я к Ирине без очереди проведу.

— Вы случайно не экстрасенс? — восхитилась я.

Продавщица ответила:

— Бабка так со всеми поступает. Люди верят, а когда я отнекиваюсь, говорю, что не могу ничем помочь, они злятся. Один мужик даже драться полез. Вот рассказать про Богданову могу. Будете слушать?

Я энергично кивнула. Похоже, из-за отсутствия покупателей Светлане скучно на рабочем месте до зубовного скрежета, девушка явно обрадовалась посетительнице и решила поболтать от души. А мне ее желание на руку. До сих пор всю информацию о художнице ваша покорная слуга Виола Тараканова черпала в Интернете, и узнать подробности из уст местной жительницы мне будет полезно.

...Небольшой городок Беркутов расположен в девяноста километрах от Москвы. Вроде столица близко, но каждый день туда не наездишься, электричка идет почти два часа. Да еще не всякий электропоезд притормаживает на станции, некоторые со свистом пролетают мимо Беркутова. В советские годы народ в местечке жил не так уж и плохо. Тут располагался столичный НИИ с полигоном, где выращивали всякие экспериментальные растения, был построен целый район, в котором селились ученые. Некоторые из них работали вахтовым методом, другие, приехав из столицы на месяц, очаровывались размеренной жизнью Беркутова и становились его постоянными обитателями.

Городок делит на две неравные части речка со смешным названием Митька, поэтому у аборигенов в ходу слова «левый» и «правый» берег. Жить справа всегда было престижно, потому что там и располагались дома ученых, а слева ютились местные жители, которые обслуживали экспериментальные поля и оранжереи, работали домработницами, нянями. На правой стороне была очень хорошая школа, куда неохотно брали детей с левой стороны. А еще там имелись магазины с особым снабжением, где сотрудникам научного городка по талонам отпускали дефицитные продукты и промтовары. Сами понимаете, что «левые» сильно недолюбливали «правых», но им приходилось служить «господам москвичам», потому что рынок рабочих мест в Беркутове был весьма и весьма невелик. Причем все доходные места в городке, вроде службы в магазинах, на почте, в детском садике и клубе, были давным-давно заняты, а освободившиеся раздавались исключительно своим людям. Так что прочему люду не оставалось другого выбора: либо ты пашешь на ученых, либо катайся в Москву, убивая каждый день почти четыре часа на дорогу, поднимаясь в пять утра и ложась за полночь. Так повелось аж с конца сороковых годов двадцатого века, когда и был основан НИИ экспериментальных растений[1].

В перестройку заведенный порядок рухнул. НИИ перестал получать должное финансирование, захирел и развалился. Научные сотрудники разбежались кто куда, в Беркутове остались лишь те, кому некуда было деваться. Школа, магазины на правой стороне закрылись. Кандидаты и доктора наук, чтобы выжить, стали выращивать овощи и фрукты на продажу, пускать на лето дачников, а кое-кто вульгарно запил. Местное население ликовало. «Левые» были счастливы: ну наконец-то восторжествовала справедливость, пусть теперь «правые» поживут в нищете, поймут, каково приходится простым людям, без высшего образования. Но уже через полгода злорадство местного населения перешло в растерянность. В Беркутове не стало в магазинах ни товаров, ни продуктов. Все, кто ранее трудился в НИИ, потеряли работу и сидели без денег. Потом закрылась местная сберкасса, тихо умерли библиотека и клуб, а школа продолжала существовать лишь на голом энтузиазме старых учителей, готовых сеять разумное, доброе, вечное бесплатно. Но через пару лет пожилые педагоги стали умирать, молодежь же ни под каким видом не хотела работать в школе. Парни и девушки убегали из городка. Потом мно-

---

[1] Данный НИИ, как и город Беркутов, целиком и полностью выдуманы. Любые совпадения случайны. *Здесь и далее примечания автора.*

гие девушки вернулись назад — с детьми на руках. И сели на шею родителям, которые выживали за счет огородов.

В конце концов настало время, когда Беркутов почти умер. Коммунальное хозяйство пришло в полный упадок, картошкой местный люд засеял все участки земли, а центром культурной жизни считалась платформа, где на короткое время притормаживали электрички. Там коробейники торговали одеждой и были открыты ларьки с газетами-журналами, шоколадными батончиками-печеньем-жвачкой, сигаретами. Хорошо хоть, что Беркутов традиционно считался у москвичей экологически чистым местом, поэтому столичные жители привозили сюда на лето свои семьи. Июнь, июль и август были горячими месяцами для местных жителей — они вкалывали на огородах, консервировали овощи-фрукты, селили в своих избах дачников, сами же ютились в сараюшках. Ну а осенью, зимой и весной проедали заработанное летом.

Возрождение Беркутова началось после того, как мэром в городке стал доктор наук Максим Антонович Буркин. Несмотря на солидные научные регалии, Максим был человеком отнюдь не пожилым и весьма пробивным. Непонятно, каким образом Буркину удалось получить финансирование и починить дорогу, которая шла от вокзала к центру городка. Но беркутовцы сразу осудили мэра: одни считали, что городскому начальству следовало открыть рынок, другие ожидали бесплатного ремонта своих домов, третьи надеялись на материальную помощь.

— За каким чертом нам шоссе? — бормотали «левые». — Максим для себя постарался. Трясет его, видите ли, когда в иномарке катит.

«Правые» помалкивали, но и у них вид был хмурый.

Положение дел волшебно изменилось, когда в Беркутов на постоянное жительство прибыла Ирина Богданова. О том, что в провинциальном местечке поселилась знаменитость, народу стало известно быстро. Новость приехала по дороге, которую возродил Буркин. И первой ее узнала Клавдия Семеновна Рябцева.

Ясным солнечным днем на шоссе показался большой автобус с яркой надписью «Телевидение». Он притормозил у первого дома Беркутова, из салона выглянул патлатый парень в черной бейсболке и заорал:

— Эй, тетка, где тут у вас дом Богдановой?

Клавдия, собиравшая с капусты гусениц, с трудом распрямила затекшую поясницу и переспросила:

— Чегой-то? Кого вы ищете?

— Художницу Ирину Богданову, — повторил молодой человек.

— Не слышала про такую, — растерялась женщина. Потом окликнула десятилетнюю внучку: — Тань, а ты ее знаешь? Может, у вас в школе кто новый появился?

— Не-а, — протянула та.

— Некоторые люди, не найдя в капусте младенца, воспитывают кочан, — буркнул добрый молодец, и автобус резво покатил вперед.

— Вот наглец! — возмутилась баба Клава и снова занялась огородными паразитами.

Но долго бороться с гусеницами старухе не удалось — у домика притормозил мини-вэн. То есть опять же автобус, только на сей раз маленький, розовый, похожий на леденец. На ветровом стекле у него было написано «Журнал «Дамское счастье».

— Бабуля! — гаркнул водитель. — Как к местной волшебнице проехать?

Клавдия перекрестилась.

— Слава богу, нету у нас колдунов.

Из другого окошка высунулась симпатичная блондинка.

— Бабулечка, шофер пошутил. Нам нужна Ирина Богданова, мы едем на пресс-конференцию.

Рябцева от неожиданности выронила банку с вредителями.

— Куда?

Сзади раздался нервный гудок. Почти вплотную к багажнику мини-вэна припарковалась длинная серебристая машина. Из нее вышел мужчина в джинсах и спросил у знатоков дамского счастья:

— Ребята, вы на презентацию? К Богдановой?

— Ага, — радостно кивнула девушка. — Но куда двигаться, не знаем. Местные дорогу не показывают.

Незнакомец поморщился.

— Чего от чукчей в тундре ждать? Даже если у них Будда поселится или с неба на колеснице Зевс спустится, алконавтам без разницы. Думаю, нам надо ехать по шоссе вперед. Поверьте моему личному опыту: если в провинции есть одна-единственная заасфальтированная дорога, она прямиком ведет к особняку местного мэра. Вот у него и поинтересуемся.

Глава 2

Возмущенная хамством заезжих гостей, баба Клава забыла про гусениц и пошла по соседкам, рассказывать им о наглых столичных штучках. Местные сплетницы зацокали языками и в свою очередь побежали по своим подругам. А по единственной дороге то и дело проносились автомобили с московскими номерами. Все они пересекали мост и, миновав Октябрьскую улицу, въезжали в ворота бывшего НИИ экспериментальных растений. Беркутовцы терялись в догадках. Вскоре до их слуха стала долетать музыка, потом кто-то заорал в микрофон с такой силой, что его голос достиг ушей тех местных жителей, которые не постеснялись подойти вплотную к распахнутым воротам.

— Приветствуем вас на открытии мастерской великой Ирины Богдановой. Благословенная земля Беркутова рада переезду к нам Ирины Ильиничны. Ура!

Праздник длился долго, народу для участия в нем прикатила уйма, состоялся концерт с участием звезд второй свежести. То есть из столицы примчались какие-то певцы, но беркутовцы, которые не видели артистов, а лишь слышали их пение (преимущественно под фонограмму), решили, что в бывшем НИИ выступают те, кто каждый день мелькает на экране телевизора, и окончательно ошалели.

Местные жители еще пару дней пребывали в изумлении, а рассеялось оно в воскресенье утром, когда обитатели Беркутова, продрав глаза, включили свои «зомбоящики» и стали внимать программе, которую до полудня показывал районный телеканал.

Как правило, ведущая Ульяна Сергеева, упорно копирующая своих коллег из московского телецентра «Останкино», с натужной бодростью рассказывала о всех новостях округи за неделю. Но в то утро Уля пребывала в искреннем восторге, слова сыпались из нее с утроенной скоростью, и Беркутов был сражен услышанной историей.

Оказалось, что когда-то в НИИ экспериментальных растений служил некий Илья Богданов, тихий, незаметный ученый, занимавшийся селекционной работой с морковью. У него была доченька Ирочка, которую он, будучи вдовцом, растил один. Потом Богданов исчез из Беркутова. Ни с кем из местных жителей ученый, довольно угрюмый и неразговорчивый, не общался, поэтому ни один человек о нем не тосковал. Илью забыли мгновенно и никогда бы не вспомнили об отце-одиночке, но Ира выросла и стала известной художницей. Если верить захлебывающейся от эмоций Ульяне, на картинах Ирины Богдановой помешался чуть ли не весь мир. Их покупали как музеи, так и частные коллекционеры, автора называли гениальной, ставили в один ряд с таким художником, как Целков[1], превозносили Ирину буквально до небес.

Беркутовцы прибалдели, когда на экране стали демонстрировать фотографии наиболее известных полотен дочери ученого. Ну, например, «Рассвет на

---

[1] Целков Олег Николаевич (р. 1934 г.) — российский художник, один из самых значительных представителей так называемого «неофициального искусства». С 1977 года живет во Франции. Невероятно талантливый живописец, не теряющий с возрастом фантазии и способности удивлять своих поклонников.

западе». Весь холст замазан черной краской, только в правом верхнем углу осталось круглое светлое пространство, в котором изображено скопище пронзительно красных полумесяцев. И что сие означает? Почему мазня, которую легко мог сотворить пятилетний ребенок, привела в восторг и критиков, и коллекционеров, и публику? Где тут восходящее солнце? Смущало и название, ведь даже первокласснику известно, что светило озаряет первыми лучами небосклон на востоке, на западе оно заходит за горизонт. Или другая работа Богдановой — «Слезы настоящей любви». Здесь фон был белый, а по нему в беспорядке разбросаны разноцветные «горошины». В общем, полная ерунда, так любой намалюет. И бедные беркутовцы чуть не рухнули со своих табуреток, когда услышали слова ведущей местных теленовостей.

— Оба произведения хранятся в музеях Америки, каждое из них сейчас оценивается в несколько миллионов долларов, — объявила Ульяна.

А земляки живописицы закачали головами — похоже, штатники сошли с ума, раз они готовы отдать вагон денег за мазню.

Но главное изумление поджидало их впереди. Оказывается, Ирина может исполнить заветное желание человека. Нужно просто подойти к ней со своей просьбой, например, сказать: «Я хочу замуж!» Художница возьмет листочек бумаги размером чуть больше сигаретной пачки и примется на нем рисовать. Композиция обычно состоит из черточек, штрихов или геометрических фигур. Потом Ирина отдаст просителю сие произведение. А дальше начинается самое интересное: листочек надо поместить под стекло, убрать подальше с глаз, постараться забыть о мечте, и — заветное желание исполнится непременно.

Хоть Беркутов и был в год возвращения Богдановой медвежьим углом, там все же жили люди, умеющие работать в Интернете. Очень скоро местное население выяснило, что у Ирины есть сайт, набитый сообщениями от тех, кто с ее помощью удачно нашел свою вторую половину, получил прекрасную работу, вылечился от тяжелой болезни, помирился с родственниками, родил ребенка. Но кроме восторженных благодарностей там были размещены и письма людей, с которыми Ирина не пожелала иметь дела. Да, да, Богданова бралась помогать далеко не каждому. Человек мог упасть перед художницей на колени, биться лбом о землю, рыдать, но она молча проходила мимо. С другой стороны, порой художница останавливала на улице машину, подзывала прохожего и быстренько рисовала ему «исполнялку» — так народ назвал листочки с ее каракулями. Чем руководствуется Богданова, никто не понимал. Как все гении, дочь ученого человек с большими странностями. Ирина провела за границей несколько лет, а потом решила навсегда поселиться в Беркутове. Почему? Спросите что-нибудь попроще. Ну, например, где встретить марсианина. Честное слово, ответить о местожительстве зеленого человечка будет намного легче, чем объяснить поведение художницы.

После того как исполнительница желаний устроилась в Беркутове, жизнь небольшого, забытого Богом и властями местечка стала меняться лейдоскопической скоростью. Сюда валом повалил народ со всей России, из близкого и дальнего зарубежья. Сперва паломников было немного, но потом начался настоящий бум, людей привозят автобусами — несколько крупных туристических агентств продают туры под названием «Ваша мечта». Мэр города постарался создать для приезжих наилучшие условия. Максим Антонович сумел привлечь инвесторов, и теперь в подмосковном местечке построено несколько вполне приличных гостиниц, открыты кафе, рестораны, работает музей, где можно посмотреть и приобрести репродукции картин Богдановой. Говорят, что их покупка приносит удачу.

Здания НИИ, во дворе которого некогда устроили праздник, посвященный приезду Ирины, более нет. Небольшое и ветхое строение снесли, а на его месте вырос крошечный домик художницы. Возле него появились особняки беркутовской знати: мэра Буркина, главного врача больницы Владимира Яковлевича Обоева, директора школы и, по совместительству, музея Степана Николаевича Матвеева, бывшего начальника местной милиции, а ныне ближайшего приятеля и помощника главы города Игоря Львовича Сердюкова. Аборигены зовут этот размещенный за одним забором поселок Лукоморьем. Есть еще второе название: Царское село, но ненависти к начальству никто не испытывает. Наоборот, Максима теперь любят и говорят:

строил себе человек хоромы, так ведь и ртится, живем мы лучше других. Благо-Богданову и нашего мэра за то, что

Беркутов процветает за счет паломников, спешащих к художнице. Ирина к народу выходит регулярно, любое ее появление на публике вызывает истерику и вопли. Однако когда именно доброй волшебнице придет в голову появиться во дворе дома и осчастливить кого-то из тех, кто трепетно ждет ее появления, неизвестно. Каждому вновь прибывшему непременно расскажут байку, как один раз Богданова совершенно неожиданно возникла во дворе, нарисовала всем без исключения картинки, и у всех потом исполнились их заветные желания. Среди тех, кто приезжает к художнице, много людей с неустроенным личным счастьем, безработных, нищих, но львиную долю в сей толпе составляют родители больных детей. В областной клинике, расположенной на окраине Беркутова, лечат малышей, которым поставлены тяжелые диагнозы. Их матери сутками дежурят во дворе Ирины, вместе с ними стоят и родственники тех, кто лежит в других медучреждениях. Люди готовы на все, чтобы увидеть своих ребяток здоровыми, поскольку знают: те, кто получил из рук художницы «исполнялку», вскоре увезли домой детей, избавленных от злого недуга.

Поскольку топтаться у крылечка сутками в надежде увидеть великую женщину могут не все, в Беркутове существует сад счастья. Там все деревья обвязаны особыми лентами, на которых люди пишут свои имена, фамилии и телефоны. Говорят, поздними вечерами, когда территория закрывается для посетителей, Ирина любит прогуливаться среди посадок, ранее принадлежавших НИИ растениеводства, и иногда снимает попавшиеся под руку ленты, отдает своим помощникам, а те звонят избранному. Счастливчик на всех парах несется в Беркутов, где его ждет встреча с доброй феей. Ну а теперь самое интересное: Богданова не берет с людей ни копейки, рисует «исполнялки» совершенно бескорыстно.

Так по какой же причине провинциальный городишко вылез из финансовой ямы? Ответ прост: все, что связано с именем художницы, приносит доход. Человек, приехавший в Лукоморье, непременно берет у ворот путеводитель и, следуя его указаниям, начинает с сада счастья. Повязать на дерево можно лишь ленточку, купленную у входа в сад. Причем у людей есть выбор — можно приобрести тоненькую, коротенькую тесемочку за пятьдесят рублей или широкую и длинную за тысячу. Думаете, народ в целях экономии покупает самую дешевую? Вовсе нет! Все полагают, что Ирина обратит внимание на большую ленту, поэтому крошечные не пользуются особой популярностью. В магазинчике у входа в сад можно приобрести ленты за пять, десять и даже за двадцать тысяч, и они на прилавке не залеживаются. Там же продают и репродукции картин, от маленьких до огромных.

Если заглянуть в сувенирную лавку, открытую на центральной улице Беркутова, то там посетитель увидит все те же репродукции, а еще фото Ирины, снимки сада счастья, мастерской и дороги здоровья. Что такое дорога здоровья? Длинная крытая аллея, которая тянется от сада к фонтану. На ней установлены щиты, куда люди прикрепляют записочки с пожеланиями выздоровления своим больным родственникам и знакомым. Денег за место на досках никто не берет, но прицепить туда можно лишь листочек, купленный в будочке, стоящей чуть поодаль. И, конечно, бумажки разного размера... ну, все, как с ленточками.

Пройдя аллею до конца, человек упирается в фонтан, вода в котором обладает волшебными свойствами. Умоешься ею — и все неприятности словно корова языком слизнула. Набрать воды можно бесплатно, вот только зачерпывать из фонтанчика разрешается бутылочкой, которая... правильно, продается в той же будочке, что и бумага. И, сами понимаете, емкости разного объема.

Люди, прибывшие в Беркутов, поступают совершенно одинаково: покупают ленточку, привязывают на дерево, торопятся к аллее здоровья, прикрепляют там записочку, набирают водички из фонтана и бросают туда монетку. Последнее действие никак не провоцировалось создателями бренда «Ирина Богданова», люди сами начали швырять мелочь, одному Богу известно, сколько денег в конце недели выгребает со дна нанятый рабочий. Проделав программу минимум, паломник непременно захочет приобрести и репродукцию, и фотографии, а потом отправится к дому художницы, где постоит в толпе, ожидая вероятного выхода Ирины.

Одним словом, никто никого не обманывает, денег не вымогает. Можешь прибыть в Беркутов и абсолютно бесплатно потолкаться среди сотни себе подобных, надеясь хоть краем глаза посмотреть на художницу. Совсем не обязательно тратиться на ленточку, записку и покупку печатной продукции. Но кто же удержится от соблазна? Тем более что местные жители охотно рассказывают приезжим о том, каким волшебным образом исполнились мечты счастливчиков, и советуют непременно зайти в ротонду благодарностей.

Это большая закрытая веранда, ее стены густо утыканы круглыми розетками с бантами, наподобие тех, что раздают победителям собачьих и кошачьих выставок. Их водружают те, чьи желания исполнились. Да, да, если вам повезло, нужно приехать в Беркутов и сказать «спасибо». Зачем тратить время на еще одно посещение городка? Объяснение простое. Все, кто жаждет исполнения желаний, непременно совершенно бесплатно берут у входа во двор фото Богдановой, на оборотной стороне которого напечатан такой текст: «Просьба, высказанная от чистого сердца, всегда будет услышана. Хороший, добрый человек получит награду, злой и жадный окажется наказан. Не проси чужого мужа, не призывай смерть родственника ради наследства, не мечтай заполучить должность другого. Зло вернется к тебе и собьет с ног. Проси любви, удачи, здоровья близким, будь добр к людям, пожелай всем счастья, и оно придет к тебе. Молись за своих врагов, зло уходит при виде добра. Никогда не жадничай. Поделись с теми, у кого ничего нет. Отдашь копейку, через некоторое время она вернется к тебе сотней. Купи розетку для ротонды благодарностей, все вырученные средства идут в фонд детского отделения больницы».

Здесь же стоят большие опечатанные ящики, куда надо опустить конверт с пожертвованием. Сколько отстегнуть? Как вам велит совесть и позволяет кошелек, но хоть червонец, да бросить надо. Ходят слухи, что некоторые очень богатые и знаменитые люди жертвуют миллионы. Так уж устроен человек — он полагает, что можно откупиться от неприятностей. Куда идут деньги? В основном, на оснащение больницы. Там сейчас есть современная диагностическая аппаратура, сделан прекрасный ремонт и даже работает общежитие для родственников больных детей.

Как правило, паломник прибывает на несколько дней. Он может остановиться в одной из местных гостиниц, но, во-первых, чаще всего там нет мест, а во-вторых, номера дорогие. Зато местные жители охотно предоставят приезжему койку за вполне приемлемые деньги, расскажут легенды о Богдановой, накормят-напоят.

Ранее в Беркутове существовала оппозиция в лице Ивана Сергеевича Лапина, полковника в отставке, который иногда устраивал демонстрации протеста. Лапин марширован перед воротами двора, куда стекаются паломники, с транспарантом «Верните в Беркутов тишину». Обычно акция длилась около четверти часа, потом к мужчине подкатывали полицейские. С укоризной сказав: «Ну как вам не надоест...» — они отнимали у бывшего вояки щит с надписью и отправляли Лапина домой.

Никто из окружения Богдановой не реагировал на выходки Ивана Сергеевича.

А потом произошла трагедия. К отставному полковнику на лето из Москвы привезли внучку лет шести-семи. Девочка побежала в лес и нашла там милого ежика. Он оказался на удивление приветливым, разрешил погладить себя и даже взять в руки. Малышка играла с ежом долго, а потом тот вдруг укусил ребенка. Дедушка не счел происшествие серьезным, помазал ранку йодом, залепил пластырем и на том успокоился. Но через несколько дней внучка Лапина умерла от бешенства, заразившись им от того ежа.

В Беркутове моментально начали говорить, что все зло, которое полковник направлял на Ирину, отскочило от сильной энергетической защиты художницы и вернулось к нему в удесятеренном виде. И вообще, на Богданову можно смотреть, лишь испытывая к ней любовь и почтение, иначе будет как с Лапиным — сам останешься жив, но лишишься наиболее дорогого в своей жизни.

Теперь у Ирины недругов в городе нет, все демонстрируют при ее виде восторг, но, на всякий случай, на глаза художнице не показываются. Одна Силантьева, недовольная тем, что мимо ее избы порой пытаются прошмыгнуть заблудившиеся паломники, вредничает и посылает приезжих на другой конец города.

— Та самая бабушка, что направила меня к вам? — спросила я у рассказчицы.

Светлана кивнула.

— Ага. Это на сегодняшний день ее метод борьбы. На Октябрьской улице трубы чинят, вот и поставили заборчик, чтобы народ в яму не падал, проход сузился, все мимо избушки Силантьевой и пропихиваются. А Раиса Кузьминична у окошка день-деньской сидит, делать-то ей нечего, ни детей, ни внуков у нее нет. Если кто из местных надумает пройти, она просто матерится, а ежели постороннего видит, отсылает несчастного в противоположную сторону, как вас, например. На самом деле надо было чуть вперед продвинуться, а там уже попадете на дорогу к Ирине. Вы повернули с шоссе направо в первый переулок, а следовало во второй. Ох, нарвется бабка Раиса, даст ей кто-нибудь за такие фортели в глаз! Старуха совсем обнаглела, рассчитывает, что люди, узнав, как их обманули, назад не придут. Но рано или поздно встретится неленивый человек, и несдобровать ей тогда. Сама-то она злопамятная, как крыса. Знаете, почему Силантьева именно адрес магазина назвала?

Я заинтересованно взглянула на собеседницу.

— Недавно бабка спрашивает меня: «Свет, почему у тебя шпалы в шоколаде?» Я ей вежливо ответила, а та давай гудеть: «Дорого очень, сделай скидку, сбрось червонец». А как же я могу цену скостить? Магазин не мой, я лишь товар отпускаю. Не нравится стоимость, не покупай! Раиса обиделась и теперь всех паломников сюда направляет, имя мое им говорит. Ну и кто она после этого? Кстати, я ведь как раз у нее квартирую, в сараюшке живу, так что повадки старухи хорошо знаю. Жутко вредная!

— Вы торгуете шпалами в шоколаде? — изумленно спросила я.

— Ага, — кивнула Светлана и показала пальцем на витрину.

Я перевела взгляд, увидела стеклянные вазочки, набитые печеньем, и прочитала ценники: «Шпалы в шоколаде», «Принцесса со вкусом лимона», «Щенок с вареньем». Из груди вырвался невольный вздох.

Да уж, ничего не скажешь, очень удачные названия для кондитерских изделий. И, конечно, написаны они были без кавычек.

Глава 3

На обратном пути к улице Октябрьской я заметила обшитый сайдингом симпатичный домик с бело-красной вывеской «Маленький Милан» и решила попить кофе. Из Москвы мне пришлось выехать рано, завтракать в семь утра не хотелось, зато сейчас, когда стрелки часов подобрались к одиннадцати, аппетит разгулялся жуткий

— На улице сядете или внутрь войдете? — приветливо спросила полная женщина в крохотном передничке. — Мы как раз сегодня террасу открыли. Хотя вроде дождик собирается. Апрель на дворе, а весна не очень к нам спешит.

— В Подмосковье часто и июнь холодный, — подхватила я тему беседы и двинулась за официанткой в глубь небольшого помещения.

Кофе принесли быстро, он оказался на удивление вкусным, и бармен не поленился нарисовать на плотной белой пене капучино шоколадную бабочку. Булочки с корицей были свежими и вкусными. Я быстро проглотила одну, принялась за вторую и — вздрогнула. Чуть поодаль от меня за столом, где под большим фикусом спиной к залу сидели мужчина и женщина, разгорался скандал.

— За каким чертом нам понадобилась писательница? — неожиданно громко спросил мужчина.

— Она из Москвы, — нелогично ответила дама.

— Да хоть из Антарктиды! — повысил голос ее

спутник. — Что за дурацкая идея? Станет шнырять повсюду, нос везде совать. Макса в последнее время заносит!

— Володя, тише, — попросила собеседница.

— Что я не так сказал? — взвился Владимир. — Нам бульварные писаки не нужны! Раньше не требовались, а теперь и подавно!

— Володя, не ори, — с укоризной покачала головой женщина, — мы же в кафе.

— И где только Макс эту романистку раздобыл? — не успокаивался Владимир. — Варя, не молчи. Ты все ходы Буркина знаешь, что ему на ум взбрело?

— Максим тут ни при чем, — спокойно пояснила собеседница. — Его попросил один депутат, большой человек. Такому отказать — себе навредить. Тот позвонил Максиму Антоновичу и сказал: «Приголубь писательницу Арину Виолову. Раньше она работала в жанре детектива, а теперь хочет обратиться к теме любви, меняет направление творчества».

— Понятненько... — зло сказал Владимир. — Не получилось у бабенки добиться славы и денег на стезе криминального жанра, решила строчить эротику. Не Лев Толстой к нам едет и не Пушкин!

— Ты не понял? Арина Виолова женщина, — совсем тихо произнесла Варя. — У нее по сюжету главная героиня мчится в Беркутов к Богдановой. Виолова очень трепетно относится к деталям, и ей захотелось самой побывать у художницы, собрать материал. Макса попросили оказать литераторше почет и уважение. А тебе лучше не пить коньяк, ты даже от запаха алкоголя становишься невыносим.

— Ненавижу журналистов, — буркнул Владимир.

— Арина прозаик, — терпеливо напомнила Варвара. — Говорят, она милая, воспитанная женщина. Ира станет одной из героинь ее книги. Произведения Виоловой хорошо продаются, будет нам бесплатная реклама.

— Абсолютно тупая, глупая идея, — забубнил Владимир. — Не нужны нам знаменитости, возникнут большие проблемы. Почему ты не объяснила Максу? Он просто идиот!

— Господи... — вздохнула Варя. — Ну зачем ты коньяк пил?

— Всего сорок граммов, это не доза, — огрызнулся ее собеседник.

— Тебе и десяти хватит, чтобы с катушек слететь, сам же знаешь, как на тебя алкоголь действует. Вместо нормального человека появляется свин. Ох, опять сердце схватило... С утра щемит, надо в больницу на обследование идти.

— Сто раз говорил, тебе нельзя нервничать, — забеспокоился Владимир. — У тебя нехороший диагноз: мерцательная аритмия. Принимай лекарства, веди здоровый образ жизни, и, главное, никаких стрессов!

— Как ты мне надоел! — в сердцах воскликнула женщина.

— Ну так я пошел, — оскорбился Владимир.

— Куда? — живо поинтересовалась его спутница.

— Чего ради ты интересуешься планами надоеды? — с вызовом спросил он.

— Володя, не дуйся, — «завиляла хвостом» женщина. — Максим Антонович не мог отказать депутату, у того и мать, и жена — фанатки Виоловой. Что плохого случится? Ну, пробудет она в городе дня два, ей быстро тут наскучит. Не гони волну попусту.

— Беспокойно мне, — неожиданно признался ее собеседник, — сам не пойму почему. Виолова ВИП-гость?

— Конечно, — кивнула Варя, — номер ей заказан у Оскара.

— Обед со всеми, ужин тоже? — предположил Владимир. — Экскурсия по местам произрастания капусты?

— Как ты мне надоел! — повторила его собеседница. — Не смей называть сад и ротонду огородом с капустой!

Он засмеялся.

— А что это такое? Растет, цветет зеленая капусточка... колосится, колосится урожай...

— Уймись! — в сердцах бросила Варя. — Угораздило же тебя рюмку пропустить!

— Тише, дорогая, мы в кафе, — мгновенно отреагировал Владимир. — Или ты только от меня требуешь спокойствия, а самой можно орать и возмущаться? Помни о своей мерцательной аритмии, это не шутка.

Женщина резко отодвинула стул, встала и сделала шаг в сторону столика, где сидела я, делавшая вид, что полностью поглощена игрой «Сердитые птички» в айпаде.

— «Исполнялку» своей Виоловой тоже организуете? — вкрадчиво осведомился Владимир.

Варвара резко остановилась и налетела на мой столик. Я к тому моменту успела заказать еще и латте, и высокий бокал на тонкой ножке пошатнулся и опрокинулся. Светло-коричневая жидкость потекла по скатерти, я едва успела схватить айпад.

Варвара долю секунды обозревала сотворенное безобразие, потом, вместо того чтобы принести мне извинения, вздернула подбородок и зло буркнула:

— Новую порцию пойла вам купит мой спутник!

Потом она ринулась к двери и исчезла на улице. Ее собеседник тоже направился к выходу, возмущаясь на ходу:

— И не подумаю ничего покупать! Сидел себе тихо, это Варя безобразие устроила!

— Сейчас принесу новый кофеек за счет заведения, — засуетилась официантка, — никаких проблем.

— Прекрасно! Молодец, Нина, хвалю! — гаркнул Владимир и скрылся.

— Кто это? — спросила я, когда Нина, быстро поменяв скатерть, поставила на столик новую порцию латте.

— Владимир Яковлевич Обоев, — вздохнула официантка, — главврач больницы. Клиника находится на выезде из Беркутова, тут рядом. Обоев у меня порой завтракает. С ним сидела Варвара Сердюкова, жена Игоря Львовича, который раньше был нашим главным милиционером, а теперь служит у Максима Антоновича, мэра, помощником.

— Обоев доктор? — удивилась я. — Не хотелось бы к такому грубияну на прием попасть.

Нина сложила руки поверх фартука.

— Владимир Яковлевич хороший специалист и прекрасный организатор, в нашу клинику сейчас со всей области едут, там очень сильное детское отделение. На него все родители молятся. Обоев хирург от бога, такие тонкие операции делает, что даже безнадежные больные на ноги встают. Но у Владимира Яковлевича беда с алкоголем. Так-то он тихий, слова лишнего не скажет, но стоит глотнуть спиртного, несет его по кочкам. Только не подумайте, что он пьянчужка, врач к рюмке редко прикладывается, в основном от волнения может выпить. Сегодня граммульку глотнул, и готово, сразу превратился в хама. Наверное...

Нина примолкла, и я выжидательно посмотрела на нее. Официантка, понизив голос, продолжила:

— Наверное, он опять с женой поцапался. Беркутов городок небольшой, тут все друг про дружку правду знают. Люда Обоева запойная, каждый день в Москву катается. Месяц назад Владимир Яковлевич даже ее машину сжег, представляете? Вот до чего баба мужика довела. Доктор небось уж сто раз пожалел о том, что не сдержался, психанул. Придется ему новую легковушку Люде приобретать.

— Женщине, страдающей алкоголизмом, нельзя садиться за руль, — покачала я головой. — Конечно, уничтожать автомобиль не совсем правильный шаг, но...

— С чего вы взяли про алкоголизм? — удивилась Нина. — Людка даже пива не пьет.

Настал мой черед удивляться.

— Сами минуту назад сказали, что супруга Обоева запойная.

— Верно, но не по водке, а по шмоткам, — уточнила Нина. — Болезнь у нее — покупки безостановочно делает. Едет в Москву и там по магазинам шныряет. Туда с пустыми руками, назад с пакетами. Я чужие деньги считать не люблю, но, думаю, Обоев неплохо зарабатывает, да только с такой женой никаких средств не хватит. Никто не видел, чтобы Люда два раза одно платье надела, каждый день в другом. Да еще ладно бы юбки с блузками, но она и обувь меняет, и сумки, и куртки, и пальто. Шопоголизм — вот как ее болезнь называется. Полагаю, Людмила сегодня утром на электричке в ГУМ да ЦУМ укатила, а Обоев занервничал. Пришел кофе выпить и велел мне: «Неси порцию коньяка». Точно Людка в столицу рванула, потому Владимир Яковлевич и разозлился. Да оно и понятно: сколько он ни заработает, все непутевая бабенка меж пальцев пускает. Не успел Обоев рюмашку опрокинуть, Варя зашла, она очень мой латте любит.

— Странно, что он не разведется с такой особой, — изумилась я.

Нина развела руками.

— Все, как вы, говорят, люди удивляются. Да видно, что-то их связывает. Скорей всего, постель, больше ничего в голову не приходит. Хозяйка Люда дрянная, нигде не работает. Она писательница, роман ваяет.

— Да ну? — заинтересовалась я. — И под какой же фамилией Людмила издается?

Официантка захихикала.

— Хороший вопрос. Людка свое произведение не первый год пишет, все закончить не может. Честное слово, мне доктора жаль. Я на него за то, что он тут нахамил, не сержусь, понимаю — бедняге тяжело. Иначе с чего ему утром коньяк пить?

Глава 4

Во двор дома Ирины Богдановой я прошла беспрепятственно. И мне сразу стало понятно, почему люди называют это место Лукоморьем. Здание, возле которого я сейчас стояла, походило на сказочный теремок, а в саду не хватало лишь дуба и ученого кота на золотой цепи. Я посмотрела на толпу тихо разговаривающих людей и достала мобильный.

— Здравствуйте, Игорь Львович, вас беспокоит Виола Тараканова, то есть писательница Арина Виолова. Я приехала, но не знаю, как войти в особняк, перед ним большое количество народа.

— Надеюсь, вас не затруднит обойти здание слева, — зачастил мужской голос из трубки, — там в заборе есть калиточка с домофоном, а я уже бегу.

Мне понадобилась пара минут, чтобы добраться до места, и я увидела Игоря Львовича, полного брюнета в дорогом костюме.

— Здравствуйте, рад встрече, — со скоростью пулеметной очереди выпалил он, — как доехали... рад, что добрались... прекрасная погода... пройдите сюда... осторожно, тут ступеньки... давайте куртку, присаживайтесь в гостиной... сейчас Максим Антонович подойдет, извините, он интервью телевизионщикам дает... чай, кофе... располагайтесь, как дома, сейчас я вернусь, не скучайте...

Так и не дав мне вставить словечка, Игорь Львович развернулся и с неожиданной для толстяка прытью исчез в коридоре. Я осталась одна и стала осматриваться.

Уютно обставленная в английском стиле комната имела эркер. Одна стена небольшого помещения была заставлена книжными шкафами. За стеклами виднелись собрания сочинений русских и зарубежных классиков, все в дорогих переплетах. Судя по состоянию корешков, к книгам никто не прикасался. Напротив стоял огромный кожаный диван с маленькими столиками по бокам, на них были водружены вазы с композициями из сухих цветов. Я не люблю чучела животных и мумифицированные растения, поэтому не села на диван, а прошла в эркер и устроилась в одном из двух кресел, тоже разделенных столиком. На нем лежал роман Милады Смоляковой в сильно потертой обложке.

Я покосилась на книжку и подавила вздох. Везде Милада! Интересно, что происходит с произведениями Арины Виоловой? Я редко вижу людей со своими книгами в руках. Может, мои детективы отправляют в районы Сибири и Дальнего Востока, где они служат альтернативным топливом для котельных?

— Катастрофа! — вдруг отчетливо произнес невдалеке смутно знакомый голос. — Катастрофа!

— Не стоит поддаваться панике, — ответил красиво окрашенный тенор.

— Ты идиот? — закричал первый мужчина. — Не понял? Ее нет!

— Спокойствие, только спокойствие, истерикой делу не поможешь, — откликнулся второй собеседник.

Я повернула голову, увидела, что одно из больших окон чуть приоткрыто, и поняла: в соседнем помещении невидимые мне люди, уверенные в том, что их никто не слышит, ведут беседу.

— Ее нет, — нервно повторил первый мужчина. — Нет! Мы погибли!

— Где Максим Антонович? — вмешался в разговор баритон Игоря Львовича. — Приехала Арина Виолова. Нам надо срочно решать проблему.

— Приперлась! — выпалил тот, кто только что говорил о гибели.

— Владимир Яковлевич, — укоризненно произнес тенор, — возьми себя в руки.

— Катастрофа! Кошмар! — пошел вразнос его собеседник.

Я сидела, боясь пошевелиться. Конечно, подслушивать чужую беседу некрасиво. Но, во-первых, речь шла обо мне, а во-вторых, у меня есть задание, которое необходимо выполнить. Да, да, я прибыла в особняк Ирины Богдановой под своим настоящим именем, в качестве писательницы. Я никого не обманываю, не прикидываюсь другим человеком и, вероятно, потом напишу книгу, в которую включу сюжет про художницу, но основная моя цель вовсе не сбор материала для романа. Я шпион, которому нужно разузнать кое-какую информацию. А бойцу невидимого фронта лучше забыть о хорошем воспитании. Наоборот, ему надо отрастить длинные уши и не стесняться их использовать. Сейчас я стала незримым свидетелем беседы главврача Обоева, какого-то мужчины и Игоря Львовича. Владимир Яковлевич, выскочив из кафе, успел добраться до дома Богдановой значительно раньше меня, неторопливо вкушавшей латте и болтавшей с официанткой. Интересно, что произошло? Почему врач находится в состоянии истерики и твердит о катастрофе?

Послышался звук шагов.

— Что случилось? — спросил новый, тоже мужской голос.

— Ее нет! — гаркнул Обоев. — Она ушла от нас! Максим, ты понял?

Так, так, новый собеседник не кто иной, как мэр, подумала я.

— Кто ушел? Куда? — не сообразил Буркин.

— Туда! — в рифму ответил Обоев. — Что делать? Да еще Виолова приехала!

— Кто-нибудь объяснит мне, что стряслось? — повысил голос градоначальник. — Вадим, Игорь! Почему Володя в панике, а?

— Идите сюда, — сказал человек, который беседовал с Обоевым до появления Игоря Львовича и которого, судя по всему, звали Вадимом, — я виски налил.

— Звоним тебе, Макс, а ты трубку не берешь, — с упреком произнес Игорь Львович.

Очевидно, компания отошла в глубь комнаты, потому что я перестала различать слова, до моего слуха долетал лишь невнятный бубнеж. Затем вновь раздался визгливый голос главврача:

— За каким хреном ты связался с бабой, строчащей низкопробные книжонки?

— Молчать! — приказал Максим Антонович. — Слушать меня! Сто раз повторял: литераторшу прислал Корсаков, а ему отказать нельзя. Да и просьба Бориса Ивановича показалась мне пустяковой: Виолова, любимый автор женщин его семьи, хочет поговорить с Ириной, собралась сделать Богданову героиней своей новой книги. Теперь найдите хоть одну причину отказать депутату, а? Молчите? И правильно, сказать тут нечего. Виолова прибыла на пару дней, ей необходимо обеспечить комфорт, любовь и ласку. Баба поселится у Оскара. Марта будет перед ней приседать, кланяться, везде ее водить, отвечать на вопросы гостьи. А для начала сделаем ей «исполнялку», авось Виолова сразу уедет.

— Как? — нервно спросил Игорь. — Как?

— Машина, — непонятно для меня ответил мэр. — Вы совсем потеряли голову? Это что, в первый раз?

— Нет, — нестройным хором ответили остальные участники беседы.

— У нас уже есть опыт достойного выхода из форс-мажора. Применим его вновь. Не вижу повода для истерик, — спокойно заявил хозяин Беркутова.

— Тогда у нас Люда была, — пробормотал Владимир Яковлевич. — А теперь кто?

— К вечеру решу эту задачу, — пообещал Максим Буркин. — Ну, пришли в себя? Отлично. Народ на улице нас не волнует, там все, как обычно. Основная проблема — приезд Виоловой. Предупредите Оскара, что сия госпожа самый важный ВИП-гость. Пусть он Федору прикажет расстараться.

— Оскар идиот, — проворчал Игорь Львович.

Максим Антонович не стал возражать:

— Верно, но у него лучший отель в городе. Понятен мой план? Немедленно отправляйте к Виоловой Марту. «Исполнялка» в машине. Если писательница сразу не уедет, то тогда — обед, прогулка, а вечером встреча с Ириной.

— Если ты ее устроишь, — протянул Игорь Львович.

— До захода солнца еще далеко, — оптимистично
откликнулся мэр. — Где сейчас госпожа Тараканова?

— В маленькой гостиной, — ответил Сердюков.

— Очень нехорошо оставлять московскую даму
одну, — упрекнул Игоря глава Беркутова, — немедленно пришли к ней Марту. А где Людмила?

— Пока дома, — буркнул Владимир Яковлевич.

— Замок людоеда — лучшее место! — опять же
непонятно для меня воскликнул Игорь.

— Глупая идея, мне она не нравится, — сказал
Максим Антонович. — Зачем туда? Разве нам есть
что скрывать? Володя, тебе надо отдохнуть. Не нервничай, все проблемы решаемы. А еще...

Конца фразы я не услышала, речь мэра прервал
громкий стук — похоже, теплая компания вышла из
комнаты, захлопнув за собой дверь.

Я встала, на всякий случай пересела на диван и
принялась анализировать услышанное. Приезд литераторши Виоловой, похоже, никого не обрадовал.
В окружении художницы случилась какая-то неприятность, вот только мне неясно, что произошло.
Сначала я подумала, что от Владимира Яковлевича
в очередной раз удрала жена, страстная шопоголич-
ка — Обоев с отчаянием произнес: «Ее нет». Но в
конце разговора прозвучало, что Людмила дома...

— Простите за ожидание, — зачирикал мелодич-
ный голос, вырвавший меня из размышлений.

Я повернула голову на звук. В гостиную совершенно неслышно, словно мышка, вошла симпатичная женщина лет сорока. К груди она прижимала
мою новую книгу.

— Меня зовут Марта, — представилась незнакомка. — Извините, что не сразу прибежала. Но вы сами виноваты — не надо так интересно писать! Я начала читать и не могла оторваться. Сердюков что-то бубнит, а я отмахиваюсь: «Отстаньте, дайте Виолову дочитать, три странички осталось, сейчас узнаю наконец, кто убийца». Игорь Львович меня за плечо потряс: «Иди в гостиную, там сама Арина сидит, у нее и спросишь про киллера».

Марта весело рассмеялась.

— Здорово вышло! Дадите мне автограф?

Я взяла у нее свою совершенно новую книгу. Хорошая мизансцена, и разыграна она вполне убедительно, вот только... первые-то страницы томика слиплись, к ним явно никто не прикасался.

Надо отдать должное женщине — едва я открыла книгу, как Марта поняла свою оплошность и ловко выкрутилась из создавшегося положения:

— Этот томик я специально приобрела. Вчера съездила на станцию, там ларек стоит. Как узнала, что вы в гости прибудете, обрадовалась, понеслась за новым экземпляром, где автору расписаться не стыдно. Тот, что я читаю, постеснялась вам дать, страницы до дыр затерты. У нас, знаете, как: сначала я в ваш роман вцепляюсь, потом его подруги берут, соседи, и когда назад ко мне детектив возвращается, он как будто на войне побывал, переплет изолентой проклеен. Не скотчем, а синей такой штукой, она прочнее. А вот этот с вашей подписью я никому не дам, поставлю под стекло, на видное место. Сейчас ручку найду...

Марта кинулась к столику, увидела книжку Смоляковой, ловким движением отправила ее на пол, носком туфли запихнула под кресло и покосилась на меня.

Я сделала вид, что не заметила ее маневра, открыла сумочку и сообщила:

— Не беспокойтесь, ручка всегда со мной.

— Ой, какая вы милая! — захлопала в ладоши Марта. — Теперь все обзавидуются.

— Мне нетрудно дать автограф тем, кто просит, — улыбнулась я.

— Все равно мне первой он в Беркутове достался, — бурно радовалась Марта. — Ни у кого пока нет, а у меня есть! Максим Антонович очень расстроился, что не смог приехать. У него сейчас совещание, потом пара деловых встреч. Увы и ах, господин Буркин еще на работе, но вечером он непременно встретится с вами за ужином. Давайте я вас провожу в гостиницу «Золотой дворец», лучшую не только в Беркутове, но и во всем районе. Думаю, даже в Москве трудно найти равную ей. Хозяин отеля, Оскар, удивительный молодец. Вы устроитесь, примете с дороги ванну, отдохнете, а потом я за вами забегу, мы посмотрим некоторые достопримечательности Беркутова и отправимся на ужин к Максиму Антоновичу.

Я внимательно слушала Марту. Да, похоже, здесь у них произошла крупная неприятность. В противном случае Игорь Львович догадался бы договориться с Мартой, они бы врали одинаково. Но Сердюков сказал мне об интервью, которое мэр сейчас дает журналистам с телекамерами, а Марта щебечет про то, как Буркин не щадит своего живота на службе. Нужно ли мне вслух удивиться нестыковке? Нет, лучше промолчу. Марта сумеет вывернуться, заморгает и скажет что-нибудь вроде: «Ой, вы неправильно его поняли! Игорь Львович имел в виду, что Максим Антонович находится в студии». А я после своего замечания заработаю репутацию излишне внимательной к деталям особы. Пусть уж лучше меня считают недалекой. В присутствии умницы хозяева будут следить за каждым своим словом, а при дуре расслабятся. Что мне, при моем шпионском задании, будет только на руку.

— Замечательная программа, — кивнула я, — но мне в первую очередь хочется побеседовать с Ириной Богдановой.

Марта округлила глаза.

— Ирочка не простой человек, зависимый от своего настроения. Если Богданова в хорошем расположении духа, она очень милая, но если не с той ноги встала, тушите свечи. Недавно к нам сам Телегин приезжал. Вы же знаете, кто это? Открывал у нас в городе детскую библиотеку. Максим Антонович за неделю до появления высокого гостя начал с Ирочкой разговоры вести. Просил ее: «Дорогая, пожалуйста, пообщайся с Василием Петровичем. Он олигарх, меценат, благодетель, дал нам денег на библиотеку для ребят при клинике. Нарисуй «исполнялку» для его дочери, она с отцом прибудет». Мы так Иринины волшебные картинки зовем — «исполнялки». А Ира в ответ: «Я не умею по заказу творить. Потянется мое сердце к Телегиной или отвергнет ее, не знаю. Важно, чтобы человек был с чистой душой. Лучше я в доме посижу, принимай Телегиных один». И все! Даже не высунулась, когда богач прибыл. Бедный Максим Антонович! Уж он перед Василием Петровичем и Ксенией извинялся, дескать, Ирина грипп подцепила, лежит с температурой. Так они и уехали, не удалось им с Богдановой словечком перекинуться. Стоило автомобилю за ворота выехать, Ирина во двор вышла и давай паломникам «исполнялки» рисовать. Два часа с простыми людьми общалась! Погода ужасная, с неба морось сыплет, холодно, а она рисует. Ирочка сама себе не хозяйка, ею талант руководит.

— Полагаете, Богданова не пожелает увидеться со мной? — в лоб спросила я.

— Ира вас очень уважает, — пылко заверила Марта, — думаю, встретитесь с ней за ужином. Пошли в отель?

Я решила вступить в игру.

— С удовольствием приму душ.

Чтобы попасть в отель «Золотой дворец», нам не пришлось потратить много времени — гостиница находилась в паре минут ходьбы от особняка мэра.

— Оскар! — закричала Марта, едва мы вошли в темное помещение, задрапированное темно-бордовым бархатом. — Оскар! Ты где?

Из-под стойки рецепшен поднялся худой мужчина в черном костюме.

— Марта, ты не на вокзале, — укоризненно сказал он, — не стоит пугать окружающих боевым кличем.

— Привет, Федя, — бросила моя сопровождающая. — Где Оскар?

— Отошел по крайне важным делам, — с достоинством произнес Федор, — вернется в течение часа, ну, может, двух-трех. Или завтра. В общем, скоро.

— Я привела вам гостью, — замурлыкала Марта.

Федор вздернул бровь.

— С глубочайшим сожалением и искренним прискорбием должен сообщить: отель переполнен, нет ни одной свободной комнаты. Даже незаселяемый резерв использован.

— Федя, — торжественно заговорила Марта, — ты видишь перед собой писательницу Арину Виолову. Ей забронирован президентский люкс.

Федор вперил взор в монитор компьютера и замер, как ящерица, которая решила избежать встречи с врагом.

— Эй, ау! — окликнула его спустя минуту Марта. — Федор, ты с нами?

— Рад приветствовать вас в отеле «Золотой дворец», — ожил портье, — но, к моему глубочайшему сожалению, в служебной инструкции в графе «президентский номер» указано: никого не размещать. Данные апартаменты предназначены исключительно для президентов.

— И много глав государств у вас останавливалось за последние пять лет? — хихикнула Марта.

— Ни одного, — честно признался Федор, — но если вдруг руководитель какой-нибудь страны приедет, я обязан предоставить ему именно этот номер.

— Немедленно звони Оскару, — зашипела Марта.

— Он приказал его не беспокоить, — уперся портье.

— Сию секунду бери телефон! — приказала моя сопровождающая.

— Под твою ответственность, — прогудел портье и поднес трубку к уху.

Глава 5

По мере того как хозяин общался со служащим, на лице последнего расцветала улыбка. В конце концов Федя осторожно водрузил трубку на подставку, откашлялся и произнес:

— Приветствую вас в лучшем отеле Беркутова «Золотой дворец». Наши правила требуют предъявления основного документа гражданина и заполнения небольшой анкеты. Деар гестс! Ай хепиинг...

— Можешь не стараться, — остановила его Марта. — Где бумажки, которые надо заполнить?

— ...ту ю сиа хотел, — продолжал вещать портье, — ту... ю сиа... э... хотел «Голден пэлэс». Ай вонт... ту ю... Нет, пардоньте. Ай вонт сиа ту ю ту рашен хотел «Голден пэлэс» энд...

Марта хлопнула ладонью по стойке.

— Федор!

— Энд пиггс пикчерс! — выпалил портье.

Потом он вытер ладонью лоб и заорал:

— Марта, не мешай! Я обязан совершить торжественную церемонию приема гостя президентского номера. Ты сбиваешь меня с мысли.

— Гостья русская, — засмеялась Марта, — твой суржик инглиш не нужен!

Федя моргнул, нагнулся под стойку, вытащил круглый поднос, сдул с него пыль и подсунул мне его под нос со словами:

— Плиз ваш паспорт сюда поклассть.

Я, стараясь не расхохотаться, достала из сумки бордовую книжечку.

— Дорогие гости отеля «Золотой дворец»! — громогласно возвестил Федор. — Пока главный портье, он же управляющий, лично оформит ваше пребывание в «Золотом дворце», примите участие в торжествах отеля по случаю вашего прибытия. Деар хер президентс энд президентс вумен! Ай вонт...

— Давай по-русски, — сквозь зубы процедила Марта, — мы не из Америки!

Федор ткнул пальцем в кнопку, послышался звон. Занавеска за спиной администратора чуть раздвинулась, и в щели появилась всклокоченная голова. Она со вкусом зевнула и спросила:

— Чего надо?

— Иван, ситуация номер один, — произнес Федя, — встреча президента.

— Офигел, да? — проныла башка. — Нашел, когда учения устраивать! Я тока-тока со смены, домой даже не пошел, в кладовке лег. У тебя совесть есть? Сам медведем пляши.

— Иван, заезд в президентский номер! — грозно завопил Федор. — По-настоящему! Вот паспорт. Ваня, очнись!

— У ё! — взвизгнула башка и пропала из вида.

Федор приосанился и дернул за черный рычажок, торчащий из стены. Послышалось шипение, затем раздалось потрескивание и полилась песня:

— Очи черные, очи страстные, очи жгучие и прекрасные...

Сбоку от рецепшен разошлись в разные стороны другие портьеры из пыльного бархата, и пред нашими очами появился медведь, одетый в красную косоворотку и ярко-синие шаровары. В руках Михайло Потапыч держал поднос, расписанный под хохлому, на нем возвышался каравай, сверху стояла солонка, сбоку примостилась рюмка с прозрачной жидкостью.

— Как люблю я вас, как боюсь я вас... — соловьем заливался магнитофон.

Топтыгин упер одну лапу в бедро, другой с трудом удержал ношу и попытался сделать подобие танцевального движения, которое народ называет «ковырялочкой».

Я сдвинула брови и изо всех сил старалась сохранить на лице серьезное выражение. В «Золотой дворец» до сих пор не заглядывали президенты, но предусмотрительный владелец отеля приготовил целое шоу на тот случай, если какой-нибудь глава государства, проезжая мимо Беркутова на электричке, решит переночевать в городке. Очевидно, персонал отеля прилежно репетирует выступление, но, как водится, форс-мажор случился форс-мажорно. Иван спросонья смог-таки быстро влезть в костюм медведя, но про сапоги благополучно забыл. Топтыгин выглядел как настоящий, впечатление слегка портили широкие грязные ступни с пятью пальцами, определенно принадлежавшие человеку, не знающему слово «педикюр».

— Знать, увидел вас я в недобрый час... — гремело из динамика.

На мой взгляд, этот текст не очень подходит для встречи президента, но медведь весьма усердно стучал босыми пятками об пол.

Внезапно голос стих. Медведь шагнул вперед, вытянул лапы, начал кланяться и заныл:

— Пей до дна, пей до дна... С приездом в город Беркутов! Желаю вам... фу, черт, извиняйте. Ща! Ай донт ноу вау хау, итс май лав ту ю фром рашен пиплз эндс вумен. Энд чилдренс.

Марта прикрыла глаза ладонью и начала издавать квакающие звуки.

— Церемония встречи подошла к концу, — объявил Федор. — Проследуйте, плиз, в номер. Первый этаж, апартаменты зеро «а».

— Дорогая Арина, не хотите прогуляться? — внезапно спросила Марта, поглядывая в небольшое окно. — Еще успеете насидеться в номере.

Я удивилась. Похоже, моя провожатая увидела на улице нечто, заставившее ее резко изменить первоначальные планы. Интересно, что именно? Мне была обещана ванна, отдых в тишине, и вдруг — предложение прогуляться. С чего бы?

— Где ваши вещи? — засуетилась Марта.

— В машине, — ответила я, тоже косясь в окно, — чемодан в багажнике.

Большая черная иномарка с наглухо затонированными стеклами медленно проехала по дороге мимо отеля и исчезла.

— Отличненько, — не скрыла радости Марта, — пошли. Начнем экскурсию с Центральной площади. Там находится самое старое здание Беркутова, возведенное в тысяча пятьсот сорок пятом году.

Я опустила голову. Ничего себе заявленьице. Сильно сомневаюсь, что в те времена Беркутов существовал.

— Вас смутила дата? — засмеялась Марта, вытаскивая меня на улицу. — Существует местная легенда, повествующая о великане, который поставил тут в лесу свой замок.

— Людоед? — уточнила я.

Марта кивнула.

— Верно. Он обитал в каменном здании, развалины которого сохранились на левой стороне в еловом лесу. Скажу честно, место крайне неприятное. Во время Второй мировой войны Беркутов был оккупирован фашистами. Захватчики пробыли здесь недолго, их прогнала Советская Армия, но наделать черных дел успели — часть местных жителей расстреляли в замке людоеда. Там есть колодец, в него и скинули тела погибших. С той поры беркутовцы стараются не ходить в лес. Однако легенда про великана существует и поныне, ее рассказывают из поколения в поколение. И, ясное дело, детям хочется посмотреть на место его обитания. Я родилась спустя много лет после Победы, война на тот момент, когда мне исполнилось десять, не воспринималась уже как трагедия, скорее как сказка про храбрых советских воинов. Удивительное дело, но местные старики не любили разговоров про борьбу с фашизмом. В анкетах тех лет был вопрос: находились ли вы или ваши ближайшие родственники в зоне оккупации немецко-фашистских войск. Жителям Беркутова приходилось отвечать «да», что очень усложняло их жизнь. Я не в курсе событий военных лет, но слышала, что кое-кто из местных сразу записался в полицаи, помогал фашистам ловить несуществующих партизан. Вроде прадедушка Оскара, Иозеф Крафт, вспомнил, что он этнический немец, и поспешил к коменданту, чтобы донести на своего соседа Андрея Пивоварова. Того расстреляли, а Иозефу отдали дом и участок убитого. Прабабка Пивоваровых всегда плевала на ворота Крафтов, проходя мимо, это даже я помню. Но сейчас эта история бурьяном поросла. А вот про людоеда охотно рассказывали. Понятно, что дети бегали в лес — смотреть на развалины. Не знаю, кто там ранее жил, но руины реально смахивают на крепость, одна башня хорошо сохранилась. А потом беда случилась: сын Раисы Кузьминичны Силантьевой был найден мертвым, с переломанной шеей, у колодца. На Юру напал маньяк. Вроде преступник уже отсидел срок за похожее преступление — убил какого-то парня. Он вышел на свободу, поехал домой, а по дороге расправился с Силантьевым. Уголовника не поймали. Раиса Кузьминична попала в психушку. Другие родители перепугались и запретили детям ходить в замок людоеда. Но разве подростки послушаются?

— Нет, конечно, — вздохнула я. — Семиклассники самые отчаянные люди на свете, их не остановит ни взбучка отца, ни слезы матери.

Марта остановилась у длинного одноэтажного здания, сложенного из грязно-серого кирпича.

— Правильно. Им хоть кол на голове теши, безобразники все равно порулят куда не надо. И тогда наш директор школы, Степан Николаевич Матвеев, пригласил из Москвы кандидата наук, историка. Матвеев у нас еще заведует музеем, там есть лекторий, народ ходит, слушает, интересные бывают встречи. Приглашенный специалист сделал удивительное заявление. Оказывается, те развалины в лесу — остатки барского дома князей, которые в царские годы всей округой владели. А людоед в древности реально жил. Только не в чаще, а вот тут...

И моя провожатая показала на серый дом.

— Это наш краеведческий музей с очень интересной экспозицией. При нем большой двор. Кандидат наук точно выяснил: в сороковых годах шестнадцатого века великан ютился в избушке, грабил прохожих, а отнятые у них деньги закапывал в своем огороде. На месте дома разбойника спустя столетия поставили хранилище исторических ценностей, а огород превратился во двор. И где-то там спрятан клад!

— Ну и ну, — засмеялась я, — вот это поворот!

— Сначала никто, как и вы, словам историка не поверил, — серьезно сказала Марта, — но вскоре после лекции москвича один мальчик нашел в саду монету, старинную, очень дорогую. Да, да, ее оценили в хорошую сумму. Родители ребенка, честные люди, отнесли находку сына в музей, и им дали денег, которых хватило на поездку всей семьей в Сочи. И началось!

Марта замолчала.

— Все ребячье население ринулось искать сокровища? — предположила я.

— И взрослые не устояли, — хмыкнула экскурсовод. — Правда, больше никому удача не улыбнулась. Народ всю брусчатку выковырнул, песок просеял. Я сама во дворе музея с совочком и решетом сидела. Взрослые спустя некоторое время поутихли, поняли, что кладом тут и не пахнет, а ребята до сих пор ищут. Директор музея их не гонит, наоборот, привечает. И только недавно мне в голову простая мысль пришла: небось Степан Николаевич где-то раздобыл раритетную денежку и подбросил около музея. Очень уж он хотел, чтобы ребята больше в лес, к башне, не бегали. И добился успеха! Мои доч-ки к замку ни разу не пошли, зато во дворе музея долго ползали с упоением. Наверняка Матвеев и с историком договорился, попросил его сказочку оз-вучить, так за подростков беспокоился.

— Интересная байка, — протянула я.

— Обычно мы ее паломникам не озвучиваем, — быстро добавила Марта, — людям рассказывают версию Степана Николаевича, показывают музей, двор, сад. Но вы писатель, вот я и подумала: может, вас заинтересует сюжет про директора школы и вы-думанный клад?

— Большое спасибо! — с жаром воскликнула я. — И...

Договорить я не успела. Из-за угла музея вынырнула уже виденная мною из окна отеля натертая до блеска черная иномарка с наглухо затонированными стеклами. Машина медленно проехала вдоль здания, поравнялась с нами и остановилась. Одно из боковых окошек чуть опустилось, из салона раздался еле слышный вопрос:

— Как вас зовут?

— Виола Тараканова, — машинально ответила я. И тут же, удивившись происходящему, спросила: — А вас?

— Тише, тише... — зашептала Марта.

Меня охватило изумление. Да что такое происходит?

— Стойте, пожалуйста, — умоляюще произнесла Марта. — Это невероятно!

Из окошка показалась белая бумажка.

— Берите скорей, — засуетилась моя спутница.

Я схватила листочек. Едва он оказался в моих пальцах, автомобиль резко стартовал от тротуара и, свернув направо, пропал из зоны видимости.

— Невероятно! Невероятно! — с придыханием твердила Марта. — Ну, смотрите скорей!

Я уставилась на бумажонку размером с сигаретную пачку. Вверху печатными буквами шариковой ручкой шла надпись: «Виоле Таракановой на удачу». Чуть пониже были нарисованы простым карандашом черточки, зигзаги, кружочки. Композиция больше всего напоминала каляки-маляки дошкольника.

— Вы великий человек! — с трудом вымолвила Марта.

Я покосилась на спутницу. Может, ей плохо? У нее случился спазм сосудов, кровь неравномерно поступает в мозг, и поэтому Марта несет чушь?

— У вас в руках «исполнялка»! — зачастила моя провожатая.

— Хотите сказать, что эта бумажка — пропуск в страну исполнения желаний? — недоверчиво спросила я.

Марта заломила руки.

— Ну, конечно! Тысячи людей мечтают получить подобную! Народ живет в Беркутове месяцами и частенько — впустую. А вам повезло сразу. Скорей побежали!

Марта схватила меня за руку и потащила вперед.

— Куда? — бестолково спросила я, следуя за ней. — Зачем так спешить?

Глава 6

Марта остановилась около моей машины и велела:

— Уезжайте!

Я облокотилась на крыло внедорожника.

— Простите...

Спутница склонила голову к плечу.

— Вам необходимо отправиться домой в Москву. Молча. Ни с кем не разговаривайте по дороге.

— Даже с заправщиком на бензоколонке? — уточнила я.

— С ним можно, — разрешила Марта.

— Вы меня прогоняете? — протянула я. — По какой причине я столь спешно объявлена в Беркутове персоной нон грата?

— Господи! — всплеснула руками Марта. — Разве вы не знаете народную примету?

— Какую из многих? — прищурилась я. — Про черную кошку, бабу с пустыми ведрами, разбитое зеркало или опрокинутую солонку?

Марта закатила глаза.

— О боже! Вы не в курсе!

— Чего? — сердито спросила я.

Моя спутница прижала руки к груди.

— Вам невероятно, немыслимо повезло! И есть примета: если человек получил «исполнялку», ему нужно как можно быстрее покинуть город. Главное — ни с кем не разговаривать в Беркутове, иначе удача сглазится.

— Интересно... — протянула я. — А как же ротонда с розетками?

— Верно, — согласилась Марта, — когда вы обретете желаемое, надо вернуться к Ирине и высказать благодарность. Это обязательно, иначе фортуна может повернуться к вам, простите, задом. Непременно нужно заглянуть в ротонду, но это позднее. Скорее садитесь за руль и уноситесь в столицу. Хорошо, что чемодан с вашими вещами не в гостинице. Не волнуйтесь, я объясню Максиму Антоновичу суть дела, он поймет.

Я заглянула Марте в глаза.

— «Исполнялка» — гарантия осуществления мечты?

— Стопроцентная, — поспешно заверила в「унья.

— Но если я не убегу стремглав из Беркутова, кто-то может сглазить удачу, и я останусь с носом? — еле сдерживая улыбку, спросила я.

— Абсолютно верно, — истово кивала Марта.

— Тогда получился интересный казус, — усмехнулась я. — Видите ли, самым страстным моим желанием является беседа с художницей Ириной Богдановой. Других желаний у меня нет. Если следовать примете, то надо уехать, но... но мне все же придется задержаться в Беркутове — иначе мечта не осуществится. Понимаете?

— Угу, — растерялась Марта, — действительно, казус. Значит, вы остаетесь?

Я расплылась в улыбке.

— Конечно. Продолжим нашу прогулку?

В кармане куртки моего экскурсовода резко затрезвонил телефон, Марта вытащила трубку и тихо сказала:

— Слушаю...

Знаете, есть аппараты, у которых очень громкий динамик, и то, что вам говорит собеседник, слышно тем, кто находится рядом. Именно такой мобильник оказался у моей спутницы.

— Уметается? — донесся до моих ушей мужской голос.

— Я тебе перезвоню через минуту, — нервно сказала Марта.

— Она получила «исполнялку»? — не успокаивались на другом конце провода.

— Да, — коротко подтвердила моя экскурсоводша.

— Отлично. Пусть отваливает. Расскажи ей про примету.

— Спасибо, дорогой, непременно, не переживай, — нежно прочирикала Марта, — дай ей чаю с малиной и аспирин.

— Эй, ты мухоморов наелась? — рассердился звонивший. — Что за чушь несешь?

— Мы с гостьей из Москвы сейчас находимся около музея, — промурлыкала Марта, — я рассчитываю, что экскурсия продлится часа полтора. Потом отведу госпожу Тараканову в отель и приеду. Не стоит так волноваться, у детей часто поднимается температура, скорей всего у девочки обычная простуда.

— Чертова баба рядом? — догадался собеседник.

— Ну, конечно! Аспирин лучшее решение проблемы, — протянула Марта.

— Что-то не так? — насторожился звонивший.

— Включи ей мультик «Большие неприятности», — промурлыкала Марта, — она его обожает.

В особенности сцену, где главная героиня не едет в путешествие, а остается дома.

— Черт! Она не отваливает в столицу?

— Нет, — отрезала Марта. И услышала приказ:

— Наври дуре, что хочешь, и немедленно возвращайся.

Марта положила трубку в карман и забормотала:

— Извините, моя сестра лежит в больнице, вчера ей аппендикс удалили. Ее муж остался один с дочкой. Катюше восемь лет. Девочку отправили с первого урока домой — температура поднялась. Чистая ерунда, Катя постоянно простужается, но Сергей не привык иметь дело с ребенком и запаниковал. Мужчины только кажутся сильными, а на самом деле сразу пасуют, когда речь заходит о мелких житейских проблемах. Что делать с малышкой? Чем напоить-накормить? Как развлечь? Отец в растерянности.

Я изобразила озабоченность.

— Очень хорошо вас понимаю. Но насморк и повышение температуры не всегда означают простуду. С похожих симптомов начинаются многие более серьезные детские болезни, например, корь, ветрянка, скарлатина. Лучше вам срочно отправиться в дом своей родственницы и самой разобраться в ситуации.

В глазах Марты зажглась неприкрытая радость.

— Оно, конечно, так, но я на службе. У нас с вами запланирована экскурсия по памятным местам Беркутова.

Я демонстративно приложила ладони к вискам.

— Я разнервничалась, получив картинку от Богдановой. Не рассчитывала на такую удачу, наслышана о непростом характере Ирины и, даже очутившись в уютной гостиной ее дома, сомневалась, что художница согласится побеседовать со мной. И вдруг такая радость! Теперь я точно ее увижу и смогу расспросить! Это очень ценно, я сумею правильно выстроить образ одной из героинь своего будущего бестселлера. К сожалению, у меня от переживаний, даже счастливых, всегда болит голова. Давайте поступим так. Я вернусь в отель, приведу себя в порядок, приму ванну, отдохну, а вы съездите к сестре, посмотрите на племянницу, при необходимости вызовете к ней врача и придете за мной. Экскурсию можно устроить завтра. Я никому не скажу, что вы направились к больному ребенку, это останется нашей маленькой тайной.

— Спасибо, — смущенно произнесла Марта, — очень мило с вашей стороны.

На сей раз в отеле обошлись без медвежьих плясок. Федор и Марта довели меня до номера, портье открыл дверь, включил свет и заявил:

— Двухместный президентский люкс с ванной, личным туалетом, баром, вентилятором и консьержем для обслуживания. Если вам что понадобится, только крикните. Чай, кофе, пиво, газировка, еда — проблем ни с чем не будет, у вас ВИП-обслуживание по первой категории. Обратите внимание, номер украшен цветами. Наш отель «Золотой дворец» известен как лучший в районе и области, у нас в каждом номере есть теплая вода! Но двухместный президентский люкс обслуживается особым образом, применяется система, которая была разработана...

Федор примолк.

— Ну, договаривай! — нетерпеливо приказала Марта. — А если сказать больше нечего, оставим Виолу в покое.

— Мне всегда есть что сказать, — оскорбился портье, — просто слово забыл. Тотен или тандыр? Нет, тандем! Итак, продолжаю. В обслуживании президента по итогам тандема...

— Вероятно, речь идет о тендере? — вмешалась Марта.

Федор величественно выпрямился и, указав рукой за мою спину, закончил фразу:

— ...участвовали ведущие фирмы области. Плиз, эксклюзивная, созданная лично для вас цветочная композиция «Славься, город Беркутов».

Я обернулась и судорожно закашлялась. В простенке между окнами, занавешенными двумя темно-синими велюровыми портьерами, маячила тренога, на которой красовался похоронный венок из еловых лап, утыканных головками слегка увядших красных и белых гвоздик. Самый его верх венчал бант из черного атласа, от него спиралями свисали ленты с буквами, которые явно складывались в какую-то надпись, но разобрать ее я, как ни старалась, так и не смогла.

— Данная икебана является авторской работой студии артдизайна, — пояснил Федор, — вот вам их визитка.

Я машинально взяла карточку из картона и прочитала текст: «Все для счастливых похорон. Постоянным клиентам скидки. Любые аксессуары из экологически чистых материалов».

Марта дернула Федора за рукав.

— Пошли!

— Я не рассказал про фрукты, — уперся портье, — их поставили «Химпластудобрения»...

— Незачем про яблоки-бананы вещать, их есть надо, — перебила Марта и вытолкала Федю из номера, следом вышла сама.

— Ты не права, — послышался уже из-за двери бас портье.

— Уймись! — велела Марта.

Я подождала минуту, потом осторожно выглянула в коридор, застеленный ковровой дорожкой, вышла и на цыпочках прокралась до поворота. Расчет оправдался — до меня донесся резкий голос Марты:

— Федор, если Виола попытается выйти из отеля, под любым предлогом задержи ее и позвони мне, но незаметно.

— Не понял, — прогудел портье.

— Идиот! — в сердцах воскликнула Марта. — Максим Антонович не хочет, чтобы столичная гостья одна ходила по Беркутову. Еще попрется на окраину, а там асфальт снят, дома не ремонтированы. Сам знаешь, городского бюджета на все не хватает, будет стыдно. Если писательница надумает без сопровождения шляться, ты просто тихонько, не привлекая внимания, набери мой номер.

— Зачем? — снова не сообразил Федя.

— Я увижу твой вызов и сразу прибегу. Только задержи Тараканову! — велела она. — И...

Послышался звонок.

— Слушаю... — произнесла Марта. — Игорь, мне удалось уговорить гостью вернуться в отель, я бегу к тебе. Нет, она решила отдохнуть. Не волнуйся, Федя ее не выпустит. Скоро буду!

Воцарилась тишина. Марта отбыла. Потом раздался громкий стук и снова звонок. На этот раз ответил портье:

— Отель «Золотой дворец». Желаете забронировать номер?

Я так же на цыпочках вернулась в свой номер, повесила на ручку с наружной стороны табличку «Не беспокоить. Do distrub»[1], задвинула на всякий случай изнутри щеколду, открыла чемодан, подняла его дно, вытащила из тайного отделения платок, очки, темно-синее платье длиной значительно ниже колена и темно-зеленый плащ. Почему-то люди полагают, что изменить внешность можно лишь при помощи масштабного грима и парика. На самом же деле в большинстве случаев бывает достаточно водрузить на нос старомодные очки в темно-коричневой оправе и с простыми стеклами, спрятать волосы под платок да еще поменять одежду.

Спустя десять минут я посмотрелась в большое зеркало и осталась довольна. Молодая, вполне симпатичная, модно одетая писательница, любительница красивых сумок и обуви, обеспеченная столичная штучка превратилась в тетушку непонятного возраста, домашнюю хозяйку из провинции, которая из экономии приобретает вещи в стоковых центрах и секонд-хендах, а о такой роскоши, как новый риди-

---

[1] Написано неверно. Надо: «Do not disturb».

кюль, даже не помышляет, таскает при себе котомку из клеенки самого ужасающего вида.

Полюбовавшись так и эдак на свое изображение, я пошла было к одному из окон, намереваясь таким незатейливым образом незаметно покинуть отель. Но потом решила утолить любопытство и притормозила около «эксклюзивной цветочной экспозиции». Расправив черную ленту, я наконец-то прочитала сделанную мелкими золотыми буквами надпись. «До свидания, Александр Маргаритовичь», — гласила она.

В глубоком недоумении я открыла окно и преспокойно вылезла наружу. Интересно, как звали отца человека, для которого предназначалась «икебана»? Маргарит? И почему в его отчестве в самом конце стоит мягкий знак? Фирма ошиблась и доставила в отель чей-то похоронный венок? Или сотрудники банально перепутали ленты? Увы, есть вопросы, на которые я никогда не узнаю ответов.

Воспользоваться своим автомобилем я не могла и, старательно сгорбившись, пошла пешком. Добралась до местного музея, увидела милую старушку с сумкой на колесах и спросила:

— Бабушка, как добраться до улицы Революции?

— Садись на метро, — благожелательно ответила она. И махнула рукой: — Вон там остановка. Беги скорей, как раз вагон катит. Ехать тебе до самого конца, сойдешь и прямо где надо очутишься.

Маленький трамвайчик быстро домчал меня до того места, где рельсы, сделав круг, поворачивали в обратном направлении. Я выбралась наружу и поняла: слова Марты про то, что городского бюджета на все не хватает, чистая правда. Похоже, администрация Беркутова привела в порядок только центральную часть, окраина выглядит удручающе бедно. Улица Революции была не заасфальтирована, тут и там виднелись лужи, заполненные водой и жидкой грязью. По обе стороны дороги тянулись покосившиеся избенки, окруженные разнокалиберными заборчиками. Железная колонка, торчавшая неподалеку от остановки трамвая, свидетельствовала об отсутствии в домах центрального водоснабжения. Соответственно, тут нет и канализации и, вероятно, магистрального газа. Принято считать, что медвежий угол — это село, расположенное в безбрежной тайге или затерянное в горах Севера или Сибири. Я не бывала ни в одном из перечисленных регионов, но хорошо знаю: медвежьи углы легко можно обнаружить и во вполне благополучном, совсем не бедном Подмосковье. И сейчас я забрела именно в такой.

Я осторожно дошла почти до конца улицы, постучала в калитку, но не дождалась ответа. Вошла во двор, распахнула дверь, ведущую в сени, и крикнула:

— Валентина Сергеевна, вы тут?

— Кто это шумит? — донеслось в ответ. — Маша, ты? Заходи. Только скинь боты и дверь затвори, грязи надует. Я в зале, телевизор смотрю.

Глава 7

— Да ты не Маша! — удивленно заявила бабушка, восседавшая в глубоком кресле.

— Извините, нет, — улыбнулась я. — Разрешите представиться — Элеонора.

— Красивое имя, — одобрила Валентина Сергеевна, — как из сериала. И чего тебе надо? Откуда
мое имя узнала? Зачем пришла? Садись, в ногах
правды нет. Сейчас чаю налью.

Я попробовала отказаться от угощения:

— Спасибо, не стоит беспокоиться.

Бабушка легко встала.

— Дуй на кухню, чайник там. Еще никто от Колесниковой голодным не уходил. Блины небось
уважаешь? Не отвечай, их все в охотку уминают.
И варенье есть, черносмородиновое. Ты паломница? Ищешь, где переночевать подешевле? От Валь-
ки пришла? По правильному адресу явилась, я за
коечку не деру, как те, кто в центре живет. Совсем
люди совесть потеряли. Я слышала, что Алевтина
Бирюкова по тыще рублей с носа требует. О как!
Накажет ее господь-то за жадность. А у меня ноч-
лег сотня, чаек без денег. Если покушать захочешь,
за отдельную плату сделаю яишню. Сейчас трое тут
живут, все женщины тихие, смирные. Мужиков я
не пускаю, ну их в качель. Пьющих и курящих тоже
мимо. Если дымишь, уж не обижайся, не приму.
Вовремя ты пришла, есть пустая постель. На, пей!

Передо мной появилась пол-литровая кружка, до
краев заполненная темно-коричневой жидкостью:
хозяйка не жалела заварки.

Я открыла сумку, вынула конверт с фотографиями
ми и протянула его старушке:

— Сделайте одолжение, посмотрите снимки. Может, узнаете кого?

Валентина Сергеевна взяла со стола очки, глянула
на фотографию, прижала левую руку к горлу и тихо
спросила:

— Откуда у тебя это? Господи! Ты из полиции?

— Не совсем, — улыбнулась я. — Представляю частное детективное агентство. Мы платим за верную информацию.

— Узнавать мне тут некого, всех хорошо помню, — вздохнула пожилая женщина.

Корявый палец пенсионерки постучал по одному снимку.

— Вот внук мой, Сашка, сделай милость, если знаешь что про парня, расскажи. Пропал он, словно сквозь землю провалился.

— Простите, Валентина Сергеевна, — тихо произнесла я, — о вашем внуке у меня пока никаких сведений нет. Меня наняли для поиска девушки, которая запечатлена возле Саши. Думаю, если нам удастся найти ее, она может сообщить информацию о вашем внуке. Пожалуйста, помогите мне, а я попробую помочь вам.

Валентина Сергеевна продолжала смотреть на снимок.

— Это моя жиличка, Аня. Фамилия у нее простая... э... Фомина.

— Может, Фокина? — подсказала я.

— Поперла поперед мамки в пекло, я не жалуюсь на память, — обиделась старушка. — Хотя точно, Фокина.

— Неужели всех-всех, кто у вас останавливался, помните? — усомнилась я.

— Нет, конечно, — засмеялась Валентина Сергеевна, — просто Фокина первой оказалась. К нам тогда как раз паломники понаехали, гостиниц еще не понастроили, народ в частном секторе размещался. Кое-кто из тех, что на Октябрьской, прямо озолотились — живо сориентировались, такие цены установили!

Валентина Сергеевна отложила фото и предалась воспоминаниям.

...В тот год, когда художница Богданова обосновалась в Беркутове, никто и предположить не мог, какую выгоду принесет городу и горожанам ее приезд. Местные жители радовались возможности заработать. В конце лета дачники уехали в Москву, но сарайчики и крохотные каморки, где ютились столичные жители с детьми, не опустели, на их место вселились те, кто хотел увидеть Ирину. Первые жирные сливочки, естественно, сняли владельцы домов в центральной части. Хозяева быстро обнаглели, стали требовать большие деньги, и паломники расползлись по окраинам Беркутова.

Когда Сашка, непутевый внук Валентины Сергеевны, не желающий ни учиться, ни работать, зато любящий вкусно поесть, выпить и сладко поспать, привел симпатичную девушку, бабушка не скрыла своей радости. До ее домика на улице Революции ни один гость пока не добрался, всех расхватывали по дороге активные соседи.

Аня Фокина была первой постоялицей старушки. Очень тихая, малоразговорчивая, она не сообщила о себе никакой информации. Колесникова, конечно же, заглянула в паспорт гостьи, увидела там штамп московской прописки и успокоилась. Еще ей понравилось, что на шее девушки висел маленький крестик. Фокина не выставляла его напоказ, всегда прятала под блузкой, значит, была верующим, правильно воспитанным человеком. Снаружи на одежде жиличка носила медальон, похоже, старинной работы.

Один раз Валентина Сергеевна попыталась вызвать девушку на откровенный разговор, но та на вопросы о родных ответила кратко:

— Все умерли.

— И мама, и папа? — заохала хозяйка. — Ты круглая сирота?

— Получается, так, — еле слышно произнесла Анечка.

— Где работаешь? — не отставала Валентина Сергеевна.

— В разных местах, — нехотя сообщила Фокина.

— Жених есть? — продолжала «интервью» старушка. Последний вопрос не понравился Анне. Она встала из-за стола и еле слышно, но очень твердо произнесла:

— Валентина Сергеевна, если я не подхожу вам, только скажите, сразу съеду. Деньги я зарабатываю честно, не ворую.

— Что ты, деточка! — испугалась старуха. — Прости уж бабку любопытную, поболтать не с кем, вот я к тебе и привязалась.

Аня улыбнулась. Валентина Сергеевна обрадовалась и пояснила:

— Насчет жениха я неспроста удочку забросила. Саша у меня без невесты, а ты ему, вижу, нравишься.

— В мои планы замужество не входит, — сказала Фокина.

— Всем охота семью заиметь, — не согласилась хозяйка. — Конечно, Саша не брильянт, образования нет, но в хороших руках человеком станет. Выучится, например, на шофера, а они неплохо получают. Я тебе матерью стану, вашим детям бабушкой. Одной жить плохо!

— Я подумаю, — пробормотала Анечка.

Спустя неделю после этого разговора Фокина уехала тайком, не попрощавшись. Воспользовалась моментом, когда хозяйка отправилась к врачу, и скрылась. Но перед тем жиличка оставила в кухне на столе деньги за комнату и аккуратно прибрала светелку. Валентина Сергеевна даже всплакнула, когда увидела, какой порядок навела Аня. Пол, стекла, мебель сверкали чистотой, покрывало на кровати, занавески, даже домотканый половичок были выстираны. А в помойном ведре на кухне нашлась пустая бутылочка из-под полироли для деревянной мебели — Аня не пожалела денег, приобрела в магазине особое средство и надраила стол, шкаф и тумбочку. Такие аккуратные, хозяйственные девушки нынче редкость, из Фокиной получилась бы прекрасная невестка, но надежды старушки не сбылись.

Прошло какое-то время, и вдруг пропал Саша. Словно в воду канул. Куда подался внук, баба Валя не знала, но встревожилась и побежала в местное отделение милиции, которым заведовал Игорь Львович Сердюков.

Местный блюститель закона и порядка отнесся к заявлению Валентины Сергеевны равнодушно.

— Успокойтесь, Александр взрослый человек, не ребенок. Небось рванул в столицу, живет в Москве без прописки. Как я его найду?

— Не знаю... — растерялась старушка.

— Вот видите! — прокряхтел Игорь Львович. — И я не знаю. Дайте хоть тоненький зацеп, в каком направлении искать. Парень хотел работать? Собирался комнату снять? Может, свел знакомство с москвичкой?

Ни на один вопрос у обескураженной пенсионерки не нашлось ответа.

И снова полетели месяцы. Потом в лесу, возле так называемого замка людоеда, пришлый грибник обнаружил человеческие останки.

Полуразрушенное старинное здание вообще в Беркутове пользовалось дурной славой. Рассказывали, что во время Великой Отечественной фашисты сбросили в колодец тела расстрелянных жителей, поэтому первое время после победы местный люд близко не подходил к тому лесу, даже ребятишки не забегали туда за ягодами-грибами. Но постепенно память о трагедии начала тускнеть. К концу семидесятых лишь старики предпочитали обходить гиблое место стороной, а их внуки, рожденные спустя годы после войны, посмеивались над ними и снисходительно говорили: «Привидений не существует».

Но в конце восьмидесятых с башни «замка людоеда» упал подросток, который на спор с приятелями отправился в лес ночью, желая продемонстрировать храбрость. За последующие несколько лет на развалинах случилось несколько смертей — погибла молодая пара да еще девушка, которая покончила жизнь самоубийством. Вот тут беркутовцы вновь вспомнили про дурную славу «замка людоеда» и потребовали от местных властей разобрать руины. Но на непростую работу в городском бюджете не нашлось средств, и все осталось по-прежнему. Причем раз в два-три года в лесу непременно происходит несчастье. Взрослые категорически запретили детям посещать поганое место, но оно словно приманивало подростков. И вот около развалин в лесу нашли труп Юры Силантьева, сына Раисы Кузьминичны, — на парня напал маньяк. Говорят, это был отсидевший срок за сексуальное нападение уголовник. Преступник возвращался с зоны домой и совершил новое злодейство. С той поры никто из местных в лес не ходил, паломникам там тоже делать было нечего. И вот, на тебе, снова труп. Пришлось Игорю Львовичу вылезать из теплого кабинета и топать в чащу. В Беркутове в те годы не происходило ничего загадочного. Пьяные драки, разборки между жителями, мелкие кражи да еще несчастные случаи на развалинах. Даже смерть внука Силантьевой нельзя было считать загадочной — все было понятно, Юре сломали шею. Убийства в городке случались, но, как правило, преступников брали с поличным. Это были либо муж, ударивший слишком сильно жену или тещу, или баба, сдуру треснувшая супруга по пьяной башке сковородкой. Раскрытие таких преступлений не требовало от следователя особого ума и фантазии.

Вскоре после того, как грибник привел представителей закона к останкам, Валентину Сергеевну пригласили к Сердюкову. Игорь Львович продемонстрировал чудеса заботливости — усадил Колесникову на стул, налил ей воды и сказал:

— Очень прошу, гляньте на вещи, вдруг они покажутся вам знакомыми.

Пенсионерка устроила на носу очки. Главный милиционер Беркутова сдернул со стола клеенку, прикрывавшую какую-то кучу. Взору Валентины Сергеевны предстала куртка из дешевой синтетики и ботинки из кожзама. Такие вещи не сгниют сразу, они ближайшие родственники пластиковых бутылок и полиуретановых пакетов, будут лежать в земле веками. Еще на столешнице лежал ослепительно сверкающий медальон на золотой цепочке.

— Это принадлежало моей жиличке, — в ужасе прошептала бабушка.

— Уверены? — озабоченно поинтересовался Игорь Львович.

Ответа Сердюков не дождался — Валентина Сергеевна упала в обморок. К ней вызвали «Скорую», старушку увезли с гипертоническим кризом в больницу.

Из клиники Колесникова вышла не скоро и сразу направилась к Игорю Львовичу с заявлением. Валентина Сергеевна поразмыслила спокойно, и у нее возникли сомнения.

— Думаю я, что останки из леса не Анины, — выпалила Колесникова, едва переступив порог кабинета.

Игорь Львович укоризненно покачал головой.

— Дорогая Валентина Сергеевна, вы себя совсем не бережете. Идите домой.

— Нет, — засопротивлялась Колесникова, — ошибка вышла.

— Вещи не Фокиной? — устало спросил Игорь Львович.

— Ее, — закивала Колесникова. — И кулон я хорошо запомнила, он оригинальный, похоже, дорогой. Вот только где крестик?

— Что? — не понял Сердюков.

Колесникова пустилась в объяснения:

— Аннушка носила на груди маленький крестик, никогда с ним не расставалась. Если это тело Фокиной, то крест непременно должен быть на шее. А коли его нет, нашли кого-то другого.

Игорь Львович закатил глаза:

— Валентина Сергеевна, дело давно закрыто. Останки опознаны, погибшая — Анна Фокина, одинокая, незамужняя, сирота. Состоялась кремация.

— А вещи с медальоном куда дели? — встревожилась Колесникова. — Подвеска дорогая!

— Не беспокойтесь, поступили так, как требует закон, — вывернулся Игорь Львович.

Но бабушка закусила удила.

— Проверьте, был ли крестик!

— Это не так просто, как вам кажется, — заныл Сердюков, — надо ехать в архив.

— Если самому в тяжесть, я съезжу, — заявила Валентина Сергеевна. — Вдруг вы неправильно человека определили? Может, вовсе не Фокина в лесу умерла? И где-то родители той несчастной места себе не находят, их неизвестность мучает!

Сердюков скривился, но пообещал выполнить ее просьбу. Спустя неделю он сам приехал к Колесниковой, привез ей большую коробку конфет, колбасы, сыру, печенья и сказал:

— Кабы все граждане проявляли такую активность, как вы! Абсолютно оказались правы, был крестик. Его в ведомости описали, а на опознание не принесли, накосячили. Очень вас прошу, не поднимайте шума. Сотруднику, который про него забыл, через пару недель на пенсию выходить, у него нет ни одного служебного нарушения. Не мой он человек, из района, но все равно жаль.

Рассказчица оперлась локтями о стол и посмотрела на меня в упор.

— Вот тут я и поняла: брешет Сердюков. Никуда он не мотался, в архив не обращался. И крестика не было, не Анечкины останки в лесу нашли! Захотел мужик поскорей дело с рук сбыть, обрадовался, что я одежонку опознала, и тяп-ляп, все готово. Фокина крест берегла, никогда не снимала, я один раз с ней в бане оказалась и цепочку увидела. Вещи и медальон Аня могла другому человеку отдать, а вот крест никогда. Зачем она с кем-то шмотками поменялась, понятия не имею. Возможно, кулон продала. Так что не Фокина у замка людоеда погибла, а та, что ее одежонку надела. Анечка же, с крестиком на шее, где-то живая ходит. Вот так. А откуда у тебя фото моего внука и Ани? Где его взяла? Может, все-таки чего о Саше знаешь? Я тебе рассказала правду, теперь твоя очередь. Сделай милость, ответь!

Глава 8

Я набрала полную грудь воздуха. Очень жаль одинокую Валентину Сергеевну, но мне никак нельзя рассказать ей правду.

Все дело в том, что некоторое время назад я, желая помочь поймать серийного маньяка, влезла по уши в опасную историю, кардинально изменившую мою жизнь. Мне не хочется вспоминать события тех дней[1], но все же кое о чем придется упомянуть.

Меня тщательно подготовили к работе, операцией руководил Влад Андреевич Фарафонов, и, наверное, не стоит уточнять, где он служит. Влад же повесил мне на шею золотой старинный медальон, украшенный вензелем «АБ». Раритетная вещь была взята из спецхранилища организации, которая осуществляла операцию. Во время своих приключений я познако-

---

[1] Подробно история рассказана в книге Дарьи Донцовой «Дьявол носит лапти», издательство «Эксмо».

милась и даже подружилась с мужчиной по имени Константин Франклин. И только после того, как все завершилось, я узнала правду.

Костя подошел ко мне первый раз, потому что увидел медальон. Оказывается, у него была сестра Аня Фокина, намного моложе самого Кости и его брата, любимица мамы. Золотой медальон — семейная ценность. Несколько поколений реликвия передавалась в семье от старшей женщины к младшей в день, когда последняя отметит шестнадцатилетие. Поэтому девочкам в семье давали имя, начинавшееся на букву «А». Мать не нарушила традицию и повесила украшение на шею Анечке. Та никогда его не снимала, считала своим оберегом. А потом Аня пропала — ушла из дома и не вернулась. Ей тогда исполнился двадцать один год. Костя в то время был еще не богат, больших денег в семье не водилось, поэтому нанять частного детектива родственники не могли. А милиция не особо озаботилась поисками, девушка словно в воду канула. Представляете, что испытал Костя, увидев у меня медальон Ани?

Используя свои знакомства, я попыталась выяснить, каким образом в спецхран попало семейное украшение. Влад Фарафонов проделал по моей просьбе большую работу и в конце концов установил: драгоценность была конфискована у жены арестованного за воровство Вадима Петровского, сотрудника милиции из Подмосковья. Тот работал на складе улик, и зачастую под его охраной оказывались дорогие вещи, допустим, часы или золотые украшения. Петровский примечал самое интересное и какое-то время выжидал. Если он понимал, что этими уликами никто не интересуется, то запускал жадную лапу в пакеты или коробки. Украденное он потом продавал. А вот медальон Фокиной очень понравился его жене и остался у Петровского дома. Вадима поймали случайно. Дело вороватого сотрудника МВД отправили в Москву, а оригинальный кулон попал в особое хранилище, откуда потом его забрали для спецоперации люди Влада Андреевича.

И у меня, и у Фарафонова, и у Кости Франклина возникли вопросы. Было поднято дело, в улики которого запустил руку Петровский, и в коробке нашли снимок Ани с каким-то парнем. Вопросов стало еще больше. Откуда взялась карточка? Ее нашли около человеческих останков в лесу? Аня хранила ее в кармане? Но изображение было чистое, неповрежденное. Может ли фотография пролежать долгое время под открытым небом и остаться как новенькая? Ладно, предположим, что мистические силы сохранили ее. Но почему Игорь Львович Сердюков не показал ее Валентине Сергеевне? Отчего старушке продемонстрировали лишь куртку, ботинки и медальон?

После беседы с Колесниковой я поняла, что она никак не причастна к этой истории, ее использовали как свидетельницу, которая могла подтвердить, посмотрев на вещи: «Да, они принадлежали моей жиличке». Похоже, главному беркутовскому менту требовалось во что бы то ни стало идентифицировать найденный в лесу труп как тело Ани Фокиной. И это очень странно.

Сколько «подснежников» находят в лесах Подмосковья ранней весной, когда стаивают сугробы?

Поверьте, мертвец без документов совсем не редкость. Конечно, правоохранительные органы обязаны идентифицировать любые неопознанные трупы, но на самом-то деле никто особенно не старается.

По словам все той же Валентины Сергеевны, Сердюков даже бровью не повел, когда она пришла к нему с рассказом о невесть куда пропавшем внуке Саше. Судя по всему, Игорь Львович отнюдь не сердобольный и крайне ленивый человек, и он, по логике, узнав о скелете в лесу, должен был отмахнуться от проблемы. А тут невероятная активность: возбуждено дело, сам Сердюков его ведет. Кстати, почему Игорь Львович помчался именно к Валентине Сергеевне? Откуда он узнал, что Колесникова может опознать тело? Кто ему подсказал, в чьи вещи одет труп, найденный в лесу? Фото обнаружили в кармане? Да бросьте! Снимок явно подбросили в улики — для страховки. Вдруг кто-то начнет задавать вопросы вроде тех, что возникли у меня. Например: почему Сердюков заявился к Колесниковой? А тут готов ответ: есть снимок, на нем изображен Саша, поэтому, ясное дело, Игорь Львович поспешил к его бабушке. Отчего он не показал его Валентине? Господа, мы ходим по кругу!

Сердюкову повезло: никто никаких вопросов задавать ему не стал. Останки (якобы Фокиной), найденные грибником, похоронили на местном кладбище, а сердобольная Валентина Сергеевна ухаживает за скромной могилкой девушки, которую хотела видеть своей невесткой. И все вроде быльем поросло, стало забываться, но мы разворошили старый, сгнивший стог сена, и оттуда полезли странные звери.

После того как Игорь Львович столь быстро и удачно идентифицировал останки, опираясь лишь на показания Валентины Сергеевны, он уволился из рядов милиции по состоянию здоровья — у него обнаружили гипертонию и ранее никем не диагностированный порок сердца. Еще недавно, проходя обязательное медобследование, Сердюкова на зависть сослуживцам признавали абсолютно здоровым — и вдруг он занедужил. Кстати, справку о болезни милейшего Игоря Львовича подписал главный врач районной больницы, всеми уважаемый доктор Владимир Яковлевич Обоев.

Уволенному по причине болезни бывшему милиционеру весьма не просто устроиться на новую работу, тем более в таком городе, как Беркутов. Но ему опять невероятно повезло — его взял на службу глава администрации Максим Антонович Буркин. Игорь Львович стал заниматься охраной мэра и Ирины Богдановой, сейчас в подчинении Сердюкова с десяток человек, которые следят за порядком, наблюдают за паломниками и гасят любые, порой возникающие скандалы.

И последний вопрос. Почему не сделали анализ ДНК останков, обнаруженных возле замка людоеда? Конечно, это очень дорого, у районных специалистов элементарно нет средств на такое исследование. И Сердюков не выражал желания провести его. Зато этим озаботились мы. На костях черепа трупа было обнаружено несколько волосков. Местный эксперт, в отличие от Игоря Львовича, был человеком ответственным, поэтому аккуратно уложенные в тщательно закрытую стеклянную емкость волосы прекрасно сохранились. И знаете, каким оказался результат экспертизы? В лесу нашли труп не Ани Фокиной, а... Ирины Богдановой, художницы, которая пару часов назад нарисовала для меня «исполнялку».

Как образец ДНК Богдановой попал в систему? Каким образом эксперт, изучавший биоматериал, на него наткнулся? Ну, не все же работают, как Сердюков. Слава богу, на свете много замечательных специалистов.

Костя Франклин представил для сравнения молочные зубы своей сестры, которые хранила его мать. Когда стало понятно, что волосы принадлежат не Фокиной, сотрудник лаборатории прогнал результат по всем имеющимся базам и обнаружил-таки совпадение. Оказывается, Ирине Богдановой делали в больнице города Беркутова операцию по пересадке костного мозга. Донора искали по всей России, сведения находились в специальном фонде. Хирургическое вмешательство проводил главврач Владимир Яковлевич Обоев. Ира тогда была школьницей, и ей повезло, девочка выздоровела. После излечения бывшая подопечная Владимира Яковлевича уехала вместе с отцом из Беркутова. И вот тут начинается совсем иная история.

Биография Богдановой, которую рассказывают паломникам и журналистам, не содержит ни слова правды. Благодаря Владу Фарафонову я отлично знаю, как складывалась судьба Иры и ее отца Ильи Николаевича после их отъезда из Беркутова. Семья поселилась в Москве, девочка пыталась поступить в институт. Увы, ей не сопутствовала удача, Ирочка не сдала экзамены и осела дома. Наверное, она работала, но в таком месте, где не делают записей в трудовой книжке. Может, вчерашняя школьница торговала на рынке или подалась в домработницы? Не хочется думать, что Ирина устроилась в массажный кабинет или вышла на обочину шоссе, нацепив на себя микроюбку и сапоги-ботфорты, но ведь вполне вероятен и такой вариант. Илья Богданов тоже официально нигде не служил. Что делали отец и дочь? Как зарабатывали себе на хлеб? Сдавали часть московской квартиры? Пекли пирожки и стояли с ними у метро? Нет ответа. Но как-то Богдановы выживали. Единственное, что можно утверждать со стопроцентной уверенностью: ни отец, ни дочь никогда не выезжали за границу. В Америку они точно не летали.

Потом Ирина вдруг выплывает из мрака — становится участницей выставки, которую организовал фонд защиты диких животных. Богданова предоставила для экспозиции свою картину. Скопление пятен и линий неожиданно понравилось членам жюри, и работа девушки была отмечена дипломом. Спустя несколько месяцев Ира перебирается в Беркутов, где ее представляют журналистам как мировую знаменитость. Ну да эту часть истории я уже рассказывала.

Сейчас будет уместно сделать одно уточнение. Ни в одной статье вы не найдете никаких упоминаний о возрасте Богдановой. В принципе, это не странно, многие знаменитости скрывают год своего рождения, хотят выглядеть молодыми. Журналисты, с тщанием раскапывающие тайны селебретис, почему-то никогда не кричат со злорадством: «Ага! Актрисе N уже пятьдесят, а она все играет юных девушек!» Удивительно, почему, смакуя подробности пластических операций, липосакций, перечисляя любовников и находя внебрачных детей звезд, корреспонденты не уличают деятелей кино, театра и эстрады во лжи относительно их возраста, но факт остается фактом. Равным образом и Богдановой никто не задал простой вопрос: «Сколько вам лет?»

Учитывая окутывающий художницу ореол всемирной известности, паломники считают Богданову зрелой женщиной. Но на самом деле, если заняться простыми математическими подсчетами, становится ясно: она никак не могла прожить долго в Америке и заработать там яркую славу. К тому же недавнюю школьницу, да еще эмигрантку из России, никто в США спешно не увенчает лавровым венком. Но паломникам возраст волшебницы в принципе безразличен, а жители Беркутова счастливы из-за процветания города и не считают прожитые годы своей благодетельницы.

Что случилось с Ильей Николаевичем Богдановым, неизвестно. Отец Ирины по-прежнему прописан в Москве, но в квартире не бывает. Дом большой, многоподъездный, этажей в нем немерено, соседи сменились несколько раз, и из проживающих в высотке ныне никто ничего об Илье и его дочке сказать не может. Однако коммунальные платежи оплачиваются без задержки, никаких задолженностей нет. Этакий жилец-невидимка.

Ну, а теперь возникает сам собой напрашивающийся вопрос: если останки, обнаруженные в лесу возле «замка людоеда», принадлежат Ирине Богдановой, то кто рисует паломникам «исполнялки»? Кто появляется перед ними, выдавая себя за «великую художницу»?

Собственно говоря, для выяснения этого я и появилась в Беркутове.

— К сожалению, о вашем внуке я ничего не знаю.

— Чай-то будешь пить? Остыл у тебя, похоже, давай свеженького налью, — предложила Валентина Сергеевна.

— Спасибо, — отказалась я, — мне пора. Жаль, что вы ничего не знаете о том, куда отправилась Аня.

Колесникова тяжело вздохнула.

— Я и про Сашу ничего не слышала. Исчез — и как утонул. Ни разу меня навестить не приехал, одна я тут кукую. А скажи, пожалуйста, почему тебя Фокина заинтересовала?

Я решила, что можно сообщить старушке часть правды.

— Анна — младшая сестра богатого человека. Она повздорила с матерью, которая хотела, чтобы дочь прилежно училась, а не бегала по тусовкам. Родительница пыталась образумить девушку, но ничего не получилось. Кое-как Анечку впихнули в институт, где обучают будущих журналистов. Конечно, не в МГУ, хилые тройки в аттестате не давали ей шанса. Мама пристроила неразумную дщерь в американско-московский колледж телерадиовещания. Данное заведение — вроде заповедника для деток-балбесов, имеющих, на свое счастье, богатых родителей.

— Теперь понятно, — снова вздохнула Валентина Сергеевна. — Мой Сашка тоже учился из рук вон плохо. Троечки ему учителя в аттестате натянули и на выпускных помогли, чтобы только из школы парня вытурить. Директор не хотел статистику портить. Ведь если кому дадут вместо аттестата справку о том, что десять лет в школе просидел, это для учебного заведения плохо, получается, не сумел педколлектив ребенка до ума довести. Об институте для внука я даже не мечтала. О каком высшем образовании могла идти речь, если парень название столицы через «а» писал — «Масква»? Забрали его в армию, вернулся он через два года и мне на шею сел. Куда ни устроится, отовсюду за лень увольняли. А потом вдруг заявил: «В институт пойду!»

Я удивилась сообщению хозяйки. И села обратно на стул, хотя уже собиралась попрощаться и уйти.

Валентина Сергеевна грустно улыбнулась и продолжала рассказывать.

Глава 9

Старушке после такого заявления внучка смешно стало, и она спросила:

— Саша, на кого учиться собрался? На президента? Уж постарайся, деточка, надоело мне медяки считать, охота на старости лет богато пожить.

А парень серьезно ответил:

— Поступлю в американский колледж, он в Москве открыт. Выучусь на журналиста, уеду в Нью-Йорк на работу, вот тогда ты надо мной можешь смеяться, сколько захочешь.

Колесникова не выдержала и съязвила:

— Дай бог нашему теляти волка съесть. Опомнись, Саша, кому ты нужен? Какая журналистика? Ты двух слов связать не можешь, куда уж тебе статьи писать!

Бабушка думала, что внук разозлится, но он сохранил хладнокровие.

— А там все такие, как я. Помнишь Вадьку Сердюкова?

— Сына Игоря Львовича? — вскинулась Валентина Сергеевна. — Дружка твоего закадычного? Вечно он тебя на гадости подбивал. Сам потом за папину широкую спину спрячется, а мой внучок-дурачок один отвечает за общие проделки.

— Ладно тебе, когда дело-то было, — отмахнулся Александр. — Подумаешь, разбили пару стекол в окнах. Вадька со школы мой лучший друг, а ты его даже в дом не впускала.

Вот тут у Валентины Сергеевны лопнуло терпение:

— И правильно делала! Два окна, говоришь? А про витрину в Москве забыл? Вас на месте поймали, в отделение отвели. И чего? Игорь Львович форму натянул, служебное удостоверение прихватил и в столицу кинулся. В результате папенька Вадима домой доставил, а ты остался в обезьяннике, на тебя все записали. Кто потом витрину оплачивал? Я, твоя бабка. Знаешь, как Сердюков отреагировал, когда я к нему пришла и сказала: «Игорь Львович, побойтесь Бога, вместе же парни набедокурили, вместе нам и расход нести»? Вытащил наш главный борец с уголовниками из стола бумагу и мне показывает. «Нет, Валентина Сергеевна, не так все произошло.

Ваш Саша стекло расколошматил, Вадика рядом не было. Почитайте вот копию их показаний и скажите спасибо, что я вашего внука от тюрьмы отмазал. Витринка-то принадлежала обувному магазину, там хорошие кожаные сапоги были выставлены. Мог ваш внук по статье за попытку воровства пойти, а я упросил коллег хулиганку ему оформить».

— Ой, перестань! — скривился Александр, когда обозленная Валентина Сергеевна примолкла. — Мы с Вадькой как дружили, так и продолжаем дружить. Он сейчас учится в Москве, в том самом американском колледже, и сказал мне, что туда любой поступить может. Вадя ведь сам тоже не из отличников. Странная ты! Орешь, что я лентяй, ни учиться, ни работать не хочу, а когда я собрался студентом стать, злобишься. Уж определись, чего ты хочешь!

Колесникова растерялась.

Когда подошел день первого сентября, бабушка посмотрела на внука и вновь не смогла удержаться от язвительности:

— Нарежь в саду гладиолусы, пойдешь на занятия с букетом!

Саша усмехнулся.

— Хорошая идея, но я же не первоклассник. Студенты на лекции с цветами не ходят. Побегу на поезд.

Валентина Сергеевна не поверила своим ушам. Внук спешит на электричку? Неужели парня действительно приняли в колледж?

Всю осень Колесникова пребывала в недоумении, а Александр, веселый, словно трехмесячный щенок, каждый день укатывал в столицу. На все вопросы бабушки он кратко отвечал:

— Я учусь. Отстань!

В конце концов она подстерегла на улице Сердюкова-старшего и, сделав вид, что столкнулась с ним случайно, сказала:

— Похоже, наши парни за ум взялись, вместе в американском колледже знания получают.

Игорь Львович удивленно глянул на пенсионерку.

— Вадик действительно на третьем курсе этого учебного заведения учится, сразу после школы поступил, в армию, как Александр, не попал. Все сессии на пятерки сдает. Но мне странно слышать, что и ваш внук там же занимается.

— Почему? — разозлилась Валентина Сергеевна. — Вадьке можно, а Саше нет?

— Пусть на здоровье обучается, — сказал Сердюков, — без хорошего образования нынче никуда. Вы, наверное, клад нашли на огороде?

Колесникова непонимающе уставилась на Сердюкова, а тот ухмыльнулся.

— Разве вы не знаете, что один семестр в колледже стоит десять тысяч долларов?

— Сколько? — ахнула пенсионерка. — Не может быть!

Игорь Львович снисходительно похлопал ее по плечу.

— Вот поэтому я и поинтересовался, не отрыли ли вы, когда сажали картошку, сундук с золотом.

Валентине Сергеевне стало так обидно, не передать словами.

— Да, денег у нас нет! — воскликнула она. — Но

вот интересно, откуда они у вас? Неужели ментам столько платят?

Сердюков молча развернулся и ушел.

Вскоре после этой не очень приятной беседы Саша привел в дом Фокину и перестал ездить в Москву. Какое-то время внук тихо сидел дома. Потом Аня исчезла, а затем и Александр пропал. Вадик после окончания вуза ни в какую Америку не поехал. Еще будучи студентом, он женился и сейчас работает у Ирины пресс-секретарем.

— Не зря младший Сердюков образование получил, — пояснила Валентина Сергеевна, завершив рассказ. — Если кто хочет про Богданову написать или программу снять для телевизора, все к Вадьке обращаются. Его теперь не узнать — иномарка, костюм красивый, рубашка, галстук. Жену он себе взял из простых, не богатую. Мерзавец!

— Если человек идет в загс с любимой девушкой, а не с выгодной невестой, это характеризует его с лучшей стороны, — мягко возразила я.

Колесникова оперлась локтями о стол.

— Так, да не совсем. Если супруга из хорошей семьи, с обеспеченными родителями, над ней не поглумишься и руки распускать не станешь. Только обидишь жену — сразу от ее родственников пряников получишь. И сейчас женщины не спешат хозяйством заниматься, детей рожают после тридцати. Вон, на нашей улице у всех дочки в Москве живут — выучились, на работу устроились, деньги получают, а в загс не торопятся. В Беркутове остались одни дуры, но и им обед сготовить лень, огород не сажают, предпочитают готовое брать, а потом ноют, мол, денег нет. Вадим расписался с Феклой

Шлыковой. Она из многодетной семьи, двенадцатая дочь. Имена, видать, в голове у Маньки Шлыковой кончились, раз так девчонку обозвала. Фекла вместе с Сашей и Вадькой училась. Ничего плохого о ней не скажу. Тихая, бесцветная, говорит слово в месяц, одевается как поповна — юбка почти до щиколоток, кофта до горла застегнута. И постоянно в платок кутается. Бабы говорят, Вадим жену за человека не считает, а та терпит, потому что ей страшно в нищете оказаться, как в детстве. Фекла старается быть лучше всех: готовит, стирает, убирает, грядки копает. И все сама, помощниц у нее нет, няньки тоже, служит мужу как собака. Вот и думай, удачно ли Вадька женился. Говорю же — он мерзавец. Младшему Сердюкову очень в жизни повезло, и старший всем доволен, ловко они рядом с Богдановой устроились. Пиявки!

— Почти все художники, писатели и музыканты плохо справляются с бытом, — подначила я Колесникову. — Творческие люди не думают ни о покупке продуктов, ни о всяких мелочах, вроде платы за квартиру. И всегда около таланта есть человек, его обслуживающий.

Валентина Сергеевна тихонечко засмеялась.

— Боюсь даже представить себе, сколько денег имеет эта шобла во главе с Игорем Львовичем и его сынком. Полагаю, гребут миллионы лопатой, Ирина сладкую жизнь им устроила.

— Насколько я поняла, приезд паломников способствует процветанию всего Беркутова, — возразила я.

Валентина Сергеевна поджала губы, но решила быть объективной:

— В общем, да. Центр мэр наш, Максим Антонович, привел в порядок, везде асфальт положил, фасады домов бесплатно народу отремонтировали, водопровод провели. Дочка Буркина, Катя, дизайнер, все красиво придумала. Хорошая девочка была в детстве, дружила с моим Сашей. Она часто сюда приходила и всегда ботиночки снимала, руки без напоминания мыла. Если я ее чаем угощала, печенье мое нахваливала. Смешно, ведь самое обычное, овсяное, из магазина на станции, но Катерина говорила: «Очень вкусно! У вас, тетя Валя, еда особенная!» Девочка старалась мне приятное сделать. И она по сию пору милая. Вот как странно получается: ходили ребята в одну школу, а все разные. Катя, Вадим и Гарик, сын нашего главврача Владимира Яковлевича Обоева, — из обеспеченных семей, хорошо одеты. Саша мой не то чтобы из совсем бедных, но большого достатка мы не имели. Юра, сынок Раисы Кузьминичны, которого маньяк убил, тоже на золоте не ел, а Фекла совсем нищая. Но всегда везде вместе бегали. Что их связывало?

— Наверное, учеба в одном классе, — начала я, однако Колесникова не дала мне договорить.

— Может, и так, — протянула хозяйка, — да только развалилась их компания. Гарик умер.

— Сын Обоева? — насторожилась я.

Валентина Сергеевна кивнула.

— Он повесился. Говорят, увлекался наркотиками, но я думаю, парнишка смерть матери не пережил, та внезапно умерла. У всех ребят судьба не очень счастливо с детства складывалась. Жена Максима Антоновича с любовником убежала, когда дочь еще маленькой была. Пришлось ему няньку нанять, Катю чужие люди воспитывали. Хорошо хоть Максим не женился, мачеху в дом не привел. Все воспитатели, кто деньги получает, побоятся над ребенком измываться. Вадька Сердюков в три года сильно заболел, думали — умрет. Сначала мальчишку Обоев лечил, потом его в какую-то больницу под Питер отправили. Хорошо ли крошке одному, среди чужих людей? Он там долго пробыл, а когда домой вернулся, жена Игоря Львовича спилась и умерла. Сердюков через пару лет женился на Варе. Она женщина хорошая, Вадима как родного воспитала. Только у нее сердце больное. Один раз Варе на моих глазах в магазине плохо стало, в обморок упала. Попросила продавщицу сыра кусок отрезать и ни с того ни с сего брякнулась на пол. Жаль ее, приятная женщина, но ведь все равно не кровная мать. В двенадцать лет у Вадима рецидив случился, его снова на десять месяцев в кровать уложили. И опять говорили: не жилец. Но ничего, поставил Обоев парня на ноги. У самого Владимира Яковлевича тоже в семье беда. Его жена, Таня, внезапно умерла. Наверное, тоже от сердца, я подробностей не знаю. Милая она была, сострадательная, очень правильная. В один день у нас на кладбище двое похорон случилось: Юру, сына Раисы Кузьминичны, в землю опускали и Таню Обоеву. Гарик между двумя процессиями метался — слева друг в гробу, справа мать. На младшего Обоева страх смотреть было. Я его обняла, а он как заплачет: «Это я виноват! Один я виноват! Во всем!»

Колесникова встала и включила чайник, не прерывая рассказа.

— Прямо колотило тогда парня. Я подошла к Обоеву, рассказала, как Гарику плохо, и попросила его:

«Дайте сыну таблеток успокаивающих, у меня сердце недоброе чует». И ведь не зря тревожилась — повесился парень. Наверное, у него психическое расстройство началось. Раиса Кузьминична после гибели сына тоже умом тронулась, злая стала, разговаривать с ней невозможно. Кстати, от кого она уже совсем не в юном возрасте Юрой забеременела, никто не знает. Ну и Саша из той же компании. Родила его моя дочка без мужа, годок посидела с младенцем и сказала однажды: «Поеду в Москву работу искать, вернусь завтра». Я ее отпустила, ни о чем плохом не думала, а когда спать собралась, на постели письмо нашла. Оказывается, Нина завела шашни с мужиком, а тот ей условие поставил: женюсь на тебе, увезу с собой, но ты сына оставляешь в Беркутове, я чужого ребенка кормить не намерен, у нас свои дети появятся. И все, с тех пор мы не встречались. Один раз Нина мне написала, лет десять назад, сообщила, что живет хорошо, не в Москве, муж прекрасный, две дочери у них, свекровь, как родная мать. О Саше дочка не вспомнила и про мое здоровье не спросила. Кто у нас еще остался? Фекла Шлыкова, двенадцатый ребенок матери-проститутки. Манька дальнобойщиков обслуживала, от них и рожала. Теперь Юры и Гарика нет, мой Саша пропал. Фекла — безропотная жена Вадима, Катя дизайнер, а Вадику лучше всех. Владимир Яковлевич снова женился, на запойной. Только Людка не водку глушит, а за шмотками носится, остановиться не может, сгребает все, что видит. Получается, господь для нашего доктора семейного счастья не предусмотрел.

А если что о Саше выяснится, очень тебя прошу, уж сообщи мне. Лучше плохая правда, чем неизвестность.

Глава 10

Вернулась я в гостиничный номер тем же путем — через окно. Быстро сбросила с себя одежду частной сыщицы и решила поесть в номере. Телефон никак не отреагировал на мои попытки соединиться с рецепшен, поэтому мне пришлось пойти в центральный холл, где меня встретил Федор чуть ли не с распростертыми объятиями.

— Гуд лак! Вот ю вонт? — закричал портье. — Ду... э... год дей ин Раша энд Беркутов! Хэппи, олл райт! О'кей?

— Давайте беседовать на русском языке, — вздохнула я.

— Статус пятизвездочного отеля требует от персонала знания иностранных языков, — гордо провозгласил Федор. — Вы занимаете президентский номер, значит, я обязан окружить вас небывалым комфортом.

— Прекрасно, — улыбнулась я, — но ведь глупо обращаться по-английски к человеку, который родился, вырос и живет в Москве. Мне бы хотелось пообедать в номере.

— Прекрасная идея! — ажитировался Федя. — Желаете сделать заказ?

— Очень, — откровенно сказала я.

— Меню на столике, где находится телефон, — возвестил портье.

— Не заметила его, — удивилась я.

— А вы аппарат поднимите, — посоветовал Федор.

— Кстати, я не смогла дозвониться до рецепшен, — пожаловалась я.

Портье опустил глаза.

— К огромному сожалению, безо всякой радости, испытывая конфуз, должен признаться: у нас проблемы с внутренней связью. И с внешней тоже. Пардоньте. Отель не обслуживается операторами, то есть... э...

— Аппарат — бутафория? — прямо спросила я.

— Ну что вы! — всплеснул руками Федя. — Как вы могли такое подумать! В президентских апартаментах наилучшая техника, а не изделие из картона!

— Но связи-то нет, — усмехнулась я, — ни внешней, ни внутренней. Думаю, в этом случае самый современный телефонный аппарат бесполезен. А зачем в номере телефон, если им невозможно воспользоваться?

— Статус пятизвездочного отеля требует наличия в каждой комнате, даже эконом-класса, телефона. И он у всех есть! — торжественно заявил Федя.

— Но не работает, — вздохнула я. — Глупость получается.

— Людям положено предоставить аппарат, а уж можно звонить или нет, другое дело, — вкрадчиво произнес администратор. — Когда мы подали заявку на пятизвездность, комиссия, занимающаяся классностью отелей, проверила нас на соответствие требованиям. Аппарат есть? Битте, на столике. Что еще надо?

— Самую малость — возможность связаться с ресепшен, не покидая номера, — ответила я.

— У обитателя президентских апартаментов нет проблем с вызовом дежурного управляющего, —

провозгласил Федор, — гость легко побеседует со мной, не переступая порога апартаментов класса «вип-супер-вип».

— Интересно как? — удивилась я.

Лицо портье озарилось счастливой улыбкой.

— Откройте дверку и крикните: «Главный портье и управляющий, зайдите в люкс!» Я в детстве с отличием окончил музыкальную школу, слух имею тонкий, прилечу трудолюбивым трутнем за секунду.

На меня напал смех, который я тщательно замаскировала под приступ кашля. Интересно, Федя знает, что слово «трутень» в русском языке синоним «лентяя»?

— Простудились? — заботливо поинтересовался служитель отеля. — Примите горячую ванну, мне всегда помогает.

— Непременно воспользуюсь вашим советом, — согласилась я, — но хочу сделать заказ из ресторана.

— Меню в номере, — напомнил он.

— Неужели у вас на стойке нет второго экземпляра? — вздохнула я.

Федор поклонился.

— В апартаментах президента особая карта, ее никому, кроме руководителя государства, не показывают, остальным эксклюзивных блюд не готовят.

— Ясно, — кивнула я и потопала назад.

Под бесполезным телефонным аппаратом действительно обнаружилась четвертушка листа формата А-4, заполненная текстом. Я попыталась взять клочок, пару секунд отковыривала его от столешницы, потом сообразила: меню приклеено. Вероятно, главы разных стран могут увезти с собой в качестве сувенира карту ресторана, вот администрация отеля и приняла меры против вандалов.

Чтобы прочитать меню, мне пришлось почти уткнуться носом в лакированную поверхность стола.

«Салат сруколой и помидором». Человек, набиравший текст, не сделал пробел между предлогом и названием травы. Кстати, я встречала самое разное ее написание — и руккола, и руколла, и даже рукколла. Но хватит думать о грамматике, вернемся к меню.

«Салат сруколой и яйцом с майонезом», «Салат сруколой и шпротами по-неаполитански», «Срукола под домашним соусом провансаль», «Свежая срукола с цыпленком от Раисы».

Я выпрямила затекшую спину. На кухне «Золотого дворца» искренне считают, что на свете произрастает вкусная съедобная зелень под названием «срукола»? И как понять название блюда «цыпленок от Раисы»? Тетка сама снесла яйцо, а потом его высидела? Ладно, закуски меня не привлекают, перейдем к супам. «Прозрачный бульон из костей косматого». Вот тут на меня напала оторопь. Из кого приготовили первое блюдо? Из лохматого-косматого Шарика-Бобика? Как-то не гламурно, учитывая статус «вип-супер-вип» номера. Нет, повар явно имел в виду не собаку. А кого? Козу? Овцу? Шурпа очень вкусный суп, если правильно сварить баранину, то пальчики оближешь. Может, под косматым подразумевался, так сказать, муж овцы?

Минут пять я пыталась понять, кто же имеется в виду, и вдруг догадалась. Консоме! Так называют прозрачный бульон, который, как правило, подают с пирожком. Но уже через секунду я изумилась: бульон из костей консоме? Так не бывает, звучит, как «масло из костей масла».

Решив, что суп мне тоже ни к чему, я плавно перешла ко вторым блюдам. «Живой, свежий лосось из Норвегии, приехавший своим ходом под соусом майонез собственного приготовления». Рыбу подадут сырой? Живой? Как она могла приехать своим ходом? На худой конец лосось мог приплыть. Отсутствие знаков препинания придавало тексту еще большую загадочность. Лосось двигался из Осло, облитый провансалем, который взбил собственными плавниками?

Я поежилась и увидела еще одно название: «Пицца четыре сезона». Ну и ну! Никакого подвоха? Просто лепешка со вкусной начинкой? Без сруколы и майонеза, взболтанного лососем?

Я открыла дверь и закричала:

— Федор!

В ответ не раздалось ни звука.

Я добавила децибел:

— Федя!!

И снова полнейшая тишина.

Пришлось опять идти в холл. Портье, надев наушники, с восторгом пялился на экран телевизора, где мужчины в трусах и майках вяло пинали мяч.

— Федор!!! — заорала я. — Ау!!!

Администратор вздрогнул, сдернул с головы «уши», быстро сунул их под стойку и величаво произнес:

— Гуд бай! Йестердей... э... раша итс бьютифулл для... э...

— Пицца «Четыре сезона», — отчеканила я. — Когда она приготовится?

— Завтра. Пекут ее в особой печи, — застрекотал Федор, — используют биоовощи и колбасу органического происхождения.

— Завтра? — изумленно повторила я, не обратив внимания на прочие несуразности. — Но мне хочется подкрепиться сегодня.

Администратор сделал любимый жест Наполеона — положил одну руку за борт пиджака и прощебетал:

— Любой ресторанный заказ нужно готовить минимум несколько часов. Желаете на завтрак пиццу? Подадут свежайшую.

— Хорошо, — кивнула я, — съем «Четыре сезона» утром. И выпью кофе.

— Напитки оформляют незадолго до разлива, — пояснил Федя. — Проснетесь и скажете, чего хотите. У нас есть все для вашего наилучшего удобства.

— Пойду приму душ, — вздохнула я.

— Легкого вам пара и мягкой мочалки, — пожелал портье. — В ванной найдете специально изготовленное для президентского номера зеленое мыло. Непременно попробуйте, оно дарит истинное наслаждение телу и будит в голове мысли о прекрасном.

— Очевидно, им мылся норвежский лосось, добираясь до Москвы, — пробормотала я.

— Простите, не понял, — встрепенулся Федор.

— Ерунда, — отмахнулась я, вернулась в номер, пошла в ванную и включила воду.

Разрекламированное дежурным мыло оказалось небольшим брусочком прямоугольной формы. Я содрала обертку, потом осторожно понюхала кусок цвета хаки. Нос уловил знакомый запах, точь-в-точь как тот, что исходит от банки с только что открытыми оливками. Похоже, мыло действительно сварили вручную.

Я села в ванну и старательно повозила брусочком по желтой мочалке. Обильной пены не получилось. Последний факт окончательно убедил меня в натуральности продукта. Я хорошо знаю, что мыло, произведенное без применения красителей и синтетических отдушек, почти не дает шапки из мелких пузырьков. Давно известно: чем красивее и обильнее пена, тем больше химии добавили в мыло. Одна из моих подруг, Леся Ревина, давно увлекается изготовлением всяческих средств для бани. На каждый праздник Леська непременно дарит мне собственноручно сделанный набор. Ну, допустим, скраб из крупной соли с медом, ромашковый шампунь и мыло из кофе. Да, да, можно соорудить и такое, оно пахнет арабикой и придает коже чуть смугловатый оттенок. Леськина продукция упакована в простенькие баночки, подчас в качестве тары Ревина использует бутылки из-под кефира. Никаких золотых крышек, флаконов причудливой формы и пластиковых лопаточек для нанесения смеси. Но о скромности упаковки забываешь после первого использования Леськиных средств. Гладили когда-нибудь животик трехмесячного щенка? Пользуйтесь молочком от

Леси и обретете такую же кожу. Похоже, в Беркуто-ве живет местная Ревина. Не удивлюсь, если узнаю, что оливки для мыла она выращивает в оранжерее на своем огороде.

Бодро напевая попурри из современных песен, я начала тереть себя мочалкой, потом ополоснулась, хотела взять полотенце, и поняла, что нужно еще разок окатиться водой — кожа осталась липкой. Я повернула рычажок крана, из душа потекли жидкие струйки, которые почти тут же иссякли. Я подергала туда-сюда никелированный регулятор, потрясла душ, но не добилась никакого эффекта, надела совершенно новый (на воротнике болталась бирка из магазина), розовый махровый, очень мягкий халат, вскрыла прозрачный пакет с тапочками из того же материала, распахнула дверь номера и гаркнула во всю силу легких:

— Федор!

На сей раз портье примчался в мгновение ока. В руках он держал большой мешок ярко-синего цвета. Федор спросил:

— Вот из ватер?

— Именно о ватере и пойдет речь, — успокоила я дежурного. — Вода в душе закончилась.

— Фу! — выдохнул администратор. — Ну вы и напугали меня! Так закричали, что я подумал: президентский люкс горит. У меня инструкция, в случае катаклизмы спасать в первую очередь гостей категории «вип-супер-вип», потом «вип-супер», следом «супер», затем тех, кто проживает в номерах класса «простой-эконом-простой», а уж после идти за «эконом-общий». Поэтому я помчался к вам с огнетушителем. Это особая модель, в ней биовещество, которое не причинит никому вреда...

Мне надоело слушать вздор.

— Кажется, у вас есть инструкции на все случаи жизни. И как нужно действовать, если в душе вип-супер-вип-гостя иссякла вода?

Федор положил странный мешок на пол.

— Администрация отеля «Золотой дворец», он же «Голден пэлэс», в лице главного портье и управляющего приносит вам свои глубочайшие извинения и сообщает, что перебои с водой происходят не по нашей вине.

Портье перевел дух. Потом, видимо, забыв заученный текст, заговорил более-менее нормально:

— Понимаете, Максим Антонович вообще-то привел в порядок коммунальное хозяйство, людям водопровод протянул. Стыдно же в двадцать первом веке к колодцу с ведрами шастать и в качестве сортира дощатую будку использовать. А в Беркутове до того, как Ирина Богданова к нам, на наше общее счастье, приехала, бабы с коромыслами ходили. Мэр Буркин людям комфорт принес, центр полностью благоустроил, сейчас окраины до ума доводит. Но нашему отелю не повезло. Здание стоит в тупике, перед ним находится частный дом местной юродивой Раисы Кузьминичны, более домов на улице нет. Конечно, Силантьеву жаль, она разум потеряла после того, как ее сын Юрий погиб. Но при чем тут гостиница? По какой причине постояльцы, заплатив деньги, должны испытывать неудобства? Случилась у нас авария с трубами. Чтобы устранить поломку, мастерам надо было попасть в подвал избы Силантьевой — там, под землей, какая-то разводка. Думаете, Раиса впустила аварийщиков? Как же! Даже калитку не открыла! Неделю бабку уговаривали, Максим Антонович сам под ее забором стоял, я слышал, как он через рупор говорил: «Уважаемая Раиса Кузьминична, мы устраним поломку менее чем за сутки. Потом отремонтируем вам подвал, приведем все в порядок, мусор унесем, никаких неудобств вы не ощутите. Отель «Золотой дворец» готов на время работ предоставить вам бесплатно лучший номер и еду. Подарим вам газовую колонку, установим ее. Вернетесь через двадцать четыре часа, а у вас в подполе полный ажур: потолок побелен, пол плиткой выложен, стены покрашены, горячая вода из всех кранов течет. Не хотите избу покидать? Оставайтесь на здоровье, в комнаты никто не заглянет. Пожалуйста, впустите рабочих. Не городской администрации вина, что в вашем подвале центральная разводка, от которой вода к отелю подается. Сами знаете, в гостиницу здание не так давно превратили, ранее оно было флигелем НИИ растениеводства, а ваша избушка числилась при научном заведении сторожкой».

Федор прислонился к стене.

— Только старухе на чужие проблемы плевать. Она даже в окно не выглянула. Максим Антонович был вынужден из Москвы спецов звать. Те придумали нам новую трубу протащить через дорогу. Да дело-то не быстрое. Улицу загородили щитами, проезда теперь по ней нет, народ вокруг ездит. А если кому пешком сюда надо или паломники ошибаются, сворачивают к дому Богдановой чуть раньше, тут

Раиса из окна вывесится и скажет: «Куда идете? Вам не сюда!» И отошлет человека аж на другой конец Беркутова. С виду Силантьева нормальной кажется, вот ей и верят. А теперь скажите, чем люди перед ведьмой провинились? Если у нее сын погиб, при чем тут паломники?

Глава 11

— Воды не будет совсем? — перебила я Федора.

— Часика два, потом дадут, — поспешил утешить меня портье. — А что?

— Не успела как следует помыться, — пожаловалась я.

— Нет проблем для президентского номера! — весело заявил Федя. — Сейчас устрою вам автономную баню.

— Спасибо, — пробормотала я.

— Идите в ванную, снимайте халатик, — заботливо сказал портье, — прилетит к вам водичка на крыльях.

Из холла послышался громкий стук, затем шум и визгливый голос:

— Ау, есть тут кто живой? Группа из Железнопарка прибыла.

Федор закатил глаза.

— Простите, я обязан бежать, оформлять гостей. Это «эконом-общий», их тридцать человек, взяли один номер.

— Будут спать штабелями? — хихикнула я.

— Конечно, нет. У нас есть просторный номер нулевого класса с пониженной комфортностью на сорок лиц, — пояснил Федя. — Мы стараемся угодить всем желающим. Если у человека денег немного, а к Богдановой охота приехать, то, пожалуйста, занимайте койко-место в общем отсеке. Но вы не волнуйтесь, сейчас вам обеспечат воду.

Федор раскланялся со мной и порысил к рецепшен. Я вернулась в номер и задумчиво подергала рычаг душа. Видимо, где-то в хозяйственных недрах «Золотого дворца» есть резервуар с аварийным запасом воды, надо подождать несколько минут, сейчас кто-то из рабочих открутит нужный кран, и мне удастся домыться.

Я развязала пояс и начала снимать халат. Махровая ткань неохотно соскальзывала с тела, полы почему-то разошлись с трудом, руки я вытащила из рукавов лишь с пятой попытки, а от спины уютный халат никак не желал отдираться. Мне пришлось изрядно повозиться, прежде чем удалось избавиться от одеяния. Вода пока не текла, я машинально взглянула в зеркало и взвизгнула. Оно отразило странное создание, больше всего смахивающее на гигантского новорожденного цыпленка. Все тело существа покрывал густой пух, правда, не желтого, а розового цвета. И это был не цыпленок, потому что из махрушек торчала шея с моей головой.

В первую секунду я оторопела. Потом поднесла к глазам руку, уставилась на нее и приказала себе: спокойно, Вилка, включи ум, ни одно живое существо не может в доли секунды обрасти шерстью. Вот облысеть — это пожалуйста. И потом, я же блондинка, значит, покрылась бы светлой шубкой, а не стала бы похожей на родственницу фламинго. Без паники, тут какое-то недоразумение.

Я осторожно потянула за несколько махрушек и оторвала их от кожи. Отодранные части оказались нитяными, и сразу стало понятно, что случилось. Смыть оливковое мыло мне не удалось, и когда вода перестала течь, я накинула махровый халат. Вы когда-нибудь пользовались новым полотенцем? Как ни стирай его перед тем, как вытереться впервые, а всегда на лице, шее и руках останутся мелкие ниточки. Их количество зависит от качества ткани, чем оно лучше, тем меньше комочков будет. А что произойдет, если липкое тело замотать в пушистое одеяние, совершенно новое, прямо из магазина? Вот из меня и получился розовый цыпленок, прошу любить и жаловать.

Я вновь посмотрела на душ. Надеюсь, Федор не забыл пнуть мастера, и я не зря жду у моря погоды, вернее, воды у душа.

В номер громко постучали. Я быстро влезла в халат и распахнула дверь. На пороге стоял мужчина в спецовке.

— Здрассти, — вежливо произнес он. — Гутен дэй.

— Вы кто?

— Не узнали? — заулыбался незнакомец. — Мы встречались. Я Иван. Исполнял роль медведя в церемонии торжественной встречи президента.

— Очень приятно, — сказала я. — Что вы хотите?

— Лично мне ничего не надо, — решительно заявил Ваня. — Слесаря заказывали?

— Вы пришли включить воду! — обрадовалась я. — Проходите скорей.

Иван чуть сдвинул брови.

— Где душ делать будем?

Глупость вопроса меня поразила, но я спокойно ответила:

— Полагаю, в ванной комнате, она вполне оборудована для этого.

— Желание вип-супер-вип клиента для работников отеля — закон! — выпалил Иван. — Гран мерси, что воспользовались нашей наилучшей в районе гостиницей. Посторонитесь, уно моменто... Вот так!

Я отошла от двери, Иван чем-то зашуршал, залязгал и через секунду предстал передо мной с каким-то странным ведром и пакетом в руках. От здоровенной оцинкованной емкости ответвлялась похожая на гриб конструкция.

— Разрешите приступить к исполнению организации душа? — спросил Иван.

— Сделайте одолжение, — вздохнула я.

Ваня выдвинул вперед нижнюю челюсть, потом задвинул ее обратно.

— Не понял. Чего я должен вам одолжить? Ничего хорошего у меня нет, ни денег, ни здоровья, ни почета.

Я показала на дверь ванной.

— Душ! Наладьте воду.

— Разрешите приступить к исполнению? — вновь спросил Иван.

Я вспомнила своего первого мужа, сотрудника милиции Олега Куприна, и нашла подходящее слово:

— Приступайте.

— Есть приступить! — отчеканил Иван и скрылся с глаз.

Я ожидала услышать звяканье, стук, плеск, но

стояла тишина, как ночью на кладбище. Меня охватило удивление, потом я насторожилась. Но тут Ваня заорал:

— Готово! Можно мыться!

Я вошла в ванную и приросла ногами к полу. Иван, почему-то напяливший себе на макушку черную вязаную шапку, стоял около ванны, держа в руках то самое ведро с торчащим грибом. И только сейчас я сообразила, что емкость на самом деле является здоровенной садовой лейкой. Мать тетки Раисы, к которой меня маленькую отправляли на лето, пользовалась точь-в-точь такой. И очень часто бабка приказывала мне:

— Хорош балбесничать, солнце садится, пора огород поливать. Бери брызгалку и вали к огурцам.

Я хватала серую жестяную уродину, подходила к здоровенной бочке, наполненной дождевой водой, становилась на положенные рядом кирпичи и опускала лейку в подернутую пленкой жидкость. Силы детских рук не всегда хватало на то, чтобы благополучно вытащить почти ведерную емкость. Иногда мои пальцы сами собой разжимались, и лейка рушилась на дно. Один раз я, пытаясь достать ее, упала в бочку, и хорошо, что именно в ту минуту мимо шел вечно пьяный пастух дядя Миша. Мужик вытащил терпящую бедствие первоклашку, отвел меня домой и с порога заорал на бабку:

— Сделала из ребенка негру! Гадюка ты, эксплуататорша-рабовладелица! Вспомни про совесть, утопнет девка, я молчать не стану, сдам тебя участковому!

После того случая поливать огород бабка меня

больше не посылала. А я, преисполненная благодарности к доброму дяде Мише, тайком бегала в сарай, где у старухи денно и нощно гудел самогонный аппарат, сделанный из отслужившего свой век самовара, отливала немного первача и приносила мужику на поле, где он пас коров...

— Мыться будете? — осведомился Иван, прервав мои воспоминания.

— А где вода? — спросила я.

— Тут, — ответил Ваня и показал на лейку. — Становитесь в ванну, оболью вас.

— Здорово... — пробормотала я. — Но как-то неудобно будет в халате.

— Так снимите его, — пожал плечами Иван.

— Уходите, я сама справлюсь, — велела я.

— Нет, — уперся мужик, — инвентарь подотчетный, на мне закреплен. Если сломаете, платить не вам.

Несмотря на идиотизм ситуации, мне стало смешно.

— Как можно испортить лейку?

— Ну, батарейка разрядится, — не моргнув глазом, отбрил Ваня, — или ручка погнется.

Следовало поинтересоваться, в какое место лейки встроен автономный источник электропитания, но я решила остановить поток абсурда.

— Все. До свидания.

— А душ? — жалобно протянул Ваня. — Я обязан выполнить заказ. Припру назад неистраченную воду, Федька мне ее за шиворот выльет. Давайте-ка быстренько мыться. Айн, цвай, драй и фантастиш!

Судя по последней фразе, Ваня набрался немецкой лексики из фильмов категории «Только для взрослых». Я уперла руки в боки.

— Прощайте.

— Меня уволят, если я не обслужу клиента, — выдвинул Иван самый весомый аргумент. — Я инвалид, по состоянию разрушенного здоровья мне на хорошую службу не устроиться. Не сомневайтесь, вода чистая, я сам к колодцу бегал! Вот вы, бабы, какие странные. Хотите мыться, а когда душ приходит, отказываетесь...

По непонятной причине я начала оправдываться:

— Я совсем не капризна. Но очень неудобно раздеваться перед незнакомым мужчиной.

— Так это ж ерунда! — обрадовался Ваня. — Я специально принес с собой заслонку. Во!

Быстрым движением Иван натянул шапку до подбородка и заявил:

— Ни фигашечки не видно. Хотите проверить? Темень, как в заднице! Я защитное устройство не подниму, пока вы команду не дадите. Окей, май вумен энд мэнс? Гутен дэй фор ю! Плиз приезжать в Раша энд Беркутов!

Я заколебалась. В образе розового цыпленка расхаживать как-то не с руки, а отщипывать нитки от кожи дело долгое, да и малоприятное. Иван, похоже, не врет, шапка не позволит ему полюбоваться на меня голую. Эх, была не была! Я живо скинула халат, села в ванну и сказала:

— Давай!

— Разрешите приступить? — осведомился Иван.

— Приступай наконец! — разозлилась я. — Холодно.

— Издавайте звуки, — попросил Ваня, — я ориентируюсь по вашему голосу. Спойте что-нибудь.

— Не слышны в саду даже шорохи, — завела я, — все здесь замерло до утра. Если б знали вы...

На голову полилась вода. Да такая ледяная, что меня всю парализовало.

— Мойтесь, не торопитесь, — бубнил Иван, — капаю тихонечко. Аш два о чистейшая, тока что из колодца, а он у нас тут самый глубокий в Беркутове. Ну как? Хорошо?

Я с трудом сделала вздох и завопила:

— Мама!

— Не одни приехали? — спросил Ваня. — Правильно, что про мамашу вспомнили, не оставили старушку дома, к пожилым людям надо с уважением относиться. Принести и вашей матушке ополоснуться? Мне не трудно.

Я выскочила из ванны, схватила все полотенца, завернулась в них, затем бросилась в номер, стянула с кровати покрывало, набросила его себе на плечи и попыталась унять крупную дрожь, сотрясавшую меня.

— Леечка опустела, — сообщил Иван, — крикните, когда шапку снимать.

— Можно прямо сейчас, — пропищала я.

Мужик, громыхая пустой лейкой, вышел из ванной.

— С легким паром вас. Ну, я пошел по делам, надо в чулане полку прибить.

— Ваня, — прошептала я, — вы почему воду не подогрели?

Рабочий притормозил у двери.

— Не подумал на эту тему. А надо было? До сих пор никто не просил.

— Вы уже многим тут автономный душ устраивали? — просипела я.

— Вам первой, — ответил Иван и исчез.

Глава 12

Согрелась я лишь минут через пятнадцать. Вымоталась наконец из покрывала и полотенец, оделась и услышала деликатный стук в дверь.

— Входите, — крикнула я и увидела Марту.

— Отдохнули? — защебетала помощница Максима Антоновича. — Замечательно выглядите, щеки розовые. Не желаете пройти в дом к Ирине? Вас ждут на ужин.

Я схватила сумочку, бормоча:

— «Исполнялка» работает. Сейчас осуществится мое заветное желание — пообщаюсь с Богдановой.

— М-м-м... — замялась Марта. — Вообще-то Ирина не очень разговорчива.

Я продолжала изображать радость.

— Каждый человек любит рассказать о себе. Моя новая книга непременно будет успешной, ее раскупят все фанаты художницы. Вероятно, роман заинтересует и западных издателей. Богданова ведь широко известна в Америке?

Марта кивнула. Я старательно корчила из себя алчную литераторшу и все дорогу до особняка твердила на разные лады:

— Мой гонорар подскочит до небес. У меня такое количество вопросов к Ирине!

Марта стоически хранила молчание. Но у входной

двери, уже взявшись за большое кольцо, свисающее из пасти латунного льва, она сказала:

— Виолочка, вы особенно не рассчитывайте на пространное интервью с Ириной.

— Почему? — спросила я. — Я приехала исключительно ради беседы.

Марта понизила голос:

— Богданова странная, с ней трудно договориться. Максим Антонович очень хочет вам помочь, он лично просил Иру выйти к ужину, и та пообещала. Но... художница непредсказуема. Я ваша страстная поклонница, прочитала все-все, что вы написали, поэтому и говорю откровенно. Уж не обижайтесь, если с Ирой покалякать не получится. У вас такие замечательные детективы! В особенности... э... Там еще про женщину, которая постоянно попадает в неприятности...

Я внимательно смотрела на Марту. Героини, с которыми случаются разные казусы, есть почти у каждой писательницы, работающей в жанре криминального романа.

— Она все время... убегает... прячется... — пыталась выкрутиться Марта. — Название из головы выпало. Сюжет я отлично помню — про женщину... ну и про мужчину тоже.

— «Капкан на спонсора»? — стараясь не рассмеяться, подсказала я.

— Точно, — с облегчением выдохнула собеседница, — именно. Входите, пожалуйста.

Усмехнувшись про себя, я ступила в просторную прихожую, обставленную в том стиле, который в России именуют «английским». Арина Виолова никогда не издавала романа «Капкан на спонсора», его написала замечательный мастер детектива Татьяна Полякова. Я очень люблю ее произведения, с нетерпением жду новинок и, что греха таить, подчас завидую коллеге по перу, которая умеет так лихо закрутить сюжет, что до последней страницы гадаешь, кто же убийца. Помощница мэра беззастенчиво врет, она никогда не увлекалась моим творчеством.

— Сюда, сюда, — радушно приглашала Марта, — налево, прошу.

В просторной комнате, центр коей занимал длинный, красиво сервированный стол, оказалось неожиданно много народа.

— Писательница Арина Виолова! — словно церемониймейстер, провозгласила Марта.

— Как я рад вас видеть! — воскликнул темноволосый мужчина, шагнув мне навстречу с протянутой рукой. — Чувствуйте себя как дома. Катя, иди, познакомься со своей любимой Ариной.

— Ой, вы такая же, как по телевизору, — зачирикала высокая девушка в красном платье. — Нет, я глупость говорю, в жизни вы намного красивее и стройнее.

— Экран полнит, — пояснила я, — прибавляет как минимум пять кило.

— Вам можно и десять добавить, вашу шикарную фигуру это не испортит, — отпустил комплимент подскочивший к нам Игорь Львович. — Правда, Вадя?

Полный, если не сказать рыхлый, молодой мужчина отошел от буфета, держа в руке бокал с жидкостью розово-сиреневого цвета.

— Здравствуйте, Виола Ленинидовна. Или вы предпочитаете обращение Арина?

— Лучше просто Виола, а можно Вилка, — улыбнулась я. — Отчество свое я не люблю, больно оно мудреное. Вы редкий человек — произнесли его правильно.

Вадим засмеялся.

— Признаюсь, я читал вашу биографию в Интернете и тренировался неделю, чтобы запомнить, как зовут вашего отца. С фамилией-то у него просто — Тараканов, зато с именем перемудрили. Надо же, не Леонид, а Ленинид!

Катерина картинно всплеснула руками.

— Папа, ты слышал? Отец Виолы — Ленинид Тараканов! Звезда многих сериалов! Тебе он понравился в «Жестокой куропатке».

— Вот как? — изобразил восторг мэр Беркутова. — В отношении вашей семьи пословица про отдых природы не работает[1].

— Хотите вина? — спросил Вадим. — Или шампанское? Виски?

— Лучше сок, — попросила я.

— С водкой? — улыбнулся Сердюков-младший.

— Без, — твердо произнесла я. — Не все писатели любят алкоголь, кое-кто предпочитает здоровый образ жизни.

Катя по-свойски похлопала Вадика по животу.

— Вот-вот! Слушай и учись! Носишь на себе двадцать лишних кило, нагружаешь сердце. Дядя Володя, как ты думаешь, Вадьке пора сесть на диету?

---

[1] Имеется в виду пословица «На детях гениев природа отдыхает».

Темноволосый мужчина, тот самый, что был в кафе, куда я заходила утром, спокойно ответил:

— Похудеть ему не мешает. Это просто.

— Да ну? — заинтересовался Вадик. — И как сбросить вес?

— Не жрать, — сказал Обоев.

— Вообще? — скривился Вадим. — Ну уж нет. У меня от голода характер портится.

— Можно подумать, что сытый ты добрый, — вдруг брякнула Катя. В ее голосе улавливалось раздражение.

Игорь Львович метнул предостерегающий взгляд в ее сторону, Катя неожиданно перестала играть предписанную ей роль и выдала откровенную реакцию. Она моментально опомнилась и попыталась исправить свою ошибку.

— Шутка. Хотя в ней есть доля правды. Вадька жутко вредный. Виола, не обращайте на нас внимания, мы в Вадей учились вместе в школе и привыкли друг друга подкалывать. Голодный Сердюков похож на Фредди Крюгера, а сытый он смахивает на аллигатора.

— Кстати, анекдот про Крюгера, — вмешался в беседу Игорь Львович. — Взросление человека. Первая стадия: он верит во Фредди. Вторая: боится его. Третья: смеется над монстром. Четвертая: Крюгер его раздражает. Пятая: считает, что так им, подросткам, и надо, пусть Фредди их всех сожрет!

— Не смешно, — подала голос полная дама, сидевшая в кресле у неработающего камина. Она посмотрела на кучу серых пледов, сваленную на небольшом диванчике, и продолжила: — Налетели на

Виолу со своими шуточками. И никто не догадался гостье присутствующих представить. Начну с себя. Варя Сердюкова, жена Игоря Львовича и мачеха Вадима.

— Нет, ты мне мама, — быстро поправил Вадик.

— Мужчина у окна — Владимир Яковлевич Обоев, — не обращая внимания на его слова, продолжала Варвара, — гениальный врач.

— Умоляю, не надо, — поморщился доктор. — Я обычный эскулап, только с задатками хорошего администратора.

Сердюкова обхватила ладонями колени.

— Знаете, Виола, Володя превратил убогую провинциальную лечебницу в научный центр с современным оборудованием. Кабы не он, больнице давно суждено было умереть... Справа Максим Антонович, наш мэр, и его доченька Катюша, очень талантливый дизайнер. Вот там, как всегда молча, сидит Степан Николаевич Матвеев, директор Беркутовской гимназии, педагог от бога, а заодно и руководитель местного исторического музея. Ну, а про вас мы все знаем, видим по телевизору, слушаем по радио, читаем, восхищаемся, любим.

— На диванчике Фекла, — перебил мачеху Вадим, — моя жена. Фёка, покажись!

Куча серых одеял зашевелилась, и я поняла, что это не пледы, а маленькая, худенькая, прямо-таки крошечная девушка, которая сидела на диване, поджав ноги и опустив голову. На фоне яркой, умело накрашенной, наряженной в элегантное платье Катерины Шлыкова казалась мышью. На лице Феклы не было ни грамма косметики, волосы оказались стянуты в хвост, а ее взгляд был как у испуганной собаки, которая искоса посматривает на хозяина и пытается понять, в добром ли расположении духа ее повелитель.

— Пора к столу! — объявил Максим Антонович. — Виолочка, устраивайтесь около меня.

Я села на почетное место по правую руку от местного самодержца, и ужин начался. Еда оказалась вкусной, подавали ее две женщины в черных шелковых платьях. Беседа плавно перетекала от новостей политических к культурным. События Беркутова тусовка не обсуждала. Спустя полчаса я ощутила себя участницей хорошо поставленного и не один раз отрепетированного спектакля. Актеры играли безупречно — в нужный момент подавали реплики, корчили соответствующие гримасы, хвалили кушанья и постоянно подчеркивали, что рады моему визиту. Пили мало, в основном, легкое белое вино, но на буфете стояли бутылки с коньяком, шампанским, сидром, водкой, текилой, виски, ликерами и еще с чем-то, мне неизвестным.

От внимательного Игоря Львовича не ускользнул мой интерес.

— Вас, наверное, удивила вон та кедровая шишка из стекла? — спросил он.

— Да, — улыбнулась я. — Никогда не видела напитка в такой упаковке.

— Это водочка, — пояснил Сердюков, — ее делают только в одном районе Сибири и реализуют на месте. «Кедровка» великолепного качества, Максиму Антоновичу ее приятель присылает.

— И выглядит красиво, — подала голос Варя, — можно поставить на стол, не переливая в графин.

Но мне крепкие напитки не нравятся, я предпочитаю ликер.

— Король всех вин — шампанское, — вмешалась Катя. — У нас есть розовое и обычное, брют. Лучше еще ничего не придумали.

— Не скажи, — возразил Вадим. — Коньяк — вот настоящий король.

Друзья детства начали азартно спорить, а я еще раз посмотрела на буфет. Да уж, в доме Буркина не экономят ни на продуктах, ни на алкоголе. Впрочем, похоже, Максим Антонович не считает денег и на одежду. Сам он щеголял в очень дорогом костюме, на Кате было платье от Шанель. Сердюковы всей семьей облачились в изделия от Роберто Кавалли, Матвеев предпочел пиджак от Армани. И я случайно увидела его ботинки фирмы «Черчилль», а она производит едва ли не самую дорогую в мире обувь.

На фоне разодетых и щедро украшенных часами-колье-браслетами-серьгами присутствующих Владимир Яковлевич Обоев выглядел почти нищим. На нем был дешевенький, совсем не новый, явно приобретенный на вещевом рынке свитерок, а на запястье у доктора я увидела электронные часы на пластиковом ремешке. Такие родители любят покупать школьникам младших классов — потеряет их ребенок, и не жалко. Зато у Игоря Львовича на ремешке из кожи крокодила сверкал золотом «Патек Филипп», а его сын предпочитал «Вашерон Константин». Впечатляли и мобильники. У Вари сотовый был усыпан кристаллами «Сваровски», Игорь Львович и Вадик пользовались айфонами последних моделей, около тарелки Кати лежал золотой «Верту». Какой фирмы сотовый Максима Антоновича, я не поняла, но то, что он запредельно дорогой, было видно невооруженным глазом. У Обоева же оказалась старая, древняя трубка размером с бинокль, а телефона Феклы на столе не было.

Когда принесли блюдо с нарезанной телятиной, я спросила:

— А где же Богданова?

— Ирина плохо себя почувствовала, — быстро ответил мэр, — ее мигрень с ног свалила.

— Бедняжечка! — воскликнула я. — Значит, я увижусь с ней завтра.

В столовой на мгновение повисло молчание. Потом ожил Обоев:

— Ирина страдает сосудистыми спазмами. К сожалению, приступ порой длится дня три.

— Ах, как мне ее жаль! — с огорчением сказала я. — Придется пожить в Беркутове до той поры, пока художница не оправится. Скажите, ее «исполнялки» и правда срабатывают?

— Всегда! — твердо заявил Игорь Львович. — Володя, расскажи, как ты иногда изумляешься.

Обоев отодвинул тарелку.

— Игорь прав. Я подчас бываю шокирован. Вот живой пример. Привезли к нам мальчика — состояние тяжелое, надежда на выздоровление минимальна. Родители знали, что сын не жилец. Мать побежала во двор Богдановой, в толпу паломников. Дня три она там толкалась, потом вносится в мой кабинет и кричит: «Доктор! Павлик встанет на ноги, я получила от Богдановой «исполнялку»!»

Владимир Яковлевич скрестил руки на груди.

— Я тогда попал в идиотское положение. Что сказать? Правду, что у Павлика нет шансов? Я ведь не имею права давать родителям надежду в случае, когда конец близок. Врач обязан быть честным. В общем, я матери заявил: «Не следует рассчитывать на чудо. К сожалению, в случае с вашим сыном медицина бессильна, нам остается лишь снимать боль. Простите, но доктора не боги. Я очень хотел бы увидеть вашего ребенка здоровым, для меня самое большое счастье наблюдать, как бывший пациент с улыбкой покидает клинику, я ради этого живу. Но у Павлика плохой прогноз. Мужайтесь и молитесь». А мать в ответ: «Сыночек выздоровеет!»

Обоев сделал глоток из стакана.

— И представляете, назавтра мы вдруг видим у парнишки улучшение состояния. Через день он встал, потом анализы пришли в норму. В общем, уехал Павлуша домой, а мне на Новый год открытку прислал, учится на одни пятерки. Почему его смерть из когтей выпустила? У меня нет ответа. И подобных случаев много. Ситуации удивительно схожи: мать получает «исполнялку» — ребенок с тяжелым диагнозом выздоравливает. Не просите у меня объяснений, с точки зрения материализма их нет.

— Виола, загляните в ротонду, — вклинился в беседу Вадик, — она вся в благодарностях Ирине.

Глава 13

Я улыбнулась.

— Мне сегодня досталась «исполнялка». А поскольку все мои мысли заняты исключительно новым романом, то самое заветное мое желание — это поговорить с художницей. И раз я получила волшебную картинку, то оно непременно сбудется. Ведь так?

— Ну, да, — пробормотала Катя, — вот только Владимир Яковлевич прав, мигрень у Ирины часто принимает затяжной характер. Порой она неделю с кровати не встает.

— Может, вам пока уехать? — откровенно предложил Игорь Львович. — Небось в Москве дел полно.

— В нашей глуши нет никаких развлечений, — вздохнул Вадим.

— Вот те на! — возмутился Максим Антонович. — Не слушайте его, Виола. А театр?

— Папа, ты всерьез? — скривилась Катерина. — Вилка, дорогая, отец страшно гордится Беркутовом. И, надо сказать, имеет право. Город моего детства и то, что мы видим сегодня, это, как говорят в Одессе, две большие разницы. Но по части досуга... Знаете, местный театральный коллектив поставил «Гамлета», так бедняга Шекспир небось в гробу извертелся. И кино в Беркутове нет.

— Клуб есть, — не сдавался мэр.

Катерина засмеялась.

— Цитадель местного разврата. Кстати, ее содержат мои бывшие одноклассники, Рома и Гоша. Виола, вы у нас от тоски умрете.

— Беркутов — сонное царство, — подхватил Игорь Львович.

— После Москвы наш городок покажется вам деревенькой, — вздохнула Варя. — Мы живем тихо, по-сельски.

— Могу предложить хороший вариант, — засуетился Вадим. — Сегодня вечером я отвезу вас домой, а когда Ирина будет способна общаться, снова доставлю в Беркутов. Вам нет смысла тут скучать. Вдруг Богданова две недели проболеет?

— Верная мысль! — захлопала в ладоши Катя.

— Вадик прекрасно водит машину, — подхватила Варвара.

— У него шикарный «Мерседес», — неожиданно подал голос Степан Николаевич, — не едет, а плывет. В автомобиле даже бар оборудован.

Я снова улыбнулась и заговорила нарочито медленно:

— У нас, писателей, нет необходимости каждый день по звонку становиться к станку. В Москве у меня особых дел сейчас не намечено, маленькие дети, — впрочем, и большие тоже — отсутствуют, мужа нет. Я живу одна, и как раз намеревалась провести дней двадцать в тихом месте в провинции, отдохнуть от столичной суеты и шума. Театр-кино-цирк-клуб мне не нужны. «Золотой дворец» комфортабелен, воздух у вас упоительный. Я любительница пеших прогулок, с удовольствием поброжу по окрестностям. В «Мерседесе» на заднем сиденье меня сразу укачает. Да и зачем кому-то меня везти? Во дворе отеля стоит моя собственная четырехколесная «лошадка». На данном этапе главным для меня является беседа с Ириной, я не могу начать писать новый детектив, не поговорив с нею. Я поживу в Беркутове в ожидании, пока головная боль отпустит художницу. Если я доставляю вам неудобства, то скажите прямо. В мои планы не входит никому надоедать, каждый день заявляться к трапезе я не намерена. Гостиницу оплачу сама, не хочу вводить вас в расход.

Варвара вцепилась в мою руку.

— Боже! Вы нас неправильно поняли! Мы счастливы видеть лучшую писательницу России с утра до ночи!

— Да, да, такая радость общаться с вами! — подхватила Катя.

— Не волнуйтесь по поводу гостиницы, вы наш самый наипочетнейший гость, — зачастил Максим Антонович, — попрошу Марту сопровождать вас на прогулках.

— Извините, — пробормотал Вадим, — мое предложение прозвучало как хамство.

— Вечно ты глупости порешь! — накинулась на друга детства Катерина.

Неожиданно послышался странный звук, напоминающий пощелкивание, затем большие дубовые двери распахнулись, и в гостиную быстро въехала инвалидная коляска, в которой сидел тощий старик с безумным взором.

— Где она? — заорал незнакомец. — Где моя дочь? Сволочи! Знаю, знаю, вы убили девочку! Я видел, вы несли что-то длинное, она лежала на спине!

Катя, Вадим, Игорь Львович и Максим разом вскочили со стульев.

— Успокойтесь, пожалуйста, дедушка! — закричала Катерина. — Все хорошо, я жива!

— Валя, Валя! — завопил Максим Антонович. — Где эта чертова сиделка? Кто его одного отпустил?

— Давайте я укачу дедулю в спальню, — предложил Вадим, — а заодно и медсестру найду.

— Сделай одолжение, — кивнул Буркин.

Старик в упор посмотрел на Катю.

— Ты не она! Я знаю, как выглядит моя дочь! Потом он указал пальцем на старшего Сердюкова.

— Ее он забрал! Увез! Унес! Убил!

— И съел, — буркнул Вадим.

— Перестань, — остановила его Катя, — нехорошо глумиться над сумасшедшим.

— И он всему виной! — причитал дедушка, пытаясь доехать до Обоева. — Сначала лечил, а потом убил, спрятал! А сегодня унес! Я видел, я там был, у забора стоял! Ботиночки зеленые, она такие носит... Отдай мою дочь! И ты там был! Зеленые ботиночки... Зеленые ботиночки...

Высохшая, трясущаяся то ли от ярости, то ли от болезни рука старика вновь указала на Игоря Львовича.

Обоев встал.

— Сделаю-ка я больному укол. Илье Николаевичу необходимо успокоиться, он сегодня сильно взволнован. Очевидно, весеннее обострение началось. Илюша, поедем, дружок мой, тебе отдохнуть пора.

Старик неожиданно примолк, затем совсем другим тоном сказал:

— Я не псих. И все вспомнил. Я Валькины таблетки прятал, а сегодня утреннюю порцию ей в чай кинул. И что? Заснула она сразу. Жил я в тумане, а потом луч блеснул, свет забрезжил. Я все вспомнил! Где моя девочка, а? Молчите? Ну так я теперь рот открою и расскажу, как вы тут живете! Суки!

Вадим схватился за ручки коляски и стал выталкивать инвалидное кресло в коридор. Старик завыл на одной ноте. Младший Сердюков наконец вывез больного из гостиной, Обоев вышел следом, не забыв хорошенько прикрыть двери, которые абсолютно заглушили звук, вопли Ильи Николаевича больше не долетали до моего слуха.

— Ужас... — прошептала Варвара. — Мне его так жаль!

Максим взял графин с вином.

— Извините, Виола, за эту неприятную сцену. Илья Николаевич перенес инсульт. Володя сделал невозможное, буквально выдернул его из могилы. Физически Илья достаточно окреп, вполне уверенно сидит в кресле и даже может сам им управлять, но умственно...

Буркин махнул рукой и опустошил фужер.

— Ужас! — повторила Варя. — Лучше умереть, чем так жить.

— Ну, он-то не мучается, — возразил жене Игорь Львович. — Илье хорошо — он накормлен, напоен, обихожен.

— Илья? — спросила я. — Илья Николаевич? Простите, а бедняга, случайно, не отец Ирины?

— Точно, — кивнула Катя. — Они с папой когда-то в одном НИИ работали и дружили.

— Богданов очень плохо выглядит, — удивилась я, — лет на девяносто.

— Ему намного меньше, это инсульт Илюшу так состарил, — пояснил Максим Антонович.

— И превратил в безумца, — грустно подхватила

Варя. — Иногда бедняга от сиделки удирает и закатывает истерику.

— Нельзя на Илью Николаевича обижаться, — вступил в разговор Игорь Львович, — он психиатрический больной.

Я сидела с вежливой улыбкой на лице, не вслушиваясь в их речи, зато внимательно наблюдая за жестами и взглядами присутствующих. Вот Максим искоса посмотрел на Варвару и чуть поднял бровь. Сердюкова незамедлительно дотронулась до плеча мужа и попросила:

— Дорогой, принеси мне шаль.

На лице начальника службы безопасности появилось удивление.

— Шаль? — как-то неуверенно повторил он.

Варя прищурилась.

— Треугольный платок из шерсти. Синего цвета. Он в красной спальне! Понимаешь?

Старший Сердюков заморгал.

— Ох уж эти мужчины... — картинно вздохнула Варвара. — Пока объяснишь, что надо, поседеешь. Шаль. Синяя. Она в красной спальне. Принеси ее сюда. Немедленно. Я замерзла.

— А, синий платок! — наконец сообразил Игорь Львович и двинулся к выходу.

— Фекла, пойди с папой, — приказала Варя, — иначе он точно не то принесет.

Жена Вадима быстро встала и поспешила за свекром. Но возле двери замешкалась. Игорь Львович обернулся и ласково сказал:

— Ну, ковылялочка моя, почему стоишь?

Фекла выскользнула в коридор, Сердюков улыбнулся и пошел за ней. Мне стало понятно: свекор любит невестку, несмотря на ее невзрачную внешность и почти болезненную стеснительность. Слово «ковылялочка» прозвучало из уст старшего Сердюкова не насмешливо, а нежно.

Едва Игорь Львович с Феклой скрылись, я обратилась к Буркину:

— Не опасно держать в доме не совсем нормального человека?

Мэр отложил вилку.

— Я постарался сделать так, чтобы никто не ощущал неудобств. Вы сейчас находитесь в моем особняке, Ира живет в соседнем. Он совсем маленький, соединен с этим зданием крытой галереей. Там спальня, ванная и ее мастерская. Кухни нет — Богданова не умеет готовить, еду ей доставляют отсюда. И все гости тоже приходят к нам с Катюшей. Ирине нужны идеальные условия для творчества, любая мелочь может лишить ее вдохновения: не тот запах, не там лежащая книга, громкий голос прислуги, стук в дверь. Поэтому коттедж Богдановой — этакая келья, а мой дом открыт для всех. Илюша размещен в двух комнатах левого крыла. Там исключительно хозяйственные помещения, их посещают нечасто. Членам семьи, друзьям и гостям в той части здания делать нечего. К Богданову приставлена профессиональная сиделка. И потом, Илья совсем не агрессивен. Да, он кричит, но никого не трогает.

— Только несет чушь, — сердито перебила отца Катя, — и портит окружающим настроение. Извини, папа, я совершенно согласна с Виолой. Псих должен находиться в спецклинике. Валентина прекрасная, грамотная медсестра, однако она не робот, устает, и тогда получается, как сегодня. Знаю, что ты сейчас скажешь, но...

Максим Антонович так глянул на разболтавшуюся дочурку, что та лишилась дара речи. Катерина схватила хрустальный стакан с газировкой и принялась пить. Буркин сложил руки на груди.

— Нам очень повезло, что Ира захотела поселиться в городе своего детства. Когда она перебралась сюда, Беркутов переживал не лучшие времена. Я ночами не спал, думал, где добыть денег и какую брешь в коммунальном хозяйстве заткнуть первой. Давайте расскажу вам историю появления здесь Ирины? Может, это пригодится для книги, вы поймете, что она за человек.

Не дожидаясь моего ответа, Максим Антонович начал излагать прямо-таки охотничью историю, в которой малая толика правды тонула в океане лжи. Сказочка была ладно скроена, хорошо сшита и определенно озвучивалась не впервые.

По версии Буркина, художница, устав жить на чужбине, приехала в Москву. Спустя пару дней после ее возвращения в Россию Илью Николаевича разбил инсульт. Испуганная дочь бросилась к врачам и столкнулась с удивительным равнодушием и непрофессионализмом. Богданову становилось все хуже, и тогда Ира позвонила Обоеву, который когда-то вылечил ее. Владимир Яковлевич взялся помочь старому другу и сумел частично его реабилитировать. Чтобы быть поближе к доктору, который удерживал, так сказать, на плаву любимого отца, художница решила переехать в Беркутов. Что из этого получилось, мы знаем: благодаря паломникам городок возродился, как Феникс из пепла, а Обоев превратил допотопную больничку в прекрасно оборудованную клинику. Ирина, художница с мировым именем, обладательница огромного состояния, жертвует немалые суммы для детища Владимира Яковлевича. Ну и, конечно, приличный доход в казну Беркутова капает от нескончаемого, с каждым днем увеличивающегося потока паломников. Единственное условие, которое поставила Ирина, приехав на свою малую родину, звучало так: отцу необходимо обеспечить наилучший уход и комфорт, нужно исполнять все его желания.

Максим Антонович опять налил вина в фужер, опустошил его одним глотком, хотел продолжить врать дальше, но тут Варвара воскликнула:

— Ирочка, тебе стало лучше? Как мы рады!

Глава 14

Я повернула голову. От двери к столу медленным, неуверенным шагом двигалась бесформенная фигура, почти полностью укутанная в шаль цвета сочной сливы. Сзади с пустыми руками шел Игорь Львович.

Варя, как и я, заметила оплошность мужа и покраснела. Я изо всех сил постаралась сдержать злорадную улыбку. Отлично помню, как несколько минут назад Сердюкова отправила супруга в красную спальню за синим платком. Он сначала не сообразил, о чем идет речь, потом догадался и пошел исполнять указание. Хитрая Варя решила, что неожиданный и весьма неприятный визит Ильи Николаевича может вызвать у писательницы ненужные вопросы, и дала понять мужу: тащи сюда Богданову, авось настырная гостья увидит художницу и сразу забудет о ее сумасшедшем папеньке. Вот какой «синий платок» имелся в виду. Уж не знаю, какие слова Сердюков нашел, чтобы убедить капризную художницу показаться в столовой, но ему следовало принести супруге хоть какую-нибудь шаль. Его же посылали за ней, а не за Ириной. Короче, не словил Игорь Львович мышей.

И что-то еще в ситуации показалось мне странным. Но что?

— Садись, душенька, — нежно проворковал Максим Антонович, — устраивайся около Вареньки. Тебе не дует?

— Нет, — прошелестело в ответ.

— Будешь салатик? — захлопотала Катя. — Твой любимый, с курицей.

Ирина молча кивнула.

— Заправлен не майонезом, — пела Варвара, — мы отлично помним твои вкусы, поэтому сбрызнули его оливковым маслом и лимончиком.

Богданова вновь качнула головой.

— Любимый соус россиян очень вреден, Ирина совершенно права, что отказывается от него, — вступила в разговор Катя. — Как считаете, Виола? Ой, простите, мы же вас не познакомили! Ирочка, позволь представить тебе нашу гостью, лучшую писательницу России Арину Виолову.

Серебряная вилка выскользнула из руки Богдановой и, тихо звякнув, упала на пол.

Катерина встала и поспешила к буфету.

— Сейчас дам тебе другую.

— Здравствуйте, Ирина Ильинична, — смиренно произнесла я, — огромное спасибо за подаренную мне сегодня «исполнялку». Буду очень вам благодарна, если вы найдете время для беседы...

Богданова совсем низко склонилась над тарелкой. Я продолжала говорить, одновременно пытаясь рассмотреть лицо Ирины. Перед отъездом в Беркутов я тщательно изучила информацию в Интернете и поняла, что чураться общения с прессой художница стала не сразу. Вначале, только приехав в городок, она довольно часто отвечала на вопросы репортеров, вот только фотографировалась неохотно. Вернее, она вообще отказывалась сниматься. На страницах журналов и газет появлялись одинаковые иллюстрации, их было несколько. Первая: Богданова, одетая в синий балахон, стоит около мольберта, держа в руке небольшую кисть. Темные волосы уложены под пажа, очки в громоздкой оправе на пол-лица, лоб скрывает густая челка, нос и подбородок самые обычные, щеки без каких-либо примет, рот крупный, с пухлыми губами. О фигуре никаких комментариев дать невозможно — очертания тела скрывает платье-мешок. Второе растиражированное прессой изображение: опять же облаченная в балахон, на сей раз оливкового цвета, Ирина восседает в кресле, около нее стоит мальчик лет десяти с букетом роз.

Сначала я никак не могла понять, какое отношение к Богдановой имеет ребенок, но потом наткнулась на статью, для которой и был сделан снимок. По сюжету Павлик Максимов пришел поблагодарить свою спасительницу. Мальчик был очень тяжело болен, от него отказались врачи, а вот мать несчастного решила бороться до конца. Узнав, что в Беркутов приехала Богданова, она кинулась к ней, упала на колени и попросила «исполнялку». Ирина живо нарисовала картинку, и через месяц совершенно здоровый Павлик своими ногами притопал к художнице с букетом. Максимов был первым из тех, кому волшебница помогла, перебравшись в город детства. О той истории не написал лишь ленивый. Простой народ сразу поверил в сказку и валом повалил в городок, а вот более образованные люди стали обвинять Богданову в мошенничестве. Некоторые журналисты принялись строчить обвинительные статьи, разгорелась целая дискуссия, которая в конечном итоге пошла Богдановой только на пользу. У россиян бытует мнение: если пресса кого-то ругает, значит, это хороший человек. И плохого пиара не бывает, плохо, когда о тебе молчат, а вот если ты являешься объектом нападок папарацци, это прекрасно.

Не прошло и полугода, как отрицательные публикации прекратились, все статьи, посвященные Богдановой, стали хвалебными. Почему произошел столь резкий сдвиг от минуса к плюсу? Владимир Яковлевич Обоев, с разрешения матери Максимова, представил прессе копию истории болезни Павлика, рентгеновские снимки, анализы, результаты разных исследований. Группа независимых врачей изучила материалы и вынесла вердикт: мальчик должен был умереть. Но Павлик выжил, и иначе как чудом данный факт нельзя назвать. Максим Антонович убедил Богданову подать в суд на авторов, слишком ретиво писавших о мошенничестве. Ирина выиграла процесс, получила не очень крупную денежную компенсацию и передала ее больнице Обоева. Пришлось журналистам поумерить пыл. А потом у главного редактора одного многотиражного ежедневника тяжело заболела жена. Ирина нарисовала для нее волшебную картинку, и супруга влиятельного борзописца встала на ноги. Дальше можно не продолжать.

Обычно, столкнувшись со знаменитостью в жизни, вы испытываете удивление. Звезда оказывается совсем не так идеально хороша, как на фото в прессе, — и волос-то у нее совсем не грива, и на лице морщины, и фигура далека от совершенства. Но Ирина сейчас выглядела точь-в-точь как на снимках: балахон, да еще сверху шаль, темные волосы, подстриженные под пажа, челка, очки, на губах щедрый слой бордовой помады, отчего рот казался большим расплывшимся пятном.

— Мы можем поговорить после ужина? — не успокаивалась я. — Или лучше завтра с утра?

Ирина отложила вилку, поправила челку, не проронив ни слова, встала и вышла за дверь.

Я изобразила смущение.

— Я сказала что-то не так? Обидела художницу?

— Нет, нет! — затараторила Варя. — Извините, но мы вас предупреждали, Ира такая непредсказуемая.

Катя тоже зачастила:

— Да еще мигрень в придачу. Вы Ирише, наоборот, очень понравились, она специально из спальни вышла, исключительно ради вас тут появилась.

— «Исполнялку» вам днем нарисовала, — подхватила Варвара. — Просто ей от запаха еды нехорошо стало. А вы попробуйте-ка замечательную телятинку...

— С удовольствием, — улыбнулась я. — Передайте томатный соус, пожалуйста.

Максим Антонович с готовностью протянул мне фарфоровую мисочку с носиком. Я взяла ее, начала поливать мясо, хотела поставить соусник на место и... ухитрилась пролить на себя кетчуп. Вот ведь недотепа!

— Ой, надо скорей замыть, — засуетилась Катя, — иначе на вашем красивом платье пятно останется.

— Ольга, иди сюда скорей! — заголосила Варя.

В столовой незамедлительно появилась полная женщина лет шестидесяти.

— Это Олечка, — торопливо представила ее Варвара, — наша экономка и добрый ангел. Весь дом на ней держится. Вернее, дома́. Потому что она успевает и нам с Игорем Львовичем помочь, благо живем все рядом. Оленька, посмотри, какая беда у Виолы приключилась!

Я быстро встала, экономка прищурилась.

— Попробую исправить положение. Извините, Виола Ленинидовна, вам придется пройти в ванную.

— Это вы должны меня простить за причиненное неудобство, — сказала я, идя за Ольгой.

Большая, роскошно отделанная туалетная комната находилась довольно далеко от столовой. Экономка осторожно пощупала край моего платья.

— Трикотаж прекрасного качества. Небось дорогой наряд?

— Не особенно, — призналась я. — Купила его в Германии, потратила полученный от немецкого издателя гонорар на одежду. Приехала в Москву, случайно узнала, сколько платье в России стоит, и чуть дар речи не потеряла. Надо же, триста процентов продавцы накручивают!

Я рассчитывала, что Ольга поддержит беседу о разгуле столичных цен и у нас завяжется дружеский разговор, но экономка не стала сокращать дистанцию между гостьей хозяев и прислугой.

— Джерси, в отличие от простой ткани, мигом впитывает жидкость, — сокрушенно пояснила она, — простым замыванием пятна тут не обойдешься, требуется сухая чистка. Причем незамедлительно, иначе вряд ли удастся привести ваш наряд в порядок. Хотя...

Ольга на секунду примолкла, а я приняла расстроенный вид.

— Думаете, спасательная операция не поможет?

— Вообще-то я надеюсь достичь положительного эффекта, — протянула экономка, — но вот загвоздка — после чистки нужна деликатная стирка. Придется вам походить какое-то время в халате. Видите дверцу? Там пустая гостевая комната, в шкафу его и найдете. Поскучайте недолго в одиночестве, включите телевизор, а я подыщу вам подходящую одежду...

— Нельзя ли отправить кого-нибудь в отель «Золотой дворец»? — смиренно попросила я. — У меня там президентский номер. Пусть посыльный возьмет из гардероба зеленый костюм.

— Ну, конечно! — обрадовалась Ольга. — Сейчас Алина слетает.

Я, мило улыбаясь, проследовала в гостевую и начала стаскивать, похоже, окончательно испорченное платье. Очень жаль, я на самом деле купила его в Германии, где со мной произошли разнообразные приключения[1]. Но другого повода остаться в доме Буркина без присмотра я не придумала. Сейчас экономка уйдет чистить мой наряд, а некая Алина отправится в гостиницу. Учитывая некоторые особенности характера Федора, быстро попасть в мой номер горничной не удастся. Портье перезвонит Ольге, диалог затянется. Думаю, у меня в запасе есть полчаса. За это время нужно проникнуть в домик художницы, там попасть в санузел и утащить зубную щетку или расческу, в которой застряло несколько волосков. А еще лучше отыскать в мусоре использованный бумажный носовой платок или ватную палочку.

Зачем мне понадобились все эти не самые приятные предметы? Чтобы в лаборатории сделали анализ ДНК. Тогда мы установим, кто выдает себя за госпожу Богданову, чей труп, как нам теперь известно, и был найден в лесу. Может, это пропавшая Аня Фокина играет роль доброй волшебницы, являясь главным действующим лицом спектакля? А что, вполне вероятно. Правда, возникают новые вопросы. Анну удерживают здесь насильно или она добровольно прикидывается Ириной? Зачем? Интересно, кого же мне продемонстрировали за ужином — Аню или спешно переодели одну из верных служанок? Впрочем, полагаю, что псевдо-Богдано-

---

[1] О том, как Вилка ездила в немецкий город Бургштайн, рассказывается в книге Дарьи Донцовой «Страстная ночь в зоопарке», издательство «Эксмо».

ва «работает» великой художницей не по принуждению, ведь она порой появляется перед публикой, раздает «исполнялки», общается с прессой.

Как же мне добраться до истины? Если я отыщу комнату мошенницы и спрошу в лоб: «Вы кто? Я знаю, что Богданова давно умерла», — то никогда не получу честного ответа. Нельзя засовывать в осиное гнездо метлу и там ею вертеть — ядовитые насекомые мигом разлетятся, успев искусать меня в момент побега. Нет, нужно действовать осторожно и для начала попытаться установить личность особы, выдающей себя за художницу.

Глава 15

Приоткрыв дверь гостевой, я оглядела коридор и двинулась в противоположную от столовой сторону. Надеюсь, мне удастся незамеченной добраться до входа в дом Ирины (буду пока называть самозванку так). Если же по дороге попадется кто-то из обслуги, прикинусь, будто ищу туалет. Комната, куда меня привела Ольга, была именно ванной, унитаза там не было.

Я поторопилась вперед. Мне рассказали, что дом Богдановой и особняк Буркина соединены галереей. Дело за малым — надо отыскать переход из одной части помещения в другую. Однако Максим Антонович совсем не стеснен в средствах, даже коридор тут выглядит по-новорусски богато: хрустальные бра, картины в позолоченных рамах, напольные вазы с живыми розами, красивая дорожка светло-бежевого цвета.

Буркин, взяв в руки бразды правления захудалым городком, отлично понимал: ему придется выкручиваться самому. Сомнительно, что в бюджете области заботливо выделили ему жирную статью на развитие Беркутова. И как он должен был поступить? Чем можно привлечь в совершенно неинтересное поселение инвесторов? Большим деньгам тут делать нечего! Любой другой чиновник на его месте махнул бы на город рукой и начал тратить крохи из вверенной ему казны на свою семью. Но Буркин оказался не таков, он придумал великолепный план: объявить художницу Богданову волшебницей, способной творить чудеса.

В принципе, не столь уж оригинальная идея. Во многих населенных пунктах называют целебной протекающую по их территории речку или придают местной грязи статус лечебной, сообщают, что у них живет уникальный знахарь, предсказательница, бабка, снимающая порчу. Обычно в первое время в местечко стекаются люди, но потом поток паломников иссякает, и хорошо, если остается хоть в виде ручейка. Народ обмануть трудно. Если целитель никому не помогает, а гадалка отделывается общими фразами, вроде: «В этом году тебя ждет удача, но и неприятности будут», то клиенты быстро теряют интерес к таким «специалистам». Бесконечно дурить даже глупого человека не получится. Рано или поздно у каждого появятся подозрения.

Но Ирина реально вылечила довольно большое количество детей. В ротонде много благодарностей и от тех, кто удачно вышел замуж, нашел работу.

Ладно, я еще могу объяснить, почему, получив от Богдановой «исполнялку», женщина легко находит себе благоверного. Она бы, может, и раньше обзавелась супругом, да мешал комплекс неполноценности, вечно задаваемый самой себе вопрос: и кому я нужна? А художница намалюет картинку, и у тетки вырастают крылья, неудачница после обретения бумажки верит в то, что найдет спутника жизни. И тот мигом отыскивается. С работой та же история. Одно дело, когда сидит человек перед менеджером по персоналу на краешке стула, всем своим видом демонстрируя сомнения в собственной профпригодности, и совсем иное, когда он уверенно входит в отдел кадров, твердо зная: сию секунду ему предложат прекрасный оклад. Это не чудо, а психология. Но как объяснить спасение умирающих детей? Они попадали в больницу Обоева, имея тяжелые диагнозы, подтвержденные анализами и разными исследованиями, и, тем не менее, выздоравливали.

Коридор сделал резкий поворот и закончился красивой дубовой дверью, отделанной позолотой. Я осторожно приоткрыла ее, увидела комнату со стенами, отделанными серой плиткой, вошла внутрь и огляделась. Немного времени мне хватило на то, чтобы понять: я очутилась не в домике художницы, а в некоем хозяйственном помещении. Слева тянулись стеллажи с консервными банками, пакетами, бутылками с минеральной водой и растительным маслом. Справа на полках хранились упаковки бумажных полотенец, туалетной бумаги, носовых платков, губок для мытья посуды. Все ясно, рачительная экономка закупала все впрок и хранила под рукой.

У небольшого окна, прикрытого неподходящей для кладовки бордовой тяжелой шторой, громоздился мешок с надписью «Гречка», левее стоял еще один, но уже с сахаром. Я хотела развернуться и уйти, но тут дверь начала медленно отворяться и послышался голос Марты:

— Как ты мне надоела!

Быстрее блохи, понявшей, что ее сейчас поймают, я прыгнула к окну, встала за портьеру и замерла.

— Попрошайка хренова! — возмущалась помощница Буркина. — Сколько можно сюда таскаться?

— С голоду помираю, — плаксиво ответил надтреснутый, старческий голос, — на пенсию не прожить...

— Пить надо меньше, Фаина! — сердито перебила женщину Марта. — У всех пенсия маленькая, но люди устраиваются — огород сажают, паломников пускают на постой. А ты водку глушишь. Думаешь, раз дома квасишь, на улицу подшофе не высовываешься, так никто не знает о твоем хобби?

Я чуть-чуть отодвинула край занавески и увидела стоящую спиной к окну Марту, а рядом с ней старуху в грязной куртке и серых спортивных брюках.

— Больная я, — проныла бабка, — артрит замучил. На вот пакетик и список продуктов.

— Уж и с бумажкой приперлась, совсем стыд потеряла, — зло откликнулась Марта. — Чего у тебя там?

— Совсем чуток, — всхлипнула бабуля, — самое необходимое, скромное, дешевое.

— Макароны, сахар, масло, колбаса, конфеты, варенье, джем, кофе натуральный... — начала читать список Марта. — Ничего себе! Хорошо хоть черную икру не указала!

— А она есть? — деловито осведомилась старуха. — Я б съела бутербродик. Сколько мне еще жить осталось? Охота перед смертью полакомиться.

— Ну ты хамло! — выпалила Марта. — Вали отсюда, Файка, ни фига не получишь. Ого, и водку указала! «Кедровку» ей, видите ли, дайте! От такой наглости можно речь потерять!

— Еще у меня ботинки прохудились, — не обращая внимания на ругань, сообщила пенсионерка, — и нету пальто демисезонного. Скажи Максиму Антоновичу.

— Стану я занятого человека на всякую ерунду отвлекать, — огрызнулась Марта. — Топай вон! Еще раз припрешься, тебя не пустят.

— Марточка, — зашмыгала носом бабка, — старость ко всем приходит, ты тоже вечно молодой не останешься. Вот отнимутся у тебя ноги, вспомнишь, как меня гнобила. Ой, стыдно станет! Захочешь извиниться, совесть успокоить, а и не получится. Где Фаина? В могиле она. Ну да я тебя сейчас прощаю, заранее.

— Все! Достала! — взвилась Марта. — Закрыта лавочка! Долго ты добротой Буркина пользовалась, черпала как из колодца. Но сейчас ведро по дну чиркнуло и без воды к тебе вернулось. Уговор какой был? Продукты получаешь раз в месяц, а не в неделю, и о водке речи никогда не было.

— Я сирота, — захныкала Фаина, — Павлик мой умер, — всхлипнула она, — некому обо мне позаботиться...

— Твой Павлик был наркоман, — жестко перебила ее Марта.

— Вы мне должны, — неожиданно сменив тон, отчего голос ее помолодел, пошла в атаку Фаина.

Марта покрутила указательным пальцем возле виска.

— Совсем ку-ку? Тебе Максим Антонович десять тысяч долларов дал. Нормальному человеку такой суммы до конца жизни хватило бы, да еще и внукам осталось. Но вы с Павлом любые деньги в распыл пускали. Один наркоту чуть ли не с пеленок покупал, другая бухло. Все обязательства Буркин в отношении Максимовой выполнил! Думаешь, я не знаю, что тебе обещали? Ошибаешься, родная. Вас с Павлом из московской коммуналки в хороший дом на улице Льва Толстого переселили, это раз.

— Милая, ты всерьез? — возмутилась Фаина. — Запихнули в гнилую избу! Сортир во дворе, две комнатушки, мебель дешевая, рассыпалась сразу. Я, между прочим, раньше в столице жила.

— Да? Чего ж согласилась Москву на Удрюпинск сменить? — зашипела Марта. — Молчишь? Тогда я отвечу. Максим Антонович тебя в грязной норе нашел, Павлик даже хорошей картошки не ел, потому что бабка пенсию пропивала, а еду по помойкам собирала. В Москве у тебя была семиметровка в общей квартире с кучей соседей. Да, в туалет на улицу ты не ходила, зато, хоть и в тепле, в очереди к толчку по часу стояла. Вот и вся роскошь. А что ты получила, когда твоего Павла к Обоеву положили? И баксы, и избу, и участок!

— Десять тысяч те Павлика и сгубили, — заплакала Фаина, — из-за них мальчик в руки шприц взял. Не вынес внимания журналистов. И место, где я живу, гиблое, там смерть витает.

— Нашла виноватых! — топнула ногой Марта. — Деньги, оказывается, парня на иглу посадили! А может, твой внук просто лентяй, идиот и сволочь был, а?

Фаина выпрямилась.

— Не смей гадости про покойного говорить! Иначе я на площади среди паломников встану и всю правду расскажу, как дети у Обоева выздоравливают. Все, как на исповеди, выложу! А Максиму Антоновичу объясню: «Я человек слова, молчала б до смерти, да Марта ваша меня унижала, продуктов не давала, вот и захотелось ей отомстить». Чего голову в плечи втянула? Испугалась!

— Тише, — шикнула помощница мэра, — не ори. Давай список, открывай свою торбу. Все получишь, кроме водки.

Марта стала хватать с полок банки, пакеты и запихивать в услужливо подставленный бабкой мешок. Потом почти ласково сказала:

— Обратную дорогу сама найдешь?

— Конечно, Марточка, — закивала старуха. — Ты ко мне по-хорошему, и я к тебе по-человечески. Кстати, видела я сегодня странную вещь...

— Какую? — строго спросила Марта.

Фаина закинула поклажу на спину.

— Я пришла сюда до полудня, но тебя не было.

— Писательница к нам известная приехала, — неожиданно по-доброму пояснила Марта, — я ей город показывала.

— Вошла, как водится, через заднюю дверь, —

продолжала Фаина, — через нее и вышла. Думала тебя подождать и села в беседке, где летом мясо жарят. Вдруг гляжу — Илья Николаевич на коляске катит. Один! Медленно так вдоль заборчика волочится, воздухом дышит. Поняла я, что он от Вали удрал. И тут раздался шум со стороны Владимира Яковлевича.

— Откуда? — не поняла Марта.

Фаина удивленно заморгала.

— Ты чего? Неужели забыла, где дом Обоева стоит? Слева от беседки, за изгородью. Кто-то у него там что-то тяжелое уронил. Илья Николаевич подкатил к забору вплотную и давай в щель между досками смотреть. Потом вдруг прочь бросился — весь белый, прямо синий. И заплакал. Слезы по щекам горохом покатились. Что-то его сильно напугало. Схватился сердешный за голову, да как закричит: «Зеленые ботиночки!» Проехал к черной дверце, а из нее Валька как раз выскакивает. Увидела Илью, фигакнула его с размаху по затылку и хуже радио заорала: «Идиот!» Ну а потом другие слова из нее посыпались, я их повторять стесняюсь.

— Сиделка ударила Илью? — не поверила своим ушам Марта.

Фаина подняла руку и растопырила пальцы.

— Аж три раза! Я давно подозревала, что она его лупит. Надоел Валентине больной, вот она и не сдерживается.

— Спасибо, что сигнализировала, — сказала Марта. — На вот тебе еще пакет шоколадок. Прослежу за Валькой пристально. Вот дрянь! Я думала, она Илью Николаевича любит.

— Трудно любить человека, которому задницу подтираешь, — резонно заметила Фаина, вздохнула и взялась руками за лямки рюкзака. — Не первый год мы с тобой знакомы. Да, я выпиваю, но только дома, в интеллигентной обстановке, в канаве не валяюсь. Жизнь у меня жестокая была, отсюда и алкоголь.

— Знаю, Фая, — протянула Марта. — Хоть и ругаемся порой мы с тобой, а никуда нам друг от друга не деться.

Фаина вышла в коридор, Марта закрыла за ней дверь, вынула из кармана мобильный и набрала номер.

— Игорь, у нас проблема. Фаина бузит, опять внаглую за продуктами приперла. И водку затребовала, «кедровку», совсем совесть пропила. Я ей сначала отказала, так гадина пообещала паломникам правду про Павлика рассказать... Что? А где она сидела? В желтой гостевой? В халате? А теперь нет? Бегу!

Марта резво выскочила в коридор. Я поняла, что мое отсутствие замечено, и тоже вышла из кладовки, побежала назад. Миновала дверь гостевой, двинулась налево, увидела створку меньшего размера, толкнула ее и, о радость, поняла, что нашла туалет.

— В спальне ее нет? — спросил снаружи звонкий голос Марты.

— Как сквозь землю провалилась, — ответил усталый голос Ольги.

— Блин! — разозлилась помощница мэра. — Ну, тебе Максим задаст!

Я нажала на кнопку слива и под грохот рухнувшей из бачка воды вышла из сортира.

— Виола Ленинидовна! — обрадовалась Марта. — Где вы пропадали?

Хороший вопрос для человека, выходящего из сортира.

— Там, — стараясь казаться смущенной, ответила я. — А что?

— Ваш костюм уже принесли из отеля, — зачастила Ольга, взяв меня под руку. — Кстати, хорошая новость: от пятна на платье и следа не осталось. И еще приятное известие: Ирине намного лучше, и завтра в полдень она вас ждет в каминной. Очень извинялась за сегодняшний казус. Сказала: посмотрела на салат, ощутила тошноту и кинулась вон из столовой. Такое бывает, Ирину от мигрени подчас тошнит, прямо как беременную. Переодевайтесь, и я вас отведу в малую гостиную, там сервируют чай. Вы любите эклеры?

Я закатила глаза.

— Обожаю!

Марта захлопала в ладоши.

— Еще будет шоколадный торт и морковный кекс.

— Мои любимые лакомства! — воскликнула я. — Очень жестоко ставить их все разом на стол. Не удержусь и наемся до отвала.

— Вам можно, — льстиво заметила Ольга, — у вас фигура, как у модели.

— Мы из вредности побольше выпечки принесем, — засмеялась Марта, — в надежде, что хоть слегка наша Виола Ленинидовна потолстеет, и тогда нам от зависти не придется погибать.

Экономка погрозила помощнице хозяина пальцем.

— Вот ты какая! Виоле Ленинидовне можно мешок бисквитов съесть, и она не поправится до наших размеров. Мы с тобой на фоне нашей дорогой гостьи ожиревшие свинки.

— Точно, — кивнула Марта, — редко увидишь такую стройную даму, как Виола Ленинидовна.

Продолжая неумеренно восхищаться моей неземной красотой, тетки втолкнули меня в гостевую.

— Подожду за дверью, — пообещала Ольга, — одевайтесь без спешки.

Я посмотрела на костюм. Ну и ну! Его погладили и, кажется, покрепче пришили к жакету пуговицы. А еще Марта с Ольгой ни разу не ошиблись, выговаривая мое сложное отчество. Ах, как все тут заботливы и внимательны!

Глава 16

После чая я в сопровождении Марты вернулась в отель и простонала, очутившись в номере:

— Умираю, как спать хочется. Глаза слипаются.

— День у вас сегодня выдался суматошный, — с материнской заботой произнесла Марта, — пора бай-бай.

Я кивнула. Моя спутница показала рукой на аэродромоподобное ложе.

— Кровать уже разложили!

Я села на край матраса и сгорбилась.

— Что случилось? — испугалась Марта.

— Никаких сил нет, — прошептала я, заваливаясь на бок, — прямо уносит.

— Душенька моя, это от нашего свежего воздуха! — заквохтала Марта. — Беркутов не Москва, у нас тут чистейший кислород вокруг. Давайте-ка сюда, на подушечку, сейчас я с вас костюмчик сниму...

В одно мгновение под моей головой оказалась подушка, а тело укутало большое пуховое одеяло.

— Спите, солнышко, пусть вам приснится нечто очень приятное, — пожелала Марта.

— Спасибо, — еле слышно пролепетала я.

— Попрошу вам сигнал будильника в девять включить, — пропела помощница мэра. — Какую хотите мелодию? Шум моря или гул города?

— М-м-м... — простонала я.

— Значит, морской прибой, — резюмировала Марта.

В номере воцарилась тишина. Некоторое время я лежала, не шевелясь, потом резко села.

Если вы оказываетесь в компании людей, которые демонстрируют приторно-сладкую любовь, а сами только и мечтают избавиться от нежеланной гостьи, то следует быть крайне осторожной, когда они начинают усиленно потчевать вас чаем. Может, конечно, я излишне подозрительна и в мою чашку никакого снотворного не подливали, но на всякий случай я исхитрилась незаметно выплеснуть напиток в кадку с неизвестным мне растением (надеюсь, не причинила ему большого вреда, и оно не скончается в муках от барбитуратов). И к симпатичным пирожным я, несмотря на свою неуемную любовь к сладкому, не прикоснулась.

Нет, я положила себе на тарелку парочку кексиков, но потом быстренько запихнула их в сумочку. Думаете, я зря перестраховалась? Возможно, и так.

Но понимаете, когда я вошла в каминную, где было сервировано чаепитие, меня уже поджидала наполненная чашка, а кексы мне настойчиво рекомендовала Катя. Дочь Максима Антоновича даже покраснела от усердия, упорно советуя отведать то или иное пирожное. Я не стала разочаровывать честную компанию, взяла изящную фарфоровую чашечку, отошла с ней к окну и там ловко избавилась от ее содержимого. А кексики благополучно переместились в мой ридикюль.

Спустя пятнадцать минут я принялась отчаянно зевать, увидела, как Варя с Игорем Львовичем обменялись быстрыми взглядами, и, едва не сказав вслух: «Ай да Вилка, ай да молодец!» — изобразила непреодолимое желание уснуть. Наверное, во мне пропала великая актриса. Во всяком случае, у Марты не возникло ни малейших сомнений в правдивости разыгранной мною сцены. Сейчас помощница небось уже рапортует мэру: «Гостья дрыхнет в отеле и не предпримет попыток самостоятельно связаться с Ириной».

Я быстро встала, открыла чемодан, подняла второе дно, вытащила оттуда наряд Элеоноры, живо переоделась, вылезла в окно и поспешила прочь от гостиницы. Часы показывали полдесятого вечера, старуха по имени Фаина, вероятно, заканчивает смотреть программу «Время».

На углу улицы работал небольшой ларек со всякой ерундой, я купила небольшую шоколадку и спросила у продавщицы:

— Не подскажете, где находится улица Льва Толстого?

— Комнатку снять хочешь? — понимающе осведомилась торговка.

— Верно, — кивнула я. — Добрые люди посоветовали адресок, говорят, некая Фаина задешево паломников пускает.

— Фаина, Фаина... — пробормотала тетка. — Не знаю такую. Ну да со всеми не познакомишься. Пешком идти туда далеко, почти через весь город. Если хозяйка цену заломит, ты спокойно поворачивайся и уходи.

— Ага, и остаться под забором? — вздохнула я. — Хоть и весна, да ночевать на улице холодно.

— Нет, — засмеялась моя собеседница, — баба за тобой побежит и живо свой аппетит поумерит. На Льва Толстого народ косяком не валит, никому неохота по часу туда топать. Место глухое, с плохой репутацией, от него до «замка людоеда» рукой подать. Слышала про развалины?

Я кивнула.

— Только я думала, что они неподалеку от улицы Революции находятся.

Продавщица встала из-за прилавка и вышла из своей будки.

— Лес большой, он в окраину Беркутова вклинивается, справа будет улица Революции, слева Льва Толстого, а между ними деревья. На первую метро ходит, там как раз конечная, можно потом через лесок до нужного дома на улице Толстого добежать, напрямую недалеко. Но я тебе этого не советую. Лучше по поганым местам не шастать, из наших туда никто никогда не ходит. Гиблая земля, много народа в том районе погибло — кто в колодец свалился, кто с развалин башни упал. Говорят, в чаще обитают души мертвых, и, если живого человека увидят, враз к себе утащат. Иди-ка ты пехом. Ступай направо, затем держись прямо и ровнехонько на Толстого попадешь.

— Спасибо, — пробормотала я.

— У тебя с деньгами совсем плохо? — неожиданно поинтересовалась тетка. — Или двадцать рублей потратить можешь?

— Смотря на что, — протянула я. — Если еще чего у вас купить, то навряд ли. Уже шоколадку взяла, на сегодня мне баловства с избытком.

Продавщица завернула за будку и выкатила оттуда старый ржавый мужской велосипед с потертым седлом.

— Вот, могу дать напрокат за два червонца. Но деньги вперед. Не смотри, что не новый, он крепкий и ездит хорошо.

— Здорово! — обрадовалась я. — А в котором часу вы работать заканчиваете?

— До последнего клиента сижу тут, — гордо заявила тетка. — У меня малый бизнес, я индивидуальный предприниматель, сама себе график устанавливаю. Видишь школу?

Я повернула голову, обозрела трехэтажное здание, стоявшее через дорогу, и удивилась:

— Хм, почти во всех окнах свет горит. У вас дети так поздно учатся?

— Гулянка у старшеклассников, — пояснила киоскерша. — Степан Николаевич, директор, подростков постоянно развлекает, выдумщик он. Сегодня мимо меня ребята шли, все разодетые, разрисованные. Ну я и спросила, что у них за веселье. Оказалось, тематическая вечеринка в стиле фильма «Пираты». В одиннадцать они закончат, побегут домой, будут воду покупать, орешки, конфеты. Только около полуночи я сегодня закроюсь. А почему ты интересуешься?

Я протянула ей две монетки.

— Как вам велосипед вернуть?

Хозяйка ларька показала рукой на двухэтажный кирпичный дом, стоявший чуть поодаль.

— Завезешь в подъезд и оставишь у почтовых ящиков. Дверь без замка.

— Не украдут? — с опаской спросила я.

Собеседница усмехнулась.

— До сих пор бог миловал. В Беркутове тихо.

— Несмотря на большое количество паломников? — удивилась я.

Тетка вынула из кармана ветровки сигареты и чиркнула зажигалкой.

— Не, приезжих опасаться не стоит. Бывает, конечно, что на площадь к мастерской художницы менты приезжают, но повод обычно пустяковый: одна паломница другую пихнула и пошла у них драка. Воровства нет. Знаешь почему? Ирина никогда не подойдет к человеку, у которого грех на душе. Она только светлым людям помогает, вот паломники и ведут себя пристойно. Ну, сдадут у кого-то нервы, обзовет он соседа по толпе, треснет его по носу. Это ерунда, не считается. А чужое спереть — дело серьезное. Да и на мой велик вряд ли кто глаз положит, чай, не джип навороченный. Тебя как звать?

— Элеонора, — быстро представилась я.

— Ну а я Тамара, — сказала продавщица.

— Эй, бабы! — раздался хриплый мужской голос. — Торгуете или дурью маетесь?

Я обернулась и увидела тощего мужичонку в сильно измятых брюках и короткой куртенке, пытавшейся прикинуться кожаной.

— Что желаете? — услужливо поинтересовалась продавщица.

— Давай бутылку, — деловито приказал незнакомец.

— Есть вишневый и яблочный, — сообщила Тамара. — Вам какой?

— Эй, ты чего несешь? — скривился покупатель.

— Говорю, сок у меня двух видов, — спокойно пояснила торговка. — С утра был еще апельсиновый, но закончился.

— Во дура... — покачал головой мужичок. — Водку доставай!

— Извините, спиртным не располагаю, — твердо заявила хозяйка малого бизнеса, — у нас в городе сухой закон.

— Ну ваще! — аж покраснел от негодования покупатель. И тут же возмутился еще больше: — Хорош брехать! Вон в витрине бутылка стоит!

— А вы цену видели? — вздохнула Тамара. — Четыреста пятьдесят рублей, и это...

— Во блин, — не дал ей договорить дядька, — ноль-то я не приметил. Офигела совсем? Заломила цену! Давай обычную водяру!

— Я уже объяснила, — начала сердиться хозяйка ларька, — в Беркутове запрещена продажа горячительного. Приобрести выпивку здесь не получится. У меня выставлен шоколад.

— Чего? — попятился выпивоха.

— Присмотритесь, — устало предложила Тамара, — и увидите: бутылка пластиковая, набита конфетками. Это набор «Ассорти».

— Какого хрена шоколадки в пузырь упаковали? — заорал дядька. — Вот дурят народ, обманывают!

— Вопрос к производителю, — развела руками продавщица, — он небось соригинальничать решил.

Дядька пнул ногой по стене ларька и нетвердым шагом двинулся за угол.

— Видала? — неодобрительно спросила продавщица. — Попадаются же такие кадры. Его жена или мать с собой к Богдановой потащила, поостереглась это сокровище дома одного оставить. Небось горе в семье, ребенок болен или из взрослых кто, а у мужика трубы горят, бегает, «огнетушитель» ищет. И зачем бабы таких дома держат? Это, по-моему, от комплекса неполноценности, боятся, что на них никто больше не позарится, вот и цепляются за алкоголиков.

— В Беркутове сухой закон? — с недоверием спросила я.

— Да нет, — отмахнулась Тамара, — просто я пьянчуг не перевариваю. Торгуют у нас алкоголем, как везде. Но Максим Антонович к тем, кто закон нарушает, очень строг, узнает, что в магазине спиртное поздним вечером отпустили или подросткам бутылку продали, живо точку прикроет. И в ларьках нельзя ничего высокой градусности держать. Вот мужики! Неужели непонятно, что внутри бутылки шоколадки? А цена-то — четыреста пятьдесят рубликов! Кто такую возьмет? Дураков нет. Местные предпочитают самогонку, а приезжие туго раскошеливаются. На Московской улице у нас самый крутой супермаркет, так даже там пузыри простые, изысков не держат.

Из-за поворота вынырнула маленькая девочка в мешковатой куртке.

— Тетя Тамара, у вас есть кокосовое печенье? — закричала она еще издалека. — К маме гости пришли, а чай пить не с чем.

— Все бы Наташке деньги зря профукивать, вечно подружек кормит, — неодобрительно произнесла продавщица, входя внутрь ларька.

Девочка покраснела, но осталась стоять у окошка, а я с некоторой опаской взгромоздилась на ржавое двухколесное сооружение и покатила вперед по мостовой.

Несмотря на жуткий вид, прадедушка отечественной велосипедной промышленности оказался вполне бодр, и я довольно быстро добралась до места. Улица Льва Толстого была узенькой, извилистой и казалась вымершей. Я притормозила около одной избушки и осторожно постучала в окно. Спустя минуты две рама чуть приотворилась и в щелке показалась растрепанная голова девушки.

— Комнат не сдаем, — отрубила она. — Совсем оборзела! На часы-то смотрела? Мне завтра в пять вставать!

— Пожалуйста, простите, — смутилась я, — думала, еще никто не спит.

— Ага, — скривилась девица, — я бы тоже веселилась, да возможности нет. Вали отсюда, не мешай людям.

В соседнем домике тоже открылось окно.

— Галь, что случилось? — спросил мужской голос. — Митька бузит?

— Не-а, — ответила девушка, — паломница на постой просится.

— Гони ее к черту, — посоветовал сосед.

— Мне не требуется койка, — быстро сказала я, — ищу участок Фаины Максимовой.

— И поэтому в чужое жилье ломишься? — взвизгнула Галина. — Да пошла ты!

Девушка с треском захлопнула раму.

— Файка нужна? — неожиданно дружелюбно поинтересовался баритон.

— Да. Не подскажете, где она живет?

— На отшибе, — пустился в объяснения мужчина. — За пятым участком заворачивай и вали прямо. Увидишь колодец, от него направо, очутишься вроде как в лесу. Но не бойся, это не чаща, а кусок сада НИИ растениеводства, остались всякие кусты-деревья с лохматых времен, разрослись сильно. Минуты три-четыре по тропинке скачи и как раз в сарай Фаины упрешься. Да только баба небось уже пьяная лежит. Она у нас тихушница. Зальет глаза и на улицу не выходит, думает, никто про ее любовь к водяре не знает.

— Спасибо, — сказала я и развернула велосипед в указанном направлении.

— Смотри, не перепутай! — крикнул мне в спину абориген. — От колодца направо, иначе в нехорошее место попадешь, где привидения живут!

— Не верю я в паранормальные явления, — ответила я, — вся мистика имеет вполне материальное объяснение.

— Ну и дура, — резюмировал мужик, закрывая окно.

Я без приключений добралась до сооружения в виде крохотного домика со здоровенным, прикрепленным к цепи ведром, повернула налево и порулила по тропинке. Спустя несколько секунд пришлось слезть с велосипеда и пойти пешком, потому что на узкой дорожке постоянно попадались толстые корни деревьев, в которые колеса упирались, как в стену.

Крепко держа руль, я вела велосипед вперед. Вокруг сгущалась темнота, а тишина тут стояла нереальная — ни одного звука не долетало до слуха. Неожиданно мне стало страшно, прямо-таки жутко. Я остановилась и рассердилась на себя. Ну же, Вилка, давай, не трусь! Тебе же объяснили, путь лежит не через лес, а сквозь разросшийся и одичавший сад НИИ растениеводства. Здесь не водятся ни медведи, ни волки, ни крокодилы с тиграми.

Я сделала пару шагов и уловила тихий шепот. По спине незамедлительно побежали мурашки, голова сама собой втянулась в плечи. Я тут же разозлилась. Вилка, в чем дело? Неужели ты боишься пройти путь до дома Фаины? Ты трусишь? Опасаешься привидений? Но их не существует! Кто сейчас здесь бормочет? Никого рядом нет, просто ветер шевелит ветви елей. Минуточку! Незнакомый мужчина, объяснявший мне дорогу, упоминал про сад. А разве там растут вечнозеленые деревья? Яблоки, груши, вишни, вот что такое сад! Неужели я заблудилась? Надо разворачиваться и идти назад.

Впереди блеснул тусклый огонек. С моих плеч словно упал тяжелый груз, я поспешила туда, где виднелся свет. Ну, Виола, ты, оказывается, паникерша, этак скоро мышей бояться начнешь... Еще чуть-чуть, и выйдешь к дому Фаины...

Я выскочила на огромную поляну и замерла. Перед глазами громоздились руины некогда величественного здания, сложенного из более крупных, чем современные, кирпичей. От замка остались часть первого этажа, красивая арка с одной створкой железных ворот, причудливо оформленной, кованой, и башенка, смахивающая на шахматную ладью. Значит, я все-таки заплутала, повернула у колодца не в ту сторону и очутилась возле пресловутого замка людоеда.

Не успела я перепугаться окончательно, как со стороны здания послышались странные звуки: шорох, вроде даже шепот, а по моему лицу прошелся ветерок. Я присела, затем выпрямилась и, не разбирая дороги, понеслась по тропинке куда глаза глядят. Хорошо хоть не забыла про чужой велосипед, катила его, обмирая от ужаса.

Только не говорите, что на моем месте вы бы спокойно вошли в заброшенное богом и людьми здание с вопросом: «Эй, кто здесь безобразничает?»

Сидя на диване в хорошо запертой квартире, я тоже храбрая. Могу, зарывшись под одеяло, наблюдать на экране телевизора за приключениями главной героини ужастика. Но поздним вечером в лесу, в месте, которое аборигены называют «гиблым», мне совсем не хочется демонстрировать отвагу. Ладно, привидений не бывает, зато встречаются бомжи и всякие асоциальные элементы, и я бы, пожалуй, предпочла скорее пообщаться с представителями потустороннего мира, чем с криминальными личностями. И не надо говорить, что меня напугал простой ветер!

Чуть не скончавшись от ужаса, я каким-то непостижимым образом очутилась вновь на улице, села на велосипед, поехала, как мне показалось, в сторону центра Беркутова, выскочила в небольшой парк, пересекла его и увидела завалившуюся на один бок избушку, в окнах которой горел свет. Я все-таки нашла скромную обитель Фаины Максимовой!

Мне безусловно нужно поговорить со старухой. Но еще сильнее хотелось сейчас выпить горячего чаю, на худой конец пустого кипятка и посидеть некоторое время в тепле, в безопасном месте, где уютно светит лампа, работает телевизор и живут обычные люди.

Я перевела дух, подошла к крылечку и постучала в дверь. Она приотворилась, изнутри послышался веселый голос молодого мужчины:

— Ай да девчонки! Отличная работа! Теперь отправимся к пирамидкам!

Пенсионерка наслаждалась телешоу и не слышала, что к ней заявилась гостья.

— Простите! — крикнула я. — Фаина... извините, не знаю вашего отчества... Можно войти?

— Смотрим на команду под именем «Львы», — надрывался ведущий. — Вот это да!

Я втиснулась в узенькую прихожую, сбросила испачканные ботинки, повесила на один из прибитых к стене крючков плащ и направилась на звук.

Вытянутая, примерно пятнадцатиметровая комната служила Фаине гостиной. В углу на тумбочке стоял цветной телевизор, похоже, еще советского производства. Несмотря на древность, он исправно работал, на экране мелькали лица, а из динамика слышались громкие аплодисменты. Еще в помещении стояли стол, застеленный протертой клеенкой, три стула, кресло и диван, на котором, прикрытая ватником, лежала хозяйка.

— Здравствуйте! — заорала я.

Бабка даже не пошевелилась. Решив наплевать на вежливость и всяческие приличия, я поискала глазами пульт, не обнаружила его и просто выдернула шнур телевизора из розетки. Наступила блаженная тишина.

— Добрый вечер, Фаина! — крикнула я.

Но не дождалась от бабушки никакого ответа. Затем увидела на полу около дивана пустую бутылку в виде большой кедровой шишки и расстроилась. Алкоголичка раздобыла-таки водку и напилась, беседовать со мной она не способна.

Постояв немного в раздумьях, я приблизилась к Максимовой, услышала натужное похрапывание, подняла с пола стеклянную, оригинальной формы бутылку из-под огненной воды и прочитала на этикетке: «Кедровая особая».

Сколько времени потребуется пожилой женщине,

чтобы очнуться? Наверное, остаток вечера и ночь она проведет под «наркозом». Значит, придется уйти. Вот только я замерзла, а в отеле думают, что я крепко сплю, просить чаю у портье мне не с руки. Конечно, совсем нехорошо без спроса хозяйничать в чужом доме, но я просто хочу глотнуть кипятка.

На маленькой кухоньке неожиданно обнаружился новый электрочайник. Я поискала раковину, не нашла ее, увидела на столике таз, а чуть поодаль на табурете здоровенное оцинкованное ведро, прикрытое крышкой. И сообразила: водопровода тут нет.

Вода вскипела почти мгновенно, я наполнила эмалированную пол-литровую кружку с отбитыми краями, сделала глоток, другой, постепенно согреваясь. В голове возникли вопросы.

Отлично помню, что Марта дала Фаине продуктов, а вот в спиртном отказала. Где старуха разжилась выпивкой, да еще элитной, той, что Буркину присылает приятель с другого конца России?

Я села на шаткую табуретку. Ну как так можно жить? В доме сыро и холодно. Явно хозяйка редко топит печь, скорей всего у нее закончился запас дров. Уборкой старушка не заморачивается — повсюду грязь, вон на полу как натоптано. Похоже, Фаина, в отличие от меня, не снимает уличной обуви, бродит по своей избушке прямо в ботинках. Ванной в доме, как, впрочем, и туалета, нет. Роскошными такие бытовые условия не назовешь.

У стены лежал одинокий цветок. Ну и сколько он там валяется? С прошлого лета? В апреле пионы не цветут, а я сейчас вижу яркую головку именно этого растения.

Я встала и нагнулась, рассматривая темно-бордо- вые лепестки. Надо же, действительно пион. Откуда он взялся? Такое впечатление, будто полураспустив- шийся бутон секунду назад упал со стебля.

Я осторожно пощупала лепестки. Вот в чем дело! Цветок сделан из ткани. Причем он являлся укра- шением для волос, потому что был прицеплен к махрушке. Наверное, к Фаине в гости приходила женщина и потеряла аксессуар.

В гостиницу я приплелась поздно. Слава богу, из душа исправно текла горячая вода, и я с удовольс- твием помылась. Затем рухнула в постель и заснула, едва коснувшись головой подушки.

Глава 17

Из темноты долетали странные звуки — похо- жие на хихиканье и шепот. Затем в легкие внезапно перестал поступать воздух, и кто-то сильно ударил меня пониже спины. Я задергала ногами, открыла глаза, испугалась почти кромешной темноты, но в ту же секунду поняла: я в номере гостиницы, лежу, укутавшись в одно из пуховых одеял, любезно при- лагаемых к огромной постели. Оказывается, я натя- нула его на голову и поэтому начала задыхаться.

Я сдернула с лица край перины и с шумом вздох- нула, затем ощутила новый пинок, вздрогнула, по- вернулась и увидела, как на другом конце необъят- ной кровати ходит ходуном второе одеяло.

— Мама, — взвизгнула я, — кто здесь?

— Мама, — эхом откликнулся женский голос, — кто здесь?

Несмотря на оторопь, я сообразила включить

ночник и в неярком свете лампы увидела два тела слева от себя.

— Вы кто? — ахнула я.

Какой-то мужик резво вскочил, с молниеносной скоростью схватил вещи, валявшиеся в кресле, и исчез за окном. Женщина осталась в постели. Она молча моргала и выглядела растерянной.

— Вы кто? — повторила я.

— Ева, — прошептала незнакомка. — А вы?

— Отличный вопрос, — разозлилась я. — Зачем вы залезли в мой номер?

— В ваш номер? — пролепетала незваная гостья. — Вы сняли эту комнату в гостинице?

Я протянула руку, схватила сброшенный перед сном халат, накинула его на себя и сердито ответила:

— Да. Если еще не поняли, куда залезли, то знайте: вы находитесь в отеле «Золотой дворец».

— Люкс для президента? — еле слышно спросила Ева.

Мне стало смешно.

— Точно. Я президент земного шара.

— Такой должности не существует, — пробубнила Ева.

— Приятно встретить женщину, разбирающуюся в политике, — съехидничала я. — Немедленно отвечай, что тут делаешь?

— А ты? — пошла в атаку Ева.

— Сплю, — честно ответила я.

— Ну и я отдохнуть пришла, — огрызнулась дамочка.

— В моем номере? — возмутилась я.

— Ты сняла президентский люкс? — вернулась к прежней теме Ева.

— А что, нельзя? — с вызовом осведомилась я.

Ева подсунула себе под спину подушку.

— Оскар начитался всяческих книжонок по гостиничному делу и решил, что организует пятизвездочное заведение, поэтому и обустроил апартаменты для элитного гостя. Но ведь не они показатель классности отеля.

— Некоторые неудобства здесь имеются, — признала я, вспомнив не подсоединенный телефонный аппарат и Ивана с лейкой. — Но народ в отеле не переводится, при мне сюда въехала орда паломников. Они расположились в бывшем спортивном зале.

Ева подняла руки и начала заплетать длинные густые волосы в косу.

— Только ничего слаще морковки не евшие люди могут счесть сие заведение шикарным. Но у Оскара действительно полно постояльцев. Деньги он теперь нереальные зарабатывает. Мы в новый дом въехали, джип купили, за границу отдыхать летом. Я бы спокойно могла не работать, но, как представлю, что придется днями на кухне стоять или в саду ковыряться, так меня корчить начинает. Ну, чего так смотришь? Я жена Оскара!

Я удивилась, потом язвительно уточнила:

— Хочешь сказать, что голый парень, убежавший из постели, это владелец «Золотого дворца»?

— Конечно нет, — поморщилась Ева. — Оскар, еще когда мы свадьбу играли, не отличался особой красотой и за пролетевшие годы, поверь, не стал симпатичнее. Извини, не хотела тебя напугать. Отлично знаю: президентский люкс всегда стоит свободным, Оскар в него никого не пускает, апартаменты в ожидании высокого гостя пустуют. Вот я и пользуюсь ими, когда... ну, сама понимаешь. Оскару женщины не нужны, он давно ушел из большого секса...

Ева говорила спокойно, весьма откровенно рассказывала о своей жизни, и я довольно скоро разобралась в сути дела.

Когда Ева окончила мединститут, она долго искала работу, но девушке без связей трудно устроиться на хорошее место. Кадровики брали в руки свеженький диплом юного врача и качали головой:

— Нам нужен человек с опытом.

Ева молча забирала документы и отправлялась по другому адресу, но и там ей доводилось слышать ту же фразу. Один раз она вспылила:

— Короче говоря, только старуха может рассчитывать на приличный оклад?

— Нет, — серьезно объяснил менеджер по персоналу, — мы ищем молодого врача с большим стажем и солидным послужным списком.

И Ева опять ушла, не зная, как ей быть. В клиниках не хотят брать неопытных врачей, но, чтобы получить этот самый опыт, необходимо поработать в больнице. Получался замкнутый круг.

В конце концов ей повезло, нашлась ставка. Правда, не в столице, а в Подмосковье, зато там давали комнату и делали соответствующую запись в трудовой книжке. Ева подумала: что ж, она прослужит в провинции год, станет в глазах кадровиков опытным профессионалом и вернется в Москву.

Зарплата оказалась крошечной, жилплощадь маленькой и без особых удобств, зато коллеги Евы относились к ней с уважением, ни разу не дали понять, что недавней студентке лучше помолчать на летучках. Нет, Еву всегда внимательно выслушивали и никогда не мешали ей лечить больных так, как юный психиатр считала нужным.

Через год, приехав на встречу выпускников, Ева наслушалась рассказов от бывших однокурсников, которым удалось зацепиться в столичных лечебных заведениях, и поняла, как ей повезло. Ребята рассказывали о дедовщине, которую им устраивали «старики», о неуважении, проявляемом к новичкам давно работающими коллегами. А главное, желторотых выпускников не подпускали к больным, в лучшем случае они толпились в свите, которая сопровождала профессора на обходе.

Ева вернулась в Подмосковье и поняла, что не хочет отсюда уезжать. Вот только ее угнетала бедность. Через пару месяцев за девушкой стал ухаживать Оскар. Мужчина не был ни красив, ни образован, но имел просторную квартиру и хорошо зарабатывал, торгуя продуктами.

Уставшая от безденежья и походов в городскую баню Ева вышла замуж по расчету. Не прошло и месяца, как юной жене стало понятно: ее супруг весьма самовлюбленный тип, не принимающий в расчет ничье мнение. Неизвестно, как бы повела себя новобрачная, но тут подоспела новая встреча выпускников, и Ева опять наслушалась рассказов. На сей раз они состояли из жалоб одногруппниц, которые сбегали в загс и теперь вываливали правду о своей семейной жизни. Их мужья изменяли им, пили-курили, требовали идеально вести домашнее хозяйство, причем старались выделить на расходы минимум средств, а еще они постоянно добивались секса, даже невзирая на отказы жены.

Ева вернулась домой в твердой уверенности: Оскар совсем не плох. Пусть он употребляет восхитительный глагол «ложить» и местоимение «ихнее», плевать, что он читает исключительно спортивные газеты и обожает футбол. Зато Оскар не пьет горькую, кривится при виде сигареты, безропотно отдает жене весь заработок, всегда пребывает в хорошем настроении и обладает минимальным запасом тестостерона. Интимный интерес к жене Оскар проявлял раз в полгода, а потом и вовсе забыл про постель.

Еву в муже устраивало все. Она не спорила с ним, старалась быть ему другом, поддержала идею открыть гостиницу. Конечно, ей было смешно слышать о создании президентского люкса и о потугах Оскара превратить «Золотой дворец» в «Хилтон», но смеяться над супругом она не стала. Более того, отлично зная, что люкс всегда стоит пустой, Ева приспособила его для своих любовных утех. Молодой симпатичный психиатр подчас встречала таких же молодых и симпатичных родственников пациентов. И где уединиться парочке? Квартиру снять невозможно, Беркутов не Москва, сразу найдутся доброхоты, которые настучат Оскару о похождениях Евы. И она нашла остроумное решение проблемы: Ева с любовником залезала по ночам через окно в президентский номер, проводила там несколько часов и покидала его тем же макаром. Оскар полагал, что

Ева дежурит в больнице, а супруга знала — муж никогда не посещает «Золотой дворец» после восьми вечера и ни одна душа в президентском номере не появится. Ну, разве что и правда глава какого-нибудь государства зарулит вдруг в Беркутов.

Ева аккуратно разгладила руками одеяло.

— Небось ты думаешь, с чего вдруг я с тобой так откровенна? Не вижу смысла врать. Ты мирно дрыхла на одной стороне кровати, когда я с милым дружком устроилась на другой. Очень симпатичный мальчик попался, мы с ним так друг друга захотели, что даже свет не зажгли, когда сюда влезли. Одежду сбросили в темноте — и в добрый путь. А в самый приятный момент голос за кадром... Короче, сломала ты мне кайф.

— Извини, я не нарочно, — хмыкнула я. — В следующий раз будь осторожней.

— Да уж, — протянула Ева, — учудил Оскар. Почему он ради тебя исключение сделал?

— Его попросил об услуге Максим Антонович, — пояснила я. — Муж тебе не говорил о приезде писательницы Арины Виоловой? Это мой псевдоним, в миру я Виола Тараканова.

— Не-а, Оскар ничего не говорил, — произнесла Ева. — Так ты знаменитость!

— Не самая крутая, — усмехнулась я. — Просто один мой высокопоставленный приятель любезно попросил мэра устроить меня в Беркутове с наивысшим комфортом.

Ева, совершенно меня не стесняясь, вылезла голая из-под одеяла и начала одеваться.

— Значит, ты пишешь книги.

— Детективы, — добавила я. — Сюда приехала за новым сюжетом.

— Хорошо зарабатываешь? — деловито уточнила доктор.

— Не жалуюсь, — в тон ей ответила я, — хватает на кусок хлеба с маслом и икрой. А почему тебя мои гонорары заинтересовали?

Ева села в кресло.

— Не рассказывай никому, кого сегодня ночью видела в президентском номере, ладно? Если будешь болтать, можешь мне здорово жизнь испортить. Поползут сплетни, рано или поздно дойдут до коллег, навредят моей репутации. Да и Оскар начнет вопросы задавать, у него подчас случаются припадки немотивированной ревности.

Я опустила взгляд — слово «немотивированной» в данной ситуации было не особенно кстати.

— Окажись ты бедной, — разглагольствовала Ева, — я бы тебе тупо денег предложила, вот и попыталась выяснить, сколько ты получаешь в месяц.

— Спасибо, денег мне не надо, — быстро произнесла я. — Кстати, и обеспеченный человек может быть трепачом, умение помалкивать не зависит от толщины кошелька.

— Ты права, — кивнула Ева. — Ладно, сама придумай, что хочешь за свое молчание.

Я внимательно посмотрела на Еву. Учитывая ситуацию, она держится достойно — мило улыбается и изображает полнейшее отсутствие беспокойства. А еще Ева несколько раз вскользь упомянула о том, что Оскар неревнив. Но, думаю, на самом деле положение не так уж радужно. Какой муж придет в восторг, узнав, что его жена тайком встречается в гостинице, принадлежащей ему же, с любовниками? Наверняка Ева сейчас нервничает, но она хорошая актриса, поэтому и сохраняет на лице маску равнодушия.

Я тоже встала и пересела на ее край кровати. Очутившись с Евой лицом к лицу, решительно сказала:

— Бумажник расстегивать не придется. Меня интересует информация.

— Какая? — ничем не выдав своего удивления, поинтересовалась Ева.

— Об Ирине Богдановой, — уточнила я.

Глава 18

Ева положила ногу на ногу.

— Художница. Может исполнять желания людей. Народ в Беркутов катит со всех концов России...

— Спасибо, — остановила я Еву, — цитатами из буклета про жизнь создательницы «исполнялок» сыпать не стоит. Ты встречалась с этой женщиной лично?

Доктор чуть нахмурилась.

— А ты слышала о врачебной тайне? Я не имею права разглашать подробности о больных. Своих ли, чужих — без разницы. За такое могут попросить из профессии.

— А ты небось знаешь о болтливых тетках, которые не способны удержать язык за зубами, — нараспев произнесла я. — Им вроде и хочется промолчать, а орган без костей сам собой — ла-ла-ла...

Ева склонила голову к плечу.

— Это шантаж?

Я замахала руками.

— Конечно нет. Просто так, для развития беседы я это сказала.

Ева распустила косу и расчесала ее пальцами.

— Где гарантия, что ты, узнав все о Богдановой, промолчишь о нашей встрече?

— Гарантии дают лишь в магазине бытовой техники, — вздохнула я, — тебе придется рискнуть и поверить мне. Сразу скажу: твои делишки меня не интересуют.

Ева потерла ладонями щеки.

— Хорошо. Что ты хочешь знать про Богданову?

— Все! — жарко воскликнула я.

Она кивнула.

— Ладно, слушай...

...Как-то раз Владимир Яковлевич Обоев вызвал Еву в отдельную палату, показал ей неподвижно лежащего на койке мужчину и сказал:

— Твой новый подопечный.

— Что с ним? — спросила Ева.

— Был инсульт, — пояснил Обоев, — сейчас подключаем кучу специалистов. Основная задача — его реабилитация.

— Воскрешение Лазаря мне не по плечу, — пробормотала Ева, которой даже при внешнем, очень кратком осмотре стало понятно: несчастный скорее мертв, чем жив.

— Откуда столь пораженческий настрой? — возмутился Обоев. — Необходимо бороться, а не опускать руки!

И Ева начала вытаскивать Илью Николаевича с того света. Врач знала про Богданову, слышала, что

Ирина поселилась в Беркутове. И что благодаря ее появлению в городскую казну, в частности в больницу, потекли деньги. Но, пытаясь помочь пациенту и достигнув вполне впечатляющих результатов, Ева и понятия не имела, чьим отцом является ее подопечный. Да, он был зарегистрирован в клинике как Богданов, только разве эта фамилия редкая?

Благодаря титаническим усилиям врачей Илья Николаевич смог поправиться, сел в инвалидную коляску, стал разговаривать и несведущему человеку мог показаться почти нормальным. Но Ева-то знала, что до выздоровления Богданову далеко. У него часто путалась память, он нес чепуху и, естественно, не мог жить один. У пациента случались разные дни. Например, в понедельник он просыпался вполне нормальным человеком, смущаясь, просил отвезти его в туалет, спокойно завтракал, смотрел телевизор и вполне разумно рассказывал о своей семье: о матери, которая не хотела, чтобы ее мальчик женился, о рано умершей жене, о больной дочке, которую спас в свое время Владимир Яковлевич. Но во вторник перед Евой представал другой человек, он говорил про убийство своего ребенка, требовал расстрелять Обоева, а Еве сулил все кары небесные за то, что она зацементировала ему ноги. С течением времени просветлений стало больше, в состоянии Богданова наметилась положительная динамика, и Ева не удивилась, когда Обоев принял решение выписать Илью Николаевича. Лишь уточнила:

— Он попадет в хорошие условия? Родственники будут выполнять мои предписания? Если Богданов прекратит прием необходимых препаратов, последствия могут быть непредсказуемы.

— Не волнуйся, — успокоил ее главврач, — Илья мой старый приятель, за ним присмотрят лучше некуда.

Поскольку Ева была не основным лечащим врачом Богданова, а только психиатром-консультантом, она не встречалась с близкими пациента и не присутствовала при его выписке.

Прошло лето. А осенью, где-то в ноябре, Обоев спросил у нее:

— Помнишь Богданова?

— Да, — подтвердила психиатр. — Как он поживает?

— Нужна твоя консультация. В частном порядке, — смущенно добавил главврач.

— Зачем семье тратиться? — пожала плечами Ева. — Пусть Илью Николаевича в клинику привезут, получат рекомендации бесплатно.

— Дочери неудобно, — протянул Владимир Яковлевич, — она очень занятой человек.

Ева решила, что незнакомую ей женщину просто не отпускают днем с работы, и предложила:

— У меня в этом месяце пара дежурств. После восемнадцати часов я тоскую в кабинете, по ночам ведь редко что случается. Посоветуйте дочери доставить отца сюда к отбою. Я спокойно с ним поработаю.

— Лучше я тебя сегодня к нему свожу. Не возражаешь? — выдвинул встречное предложение начальник. — Или у тебя какие-то планы на вечер?

— Далеко они живут? — уточнила Ева.

— Много времени мы не потратим, — обтекаемо ответил главврач.

Представляете удивление психиатра, когда ее привезли к особняку мэра и через черный ход сопроводили внутрь. Тут только Ева сообразила, кто такая «доченька Ирочка», о которой порой рассказывал Илья Николаевич. А еще она узнала кое-что о Богдановой, Еве рассказал подробности сам Буркин. Максим Антонович поведал ей, что Ирина очень доверяет Обоеву, который в детские годы вылечил ее от онкологического заболевания. Поэтому, когда с отцом случился удар, дочь решила отдать его под крыло Владимира Яковлевича.

— Не стану вам врать, переезд художницы Богдановой в наш город невероятная, фантастическая удача для Беркутова, — честно заявил мэр. — Благодаря паломникам мы встаем с коленей. Еще пара лет, и почти умерший городок превратится в лучшее, цветущее место Подмосковья. Вы видите, как меняется клиника?

Ева кивнула. Раньше она не задумывалась, откуда у Обоева взялись деньги на реконструкцию, но теперь ей стало понятно: именно паломники приносят казне города доход, вот почему Владимир Яковлевич смог отремонтировать старый корпус, приобрел для больницы томограф и сейчас возводит новое здание.

— Постой-ка, — вклинилась я в плавный рассказ Евы, — разве приезжие платят городу? Деньги получает Ирина. Наверное, она оформила себя как индивидуального предпринимателя и каким-то образом узаконила свою деятельность. При чем тут больница? Да, Беркутов начал возрождаться, сейчас основная масса народа живет за счет славы художницы — сдает комнаты, открыла магазины, гостиницы, но я сомневаюсь, что Богданова отдает в казну свою прибыль.

Ева скорчила гримаску.

— О том, как организована финансовая сторона дела, я понятия не имею, и мне, честное слово, по барабану, коим образом Обоев залезает в карман доброй волшебницы. Главное, у нас теперь потрясающая клиника, лучше многих московских оборудована. Есть специализированное отделение для детей с онкологией, процент излечиваемости впечатляющий. И в моем распоряжении все, что я пожелаю, включая бальнеолечебницу, где проводят всякие водные процедуры, которые прекрасно стресс снимают. Владимир Яковлевич святой. Сам зимой и летом в одном свитере ходит и каждую попавшую в его руки копейку вкладывает в больницу, на себя не тратит. Чаще-то наоборот бывает. Так тебя кто интересует, Илья Николаевич или Владимир Яковлевич?

— Богданов, — ответила я. — Вернее, его дочь Ирина.

Ева обхватила руками колено.

— Ты будешь разочарована — я с ней практически не общалась. Конечно, была поражена, когда узнала, что мой подопечный не кто иной, как отец художницы, и не удержалась, начала расспрашивать Обоева.

...Владимир Яковлевич человек не особенно разговорчивый, но Ева проявила настойчивость. Свое любопытство она замаскировала фразой:

— Я должна знать семейную историю пациента, чтобы успешно работать с ним как психиатр.

И Обоев ввел Еву в курс дела. В давние годы, когда Беркутов существовал за счет НИИ растениеводства, Владимир Яковлевич, Максим Антонович и Илья Николаевич, врач и два сотрудника института, крепко подружились. Почти братским отношениям не мешала разница в возрасте. Богданов был самым старшим, а Буркин наиболее молодым. В подростковом возрасте Ира Богданова заболела лейкемией. Илья Николаевич буквально потерял голову от горя и увез дочь в Москву. Вернулся в Беркутов через полгода — девочка была очень плоха, отец зря понадеялся на столичных медиков, те его ребенку не помогли. Иру поставил на ноги Владимир Яковлевич, он сделал ей пересадку костного мозга. Если честно, девочке феерически повезло. Порой донора приходится искать по всему миру, и не всегда поиски завершаются успехом, но девушка, спасшая Ире жизнь, обитала на левом берегу Беркутова.

После того как дочка выздоровела, Илья Николаевич уехал из родных мест. С одной стороны, отец хотел дать Ире наилучшее образование, с другой — считал, что воздух Беркутова губителен для нее.

— Раз она тут подцепила злую болезнь, значит, не надо нам здесь жить, — заявил Богданов и укатил прочь.

Вновь семья появилась в Беркутове после того, как Илью Николаевича разбил инсульт. Его дочь, уже достигшая, несмотря на молодой возраст, мировой известности как художница, привезла больного отца из Америки на родину. В США врачи обещали улучшить состояние несчастного, но Ирина свято верила лишь одному доктору на свете — спасшему ее от смерти Обоеву. Вот почему Богданова перебралась в Подмосковье.

Ева неожиданно замолчала, а я быстро спросила:

— Тебе что-то показалось странным, ведь так?

Она заколебалась, но потом решила ответить честно:

— Сначала, пока я не знала всей предыстории, я ничего особенного не заметила, но после разговора с Максимом Антоновичем... Понимаешь, у Богданова не было никаких документов, подтверждающих его лечение в США. Даже простых анализов, вообще ничего. Давай не будем лукавить: у американцев дело с медициной обстоит гораздо лучше, чем в России. Ирина знаменитость, имеет немалые деньги, следовательно, могла оплатить содержание отца в самом современном учреждении. Но тем не менее она потащила тяжелобольного старого человека в Москву. Сколько им пришлось лететь? Десять часов? Двенадцать? Даже для здорового организма такое путешествие стресс, а для человека с инсультом вообще могло стать фатальным. Как Ирина решилась на такой шаг?

— Ты задала ей этот вопрос? — поинтересовалась я.

Ева облокотилась на ручку кресла.

— Богданова со мной не встречалась, кажется, она боится посторонних. У творческих людей часто заводятся разные тараканы в голове. Я попыталась расспросить Обоева, а тот сказал, что у Иры пропала во время перелета сумка. Ну, знаешь, иногда багаж испаряется без следа. Как назло, именно в той клади находились все бумаги Ильи Николаевича.

— Ты давно его видела? Похоже, Богданов совсем сумасшедший, — вспомнила я то, что видела и слышала. — Он при мне обвинил хозяина дома в убийстве своей дочери.

Ева улыбнулась:

— Говорил про зеленые ботиночки? Вспоминал о драке?

— Точно, кричал про обувь. А ты откуда знаешь? — удивилась я.

Врач встала.

— У него стабильный бред. Всегда, когда состояние ухудшается, Богданов рассказывает одну и ту же историю: его девочки поссорились, вспыхнула драка, пришел Максим Антонович и убил Ирину. А когда Буркин уносил труп, с ноги художницы упал зеленый ботинок, и сестра Иры плясала и пела от радости. Богданов может быть очень убедителен, и, если не знать о его проблемах с головой, легко поверишь в эти россказни.

Глава 19

— Разве у Богдановой есть сестра? — удивилась я. — Собираю материал для книги о художнице, прочитала почти все статьи, опубликованные о ней в прессе и имеющиеся в Интернете, но нигде не видела ни одного упоминания о близкой родственнице.

Ева подошла к окну.

— И сестры нет, и Ирина, на радость Беркутову, жива-здорова, рисует свои «исполнялки», привлекает в город паломников. Никто не способен объяснить, что происходит с мозгом человека после перенесенного инсульта. На мой взгляд, вообще чудо, что Илья Николаевич сидит в коляске, управляет ею, разговаривает, самостоятельно ест, пьет и просится в туалет. Ну, заговаривается порой, так это ерунда. Сейчас весна, у Богданова начинается обострение. Скоро меня к нему позовут. Постоянные клиенты уже оживились, у меня есть такие, сезонные. Летом и зимой я о них не слышу, а в ноябре и марте прибегают, жалуются на ухудшение.

Ева прислонилась спиной к подоконнику.

— Правда, есть и другие, вроде одной дамы, но та постоянно сидит на транквилизаторах. Ну да в ее случае понятно почему — женщина сына потеряла и теперь никак не оправится.

— Ты имеешь в виду Силантьеву? — вздохнула я.

— Тебе уже рассказали? — скривилась Ева. — В Беркутове сплетни водоворотом крутятся. Живут тут мастера художественного свиста, про любого всю подноготную выложат. Остается лишь удивляться, откуда кумушки информацию черпают. Хотя ты уже наверняка побывала у Зинаиды Борисовны, выпила заваренную ею чашечку яда.

— У кого? — удивилась я.

Ева чуть подняла брови.

— Неужто не слышала о Рудневой?

— Нет, — призналась я. — А кто она такая?

Врач поджала губы.

— Совесть Беркутова. В советские годы мадам служила секретарем парторганизации НИИ растениеводства. Когда в девяностые случилась революция, Зинаида Борисовна потеряла работу. Она злейший враг Максима Антоновича, но делает вид, что обожает мэра и поддерживает все его начинания. Будучи на партийной работе, тетушка по долгу службы знала много чужих секретов. Ныне Руднева не у дел — когда научный институт скончался в корчах, Зинаида уже пенсию оформила. Сейчас бабуле немало лет, но ума она не потеряла. Если хочешь о ком чего плохое узнать, рули к ней. Мимо ее носа мышь не пробежит и муха не пролетит.

— Где проживает Руднева? — обрадовалась я.

— На улице Свободы, — ответила Ева. — Она там всю жизнь обитает. Руднева адепт здорового образа жизни — давно не ест мяса, купается в проруби и бегает по километру в день, трусит по улице в спортивном костюме. А еще она велосипедным спортом увлекается. Правда, сейчас вроде не садится уже в седло. Вчера иду в супермаркет, а навстречу мне Зинаида Борисовна — ножками топает, не на велике. Каюсь, проявила бестактность, поравнялась с ней и спрашиваю: «А где ваш велосипед?» Бабка в ответ: «Что-то я уставать стала в горку на нем рулить. Ну ничего, попью витаминов, и сила вернется, а пока на своих двоих похожу». Меня фраза про витамины очень впечатлила, да и замечание про усталость равнодушной не оставило. Иные-то в сорок на второй этаж подняться не могут и весь арсенал фармакологической промышленности перепробовали. А велосипед! Не всякий человек и в тридцать лет на него взгромоздится, Руднева же и дальше кататься собирается. Ну, мне пора. Надеюсь, ты не нарушишь договоренности, не станешь болтать о нашей встрече. Когда уезжаешь?

— Точно дату не назову, но на всю жизнь оставаться в Беркутове не планирую, — успокоила я жену Оскара. — И вряд ли буду регулярно посещать городок в дальнейшем.

— Гутен найт, как сказал бы наш полиглот Федор, — засмеялась Ева. — И удачи тебе в написании книги. Не обижайся, но если где-нибудь на людях столкнемся, я тебя не узнаю.

— Ничего удивительного, — в тон ей ответила я, — мы же никогда не встречались.

Ева вылезла в окно, я легла в кровать, хотела немного подумать о том, что делать завтра, но внезапно заснула и безмятежно проспала до той поры, пока не услышала плеск волн.

Глаза сами собой открылись, я увидела незнакомый потолок, щедро разукрашенный гипсовой лепниной, услышала шум прибоя и подумала, что приехала на море. Но в ту же секунду сон окончательно улетел прочь, и я вспомнила: нахожусь в отеле «Золотой дворец», здесь постояльцев будят при помощи радиоустановки, транслирующей приятные звуки. Очень мило, но меня шелест волн, ударяющихся о берег, сначала пробудил, а теперь убаюкивает.

Веки закрылись. Может, еще поспать? Зачем я попросила разбудить себя так рано? До прихода Марты осталось еще два часа...

К шуму волны присовокупились голоса чаек. Я повернулась на правый бок. Интересно, долго ли мне будут устраивать каникулы на побережье? И как

Федор узнает, что я встала? Вероятно, трансляция прекратится после того, как я потребую завтрак. Ну и пусть море плещется, а птички кричат, мне от этих звуков лишь лучше заснется.

Я ощутила, как ноги и руки делаются тяжелыми, под одеялом было уютно, тепло, прибой шуршал, чайки летали над водой...

— У-у-у-у, — заорала под потолком сирена, — у-у-у!

От громкого, резкого звука сердце провалилось в желудок, меня в секунду смело с кровати. Встав на коврик, я зажала уши руками, потом их опустила.

— У-у-у, — выло в комнате, — у-у-у!

Набросив халат, я кинулась в коридор и понеслась к рецепшен, крича на ходу:

— Федор!

— Гутен морген, — церемонно приветствовал меня портье. — Как вы слиппинг? Надеюсь, вам приснилось нечто приятное?

— Кто визжит в моем номере? — перебила я администратора. — Жуткий звук!

Федор прижал ладони к груди.

— Вы сами выбрали мелодию будильника: «Ласковая музыка, шум прибоя». Мне Марта так сказала.

— Все правильно, — выдохнула я. — И сначала очень приятно шумели волны, чирикали чайки.

— Морские птички каркают, — поправил Федор.

— Не стану с вами спорить, — процедила я, — пусть они даже лают или мяукают, это не принципиально. Главное другое — ваше радио испортилось, сейчас оно воет сиреной.

— Ну что вы, — нежно пропел Федя, — в «Золотом дворце» идеально работают все механизмы, неполадок не бывает. Звонок в ажуре. Это теплоход.

— Что? — попятилась я.

— Создавая в нашем лучшем отеле области программу побудки гостей, Оскар консультировался с психологами, — пустился в объяснения Федор. — Ничто не должно нервировать обитателя президентского люкса. Вы знаете, что трезвон будильника по степени стресса сопоставим с разводом? Человек спокойно дремлет, расслаблен, и вдруг — дррр! Этак и инфаркт заработать можно. Поэтому наш владелец обратился к мегасуперспециалистам, которые разработали для нас эксклюзивные программы подъема клиентов. Вот, к примеру, та, которую захотели вы — плеск океана, нежное карканье птиц... Любой встанет с хорошим настроением.

— Или заснет заново, — возразила я.

— Вот! — поднял указательный палец Федя. — Посему медитативную часть завершает энергичная нота сирены парохода. Она закрепляет побудительный эффект прежнего сигнала, бодрит, придает уверенность. И имеет по шкале эффективности побудки номер два. Вот «Аэропорт», предназначенный для сонь, у нас намбер уан.

— Да ну? — заинтересовалась я. — И что это за мелодия?

— Ее заказывают люди, испытывающие проблемы с подъемом, — словоохотливо пояснил портье, — которых никак не выгонишь из постели. Таким рев сирены теплохода, как «баю-бай». Психологи посоветовали «Аэропорт», и он отлично действует. Сначала вы вроде как садитесь в лайнер. Слышен голос стюардессы, которая приветствует пассажира на борту, предлагает плед, подушку, угощает шампанским...

— А потом раздается рев двигателей и лайнер взлетает? — предположила я.

— Ну что вы! Разве можно обрушивать на полусонного постояльца такой стресс? — покачал головой Федя. — Наша задача — поднять человека комфортно. Нет, там все по-другому. Стюардесса предлагает питье, говорит: «Наш самолет готов к взлету, застегните ремни». Спустя некоторое время сообщает: «Мы набрали высоту десять тысяч метров, сейчас подадут завтрак». И через секунду кричит: «Мы падаем, падаем, падаем!» Потом наступает тишина. Знаете, постояльцы-сони, кто заказывал «Аэропорт», признавались мне, что, когда пропадают все звуки, их тело само собой скатывается с матраса и бежит к двери. Один очень крупный бизнесмен сказал: «Федя, чего я только не делал! Ставил часы в таз, бросал туда медную мелочь, чтобы она дребезжала, покупал десяток будильников и распихивал их по комнате. Но поверь, даже выстрелом из пушки меня нельзя было привести в бодрое состояние. А ваш «Аэропорт» мигом вышвыривает человека из-под одеяла. Икота, которая при этом у меня возникает, чистая ерунда, она к обеду проходит».

— Спасибо, Федя, за информацию, — выдохнула я. — И хорошо, что мне не взбрело в голову попросить тот самый особо действенный «Аэропорт». Надеюсь, вы уже выключили сирену?

— Будильник автоматически перестает работать после того, как открылась дверь номера, — заявил портье. — Прошу отметить, что побудительный сигнал можно заказать в номер любой классности. Ваш завтрак подадут через шесть с половиной минут, он уже торопится с кухни, согласно сделанному вами вчера заказу. Иес, бите кушать, плиз. Континенталь брикфист по особому пожеланию. Что предпочтете в качестве напитка-сопровождения? Чай, кофе, сок, какао, водка, шампанское, пиво, квас, кисель, компот, настойка, ликер, травяная смесь или хот кук?

Я потрясла головой.

— Хот кук? Он кто?

— Это хот кук, — пожал плечами Федор.

— Из чего сделан напиток? — проявила я праздное любопытство.

— Из кука, — последовал замечательный ответ. — Есть хот, но есть и холодный вариант. Правда, на мой сугубо личный взгляд, он подходит исключительно для лета.

Я решила не рисковать, бог знает, что такое сей неведомый кук.

— Тащите кофе.

— С молоком? — заулыбался администратор. — Каффе энд милк? Или лучше со сливками? Крэмкаффэ?

— Прекрасно, — сказала я.

— Горячий? — уточнил Федя.

— Конечно, — я начала злиться.

— Сахар?

— Непременно!

— Белый?

— Красный, — ляпнула я, — с синими полосками.

— Простите, недоработка, — огорчился мой собеседник, — такого в меню нет. У нас только коричневый тростниковый и обычный.

Мне стало неудобно за свою несдержанность.

— Сгодится любой.

— Песок? — осведомился Федор.

— Кусок! — в рифму ответила я.

— У вас тонкий вкус, — польстил мне портье. — Сливочки подать отдельно или смешать с кофе?

— Лучше в молочнике, — буркнула я, понимая, что заказ напитка к завтраку в «Золотом дворце» является весьма торжественной церемонией.

— В качестве комплимента от повара президент получает бесплатную чашку хот кука, — возвестил Федя.

— Не надо! — быстро сказала я.

— Подарок, — уточнил портье.

— Спасибо, не хочу, я не пью куку, — заявила я, — у меня на нее аллергия.

— Вот не повезло, — искренне расстроился Федя. — Тогда в виде подарочка чай?

— Прекрасно, — кивнула я, понимая, что надо согласиться, иначе разговор никогда не закончится.

— С сахаром? — обрадовался администратор.

— Угу, — промычала я. И, чтобы Федя не начал новые расспросы-уточнения, быстро добавила: — Белый рафинад, горячий.

Портье почесал подбородок.

— До сих пор мы ни разу не разогревали сахар. Но желание ВИП-гостя закон. А просьба — вип-супер-вип — приказ, подлежащий немедленному исполнению.

Мне захотелось треснуть собеседника по башке.

— Федор, подогреть нужно чай. Сахар оставьте холодным.

Портье нагнулся к торчащей из стойки рецепшен железной воронке и крикнул:

— Президентский номер хочет в плане напитка каффе энд крэм, сахар обычный. Бонусная подача: чай и рафинад. Холодный. Повторяю! Кухня, внимание! Обслуживание номера вип-супер-вип! Как поняли, прием...

Я развернулась и пошла назад в люкс. Надеюсь, в подвале, где сейчас сервируют мой завтрак, работают расторопные женщины, которые не нальют в одну кружку кофе, чай, сливки и кетчуп до кучи.

Глава 20

До того, как в мой номер постучали, я успела умыться и даже накрасить ресницы.

— Морнинг вам, — сказал Иван, внося поднос. — Туточки вкусняшка. О! Любуйтесь и ешьте от пуза!

Он водрузил ношу на столик, торжественно поднял высокую никелированную крышку и представил блюдо.

— Вуаля, битте. Как вы хотели! Пицца на все сезоны.

Я обозрела нечто желто-бело-зелено-красное и пробормотала:

— Я заказывала такое? Что-то не припоминаю.

Иван заулыбался.

— Не волнуйтесь. Утрешнюю жратву после пятичасового чая планируют, за ночь любые мысли из башки легко выветриваются. Это не вы дура, про заказ все забывают. Пицца четыре сезона!

— Точно, — вздохнула я, вспоминая список салатов из «сруколлы». — Но у вас очень оригинальный состав, первый раз вижу такой. Как правило, приносят лепешку, покрытую сыром, а я вижу нечто разноцветное.

Иван широким жестом показал на странное блюдо.

— Вы попробуйте... Пальчики проглотите!

— Белое — это что? — предусмотрительно спросила я, протягивая руку к пирогу.

— Творог, — коротко сказал Иван, — сладкий.

— Послушайте, но пицца ледяная! — возмутилась я через секунду. — В прямом смысле слова! Ею можно гвозди забивать, ваш повар забыл ее разморозить.

Иван снисходительно посмотрел на меня:

— Так зима!

— Уже весна, — парировала я, — и человечество давно пользуется СВЧ-печками. Но даже когда о чудо-приборах не знали, люди не грызли куски льда.

— Пицца четыре сезона — это пицца четыре сезона, — пустился в объяснения Ваня. — Зима, лето, весна, осень.

Я воззрилась на мужика, а тот спокойно объяснял:

— Зима холодная, поэтому часть еды замороженная, начинка — творог, она символизирует снег. Весной теплеет, деревья зацветают, ясное дело, тесто покрыто шпинатом, и он теплый. Летом жара. Лепешечка забросана жгучим перцем. А осенью природа умирает, данная часть пиццы покрыта яблоками, которые...

— Начинают портиться и чуть-чуть подгнивают, — не выдержала я. — Или повар использует падалицу?

— Скажете тоже... — хмыкнул Иван, — наш пицовщик лучший в области, он берет желтую антоновку. Кстати, за рецепт с четырьмя сезонами шеф получил диплом на городском конкурсе «Еда не для всех». Если хотите, можете зайти на кухню, там диплом и висит.

— Иван! — закричал из коридора Федор. — Ты где?

— Помчался работать дальше, — спохватился Ваня. — У меня еще три доставки брикфаста, а я заболтался с вами. Гоод аппетитс, битте!

Последние слова Иван произнес, уже закрыв за собой дверь. Створка хлопнула о косяк, потом снова чуть приоткрылась, в щель всунулась голова Вани, который произнес:

— Вы это, не беспокойтесь, посудку я потом заберу.

Оригинальное произведение местного мастера высокой гастрономии я пробовать не стала, отхлебнула кофе, поняла, что он растворимый, и отставила чашку. Открыла литровый заварочный чайник, увидела одинокий пакетик, вольготно плавающий в светло-желтой жидкости, посмотрела на часы и услышала деликатный стук в дверь. Марта явилась точно в оговоренное время.

— Как спали? — спросила она, входя в номер. — Прекрасно выглядите.

— Чудесно отдохнула, — заверила я помощницу Максима Антоновича.

— Машина у подъезда, — доложила Марта. — У нас обзорная экскурсия, едем по Беркутову и окрестностям.

— Мне обещали сегодня встречу с Ириной, — напомнила я.

Марта смущенно потупилась.

— Поверьте, рассказ о нашем городе вам понравится.

— Спасибо, но я не люблю смотреть из окна автобуса по сторонам и слушать истории о том, как некий князь в незапамятном году основал в дремучем лесу поселение. Нет, я не поеду осматривать достопримечательности, — решительно заявила я. — Я прибыла сюда ради беседы с Богдановой.

Марта опустила голову.

— Пожалуйста, давайте все же прокатимся по Беркутову. Иначе Максим Антонович меня отругает.

— Да что здесь происходит? — возмутилась я. — Вчера у Ирины приключилась мигрень, она на пару минут показалась в столовой, не произнесла ни слова и ушла. Я надеялась, что сегодня-то точно пообщаюсь с ней, мне ведь было назначено. Но нет, вы придумали развлекательную программу. Давайте поговорим откровенно! Ирина не желает встречаться с гостьей из Москвы?

На лице Марты появилось самое разнесчастное выражение, а я продолжила:

— Максим Антонович просил ее побеседовать с госпожой Таракановой, но художница, как мне теперь стало понятно, непредсказуема. Вчера она пообещала дать мне интервью, а сегодня передумала? Мэр надеется переубедить Ирину за то время, что мне будут демонстрировать местные достопримечательности?

— Нет, нет! — замахала руками Марта. — Просто... ну... просто...

— Что? — перебила я.

Помощница Буркина покраснела.

— Максим Антонович думает... э... э... он полагает... решил... что вам будет полезно ознакомиться с тем, что окружает Иру. Человек живет среди домов, парков, ходит по улицам. Вам для книги понадобится иллюстративный материал. Пожалуйста, поедемте на прогулку. Буркин здесь хозяин, его надо слушаться.

Я подошла к шкафу, вытащила чемодан и положила его на диван.

— Максим Антонович ваш хозяин, а мне он не имеет права указывать. А уж о чем писать книгу, какой, как вы выразились, иллюстративный материал использовать, мне не диктуют даже редактор и владелец издательства. Рада была познакомиться. Прощайте.

— Вы куда? — обомлела Марта.

Я демонстративно подняла крышку дорожного кофра.

— Домой. Мне понятно, что Ирина увиливает от разговора, ей неприятно общение со мной.

— Максим Антонович непременно ее уговорит, — зачастила Марта, — я очень хочу вам помочь, поверьте, но Ира такая... вздорная. Если упрется, стоит ослом. Хоть на колени перед ней бухнись, сделает по-своему. Подождите до вечера!

— И что будет, когда стемнеет? — хмыкнула я.

— Вы встретитесь с Ирой! — жарко пообещала Марта.

— Верится в это с трудом, — поморщилась я. — На вас я, естественно, не обижаюсь, а вот Максим Антонович должен был честно сказать: «Виола, лучше не тратьте зря свое драгоценное время, возвращайтесь в Москву».

Марта молитвенно сложила ладони.

— Буркин не мог так себя повести. Ему же позвонил сам Борис Иванович.

Я прикинулась идиоткой.

— Ну и что?

Марта начала переминаться с ноги на ногу.

— Понимаете, Корсаков большой человек, нашему мэру нужно, чтобы он подписал один документ. Ой, не стану вас грузить! Буркин не мог отказать Борису Ивановичу, пообещал ему свести вас с Ириной, а потом мне сказал: «Вот уж я попал! Если проигнорирую просьбу Корсакова, тот мне палки в колеса вставлять будет, останутся бумаги надолго у него в столе, не даст Борис им ходу. Но как Ире объяснить, что необходимо с писательницей любезно обойтись? Загнали меня в угол!»

— Ничего, — заговорила я, — вернусь домой, позвоню Корсакову, объясню, что мэр не виноват. Что он очень хотел, но не смог организовать интервью.

— Если вы так поступите, меня уволят! — чуть не зарыдала Марта. — Ладно, скажу честно. Ира согласилась сегодня в районе полудня с вами поговорить, но в доме случилась беда, поэтому Буркин приказал отвезти вас на экскурсию. Интервью состоится чуть позднее. Завтра стопроцентно, не сомневайтесь!

— Что произошло? — сухо спросила я.

— Не имею права рассказывать, — заныла Марта. — Мне даже упоминать о несчастье запретили. Не хотят вас тревожить. Но Ира выбита из колеи. Начисто! Ей сегодня вкололи успокоительное.

— Подождать до завтра? — задумчиво протянула я.

— Да, да, да! — яростно закивала собеседница.

— Но где гарантия, что на следующие сутки у вас что-то опять не приключится? — пожала я плечами. — Наверное, я могла бы остаться, вот только мне очень не нравится атмосфера странной таинственности, окружающая Богданову. Ей есть что скрывать?

— Ире? — фальшиво заулыбалась Марта. — Конечно, нет!

— Тогда объясните, по какой причине отложена сегодняшняя встреча, — потребовала я. — Если она покажется мне весомой, я останусь. А если это очередной каприз художницы, то простите! У меня нет желания потакать ее прихотям. Жаль, конечно, я придумала хороший сюжет, в центре которого будет Богданова. Но ничего, нафантазирую новую историю, без участия художницы.

— У Ильи Николаевича случился новый инсульт! — выпалила Марта. — Ирина обожает отца, ей сейчас не до разговоров, она сама свалилась в постель с сосудистым кризом.

— Господи, — прошептала я, — вот беда...

Марта села в кресло.

— Максим Антонович просил вам не сообщать,

не хотел, чтобы столичная гостья волновалась. Богданова совсем не против разговора с вами. Да, она не слишком расположена к общению, подчас по неделям из мастерской не высовывается, ей еду туда относят. Но Ира понимающий человек. Буркин ей как на духу про просьбу Корсакова объяснил и про то, что не мог отказать Борису Ивановичу, и она сказала: «Раз тебе надо, я готова. Пусть Виола спрашивает, что пожелает». Но вот неприятность! Сначала у нее мигрень случилась, а ночью Илье Николаевичу плохо стало. Едва Ира про отца узнала, у нее началась истерика. Врач приезжала, сделала инъекцию успокоительного, сейчас Богданова спит. Но когда проснется, непременно с вами побеседует.

— Вот горе-то! — кивнула я. — Бедная женщина! Когда произошло несчастье?

— В районе полуночи, Ирочка уже спала под воздействием снотворного, — не моргнув глазом, сообщила Марта. — Жизнь в маленьком городе имеет свои преимущества, «Скорой» не требуется толкаться по пробкам. Максим Антонович позвонил Еве Сергеевне, и она живенько прибежала, живет неподалеку.

— Ева Сергеевна? — переспросила я. — Разве городское начальство лечит не Владимир Яковлевич?

— Обоев хирург, — объяснила Марта, — специалист по детской онкологии, инсульт и нервные расстройства не в его компетенции. Ильей Николаевичем занимаются другие врачи. Еву Сергеевну подключили, потому что она психиатр, понимаете?

Я опять кивнула. А Марта, испугавшись, что выболтала слишком много, затараторила:

— Не подумайте, что Богданова сумасшедшая, ей

психиатр не нужен, достаточно невропатолога. Но Обоев считает, что Ева Сергеевна один из лучших специалистов.

Я быстро убрала чемодан в шкаф.

— Через пять минут я буду готова к выезду на экскурсию.

— Уфф... — не сдержала вздоха облегчения Марта. — Подожду вас в холле.

Я посмотрела ей вслед, увидела, как за ней захлопнулась дверь, и уложила в небольшую сумочку необходимые мелочи: упаковку носовых платков, расческу, губную помаду, зеркальце, мобильный телефон.

Марта очень искренне разыграла смущение, а потом испуг. Не знаю, что случилось с Ильей Николаевичем, может, беднягу и правда подкосил удар, но вот насчет Евы Марта солгала. В районе двенадцати ночи та сидела рядом со мной на кровати в президентском люксе и покинула его около двух. И никто ей на сотовый с просьбой немедленно мчаться к Богдановой не звонил.

Воспитавшая меня тетка Раиса в моменты трезвости любила назидательно повторять:

— Вилка, никогда не бреши. Правда завсегда наружу вылезет.

Сейчас я могла бы поспорить с Раисой. Совсем не каждого вруна ловят за язык. Но Марте отчаянно не повезло — ее ложь раскрылась моментально.

Глава 21

Если вы полагаете, что в небольшом местечке обзорная экскурсия завершится через тридцать минут, то глубоко ошибаетесь. Сначала меня привезли на берег маленькой речки и рассказали о строительстве набережной. Доклад сопровождался показом фотографий макета — Марта тщательно подготовилась к роли гида, прихватила наглядный материал. Затем мы добрались до симпатичной избушки, украшенной резными наличниками, и я выслушала историю о местном «Левше», который увлекался выпиливанием узоров из деревяшек. Потом меня усадили в кафе, и настал черед вдохновенного рассказа о работе почившего в бозе НИИ растениеводства. У Марты в запасе оказался толстый альбом со снимками, изданный к какому-то юбилею института. Мне пришлось просмотреть все фотографии и насладиться историей про удивительные успехи ученых. В конце концов я принялась демонстративно зевать, и Марта перевела разговор на другую тему.

— Интерьер здесь не очень богатый, меню простое, но еда вкусная. Хотите выпить? Вино? Коньяк?

— Спасибо, лучше минералку, — попросила я. — Кстати, вчера во время ужина у Буркина на буфете стояла водка. Никогда не видела такую, очень красивая бутылка в виде кедровой шишки. Сама я не почитательница высокоградусных напитков, но вот мой издатель ценит хорошую водочку. Хотелось бы привезти ему бутылку в качестве сувенира. Где ее можно приобрести? В местном супермаркете?

Марта расплылась в широкой улыбке.

— Я тоже не люблю водку, не понимаю ее вкуса, но мужчины иногда опрокидывают по стопочке, хотя ни Максим Антонович, ни Игорь Львович, ни Степан Николаевич алкоголем не увлекаются. Обоев тоже редко в рюмку смотрит. Сорокаградусная ни у кого из них восторга не вызывает, в основном, те, о ком я говорю, пьют вино, изредка коньяк. Ирина нарисовала «исполнялку» для одного парня, у него сын сильно болел. Мальчик, конечно, поправился. Напомню, если Богданова рисунок родителям подарит, малыш непременно на ноги встанет. А отец ребенка, оказалось, в Сибири заводик держит, который производит эту самую «кедровку», и теперь он присылает Буркину эксклюзивную водочку. Купить ее ни в Москве, ни в области невозможно. Дам вам бутылку в подарок.

— Не надо, — запротестовала я, — не предполагала, что водка столь раритетная.

Марта махнула рукой.

— Ерунда. Да, упаковка красивая, и те, кто напиток пробовал, говорят, и содержимое достойное. У нас этой «кедровки» полно, в кладовке штук двадцать пузырей стоит. Вашему издателю понравится, а мне не жалко поделиться чужим презентом.

— Спасибо, — смущенно произнесла я. — Хотела еще кое о чем спросить, но теперь рта не раскрою.

— Умру от любопытства, если не узнаю! — воскликнула Марта.

Я изобразила смущение.

— Нет, нет, вдруг и эта вещь редкая, а вы мне ее преподнесете.

— Если о моей машине или квартире речь пойдет, то никогда их не отдам, — решила пошутить спутница.

— Ваша резиночка для волос, — «решилась» я, — любуюсь ею с утра. Очень красивая. Сначала мне показалось, что цветок живой, а потом я сообразила — ну откуда ранней весной пиону взяться? Где вы ее купили?

Марта потрогала стянутые в хвост волосы.

— Фекла подарила, она их сама мастерит.

— Надо же! — восхитилась я. — У жены Вадима талант. Может, мне познакомить ее с одной из своих подруг? Та работает в ЦУМе, в отделе бижутерии, и заключает контракты с людьми, которые производят штучный товар. Фекла может свое хобби превратить в приличный заработок.

— Навряд ли она согласится, — возразила Марта, — потому что только для близких мастерит заколки. Вадим прекрасно обеспечивает семью, его жене нет необходимости за деньги ломаться. А резинки у нее и правда красивые получаются. Жаль, я иногда их теряю. Волосы у меня тяжелые, прямые, гладкие, с них махрушки легко соскальзывают.

Я вздохнула:

— Как жаль, что резинки с пионами не продаются. Хотела порадовать приятельниц, они все с длинными густыми волосами. А я, увы, не могу похвастаться шикарными локонами.

— Зато у вас талант — пишете увлекательные детективы, — польстила мне Марта. — Будь у меня выбор, поменяла бы свои волосы на способность к сочинительству.

Разговор плавно перетек на литературу, новинки кино, театральные премьеры. После обеда, который на самом деле оказался очень вкусным, я опять начала зевать.

— Устали? — заботливо осведомилась Марта. —

Хотите продолжить экскурсию или отвезти вас в гостиницу?

— Лучше вернуться в «Золотой дворец», — попросила я. — Не понимаю, что происходит! Прямо будто меня подкосило! Может, я заболеваю? Хотя в горле не першит и насморка нет.

— Не волнуйтесь, — успокоила меня Марта, — у всех москвичей в Беркутове одинаковая реакция. От избытка кислорода люди чумеют. Сейчас поспите часок-другой и огурчиком вечер проведете.

— Вы правы, — согласилась я. — Как думаете, когда Ирина очнется?

— Может, к ужину... — протянула Марта.

— Мне хочется отдохнуть, — сказала я, — а потом немного поработать, записать впечатления от экскурсии. Для книги очень важны эмоции автора.

— Забегу за вами в двадцать ноль-ноль? — предложила Марта.

— Прекрасно, — кивнула я, — успею отдохнуть и сделать заметки.

Отвергнув мои робкие попытки поучаствовать в оплате счета, помощница мэра вытащила свой кошелек со словами: «Виола, вы наша почетная гостья, не думайте о пустяках».

Переступив порог своего номера, я быстро переоделась в Элеонору, вылезла в окно и поспешила к ларьку, торгующему всякой ерундой.

— Привет! — обрадовалась Тамара. — Устроилась на постой? Хозяйка цену не заломила?

— Спасибо, нормальная тетка оказалась, много денег не потребовала, — заверила ее я. — Ты велик нашла? Я его в подъезде оставила.

— На месте железный конь, — засмеялась Тома.

— Подскажи, где улица Свободы, — попросила я.

Продавщица сделала широкий жест рукой.

— Ты на ней стоишь. Какой дом нужен?

— Номер не знаю, ищу бабульку по имени Зинаида Борисовна, — вздохнула я.

Собеседница округлила глаза.

— Нашла бабушку... Змея!

— Ей, похоже, много лет, — с укоризной произнесла я.

— Возраст тут ни при чем, — буркнула продавщица, — Зинку собственный яд законсервировал. Зачем она тебе?

— У меня в Москве есть подруга, — начала я импровизировать, — и ее мама, узнав, что я собралась в Беркутов, попросила Рудневой посылочку передать, сказала, они с Зинаидой когда-то в НИИ растениеводства вместе работали. А я бумажку с адресом и телефоном потеряла, только название улицы запомнила. Подумала, вдруг ты Рудневу знаешь? Неохота в Москву звонить, у меня на счету денег пшик.

— Зинка личность в городе известная, — скривилась Тамара, — от нее не скроешься, всех на чистую воду выведет.

— Правдорубка? — предположила я. — Что думает, то в лицо и выкладывает?

Представительница малого бизнеса дернула плечом.

— Нет, Руднева по-хитрому действует. Разузнает о человеке что-то неприглядное, и давай с разговорами подкатывать, намеки прозрачные делать. Дескать, знаю о твоих грешках.

— Зарабатывает на жизнь шантажом? — уточнила я.

— Про других не знаю, — фыркнула Тамара, — а ко мне Зинаида один раз подкатила. Встала у ларька и прогундосила: «Томусенька, ты чудесно выглядеть стала. Никак влюбилась? И Костя Марков тоже на жениха похож. Как твой Сережа себя чувствует? Нашел работу? Почему у тебя конфеты в коробке? Неужели на ценнике правильная сумма написана? Больно дорого для пожилого человека! Сделай ради меня скидочку, очень уж я сладкое люблю. Или, может, просто подаришь «Ассорти» бабушке?» Я ей конкретно ответила: «Зинаида Борисовна, вы квалификацию теряете. У нас с Костиком роман неделю уж как начался, а Серегу-пьяницу я три дня назад выгнала. Можете всему Беркутову про нас с Марковым растрепать. Костя не женат, я тоже теперь свободная. Конфеты вам, если сладкого охота, придется купить за свои деньги». Ушла Зинка злая, с тех пор со мной сквозь пластмассовые зубы здоровается. Я ее частенько вижу. Она в семь утра, как по расписанию, мимо ларька трусцой бежит. В любую погоду спортом занимается! Лето, зима, дождь, снег, а Руднева в костюмчике тренировочном, шапка на макушке, кедами шуршит. Иди на центральную площадь, встань спиной ко входу во двор Богдановой, увидишь прямо перед собой пятиэтажный дом с башенкой. Там она с незапамятных времен живет. Здание построили для сотрудников НИИ растениеводства еще при коммунистах.

Зинаида в институте главной по партийной линии служила, поэтому она себе, родной, лучшие хоромы отхватила, под крышей.

— Последний этаж во времена моего детства не считался элитным, жильцов могло дождем залить, — возразила я.

— Она фатерку присмотрела, над которой башенка возведена, — пояснила Тамара. — Крэкс, фэкс, пэкс! Дали одинокой бабе вопреки всем нормам двухкомнатную берлогу, а Зинка ее еще и расширила. Моя приятельница, Машка Королева, раньше у Рудневой убирала, так рассказывала, что у той в прихожей в шкафу есть лестница винтовая. Ну, с виду вроде гардероб, но откроешь дверки, и там не полки, а ступеньки наверх. Теперь это называется двухуровневые апартаменты, они дорого стоят. А в советские годы простые люди о таком счастье и не мечтали. Видно, Зинка много чего знает, раз ей хижина с секретом осталась. Еще Мария говорила, что Руднева ее никогда в башенку не пускала. Небось у бабки там архив лежит, она прячет свои дневниковые записи, папочки складирует. Натырила документов и не с пустыми руками старость встретила, позаботилась о жирной прибавке к пенсии.

Глава 22

— Кто там? — сурово спросили из-за железной двери, едва я нажала на звонок.

— Здравствуйте, я ищу Зинаиду Борисовну Рудневу, — громко ответила я.

— Зачем она вам? — бдительно поинтересовалась хозяйка. — Представьтесь!

— Лариса Геннадиевна Волкова, — отчеканила я, — работаю шеф-редактором в издательстве «Элефант». Имею к Зинаиде Борисовне деловое — очень хорошее, денежное — предложение.

— «Элефант»? — повторила старуха. — Постойте там, у меня молоко на плите кипит. Сниму кастрюлю и впущу вас.

Я прислонилась к стене. Вот она, старая школа. Наверняка сейчас Руднева судорожно листает том «Вся Москва» или звонит в справочную службу, выясняет телефон издательства. Минут через десять бабка выяснит, что в этом издательстве действительно работает госпожа Волкова, которая сейчас находится в командировке. Я прекрасно знаю Ларису, мы с ней почти дружим. Перед отъездом в Беркутов я заглянула к Олесе, своему редактору, требовалось подписать кое-какие документы, а потом зашла в комнату, где сидит Лара, и узнала, что та утром укатила из Москвы по служебным делам на десять дней. Даже мне, хорошо знакомому человеку и автору, секретарь на рецепшен не рассказала, куда отправилась высокопоставленная сотрудница.

В «Элефанте» делают тайну из любого, даже самого незначительного рабочего момента. Почему? Не дай бог, болтнешь по глупости: «Наш шеф-редактор сейчас едет на поезде в Питер к актеру N, тот готов подписать договор на написание мемуаров». А заклятые друзья из другого издательства сядут на самолет и прилетят к N раньше, перехватят у «Элефанта» перспективный проект. Ну, я, конечно, утрирую, в аэропорт никто не побежит, но промышленный шпионаж распространен не только в промышленности, извините за глупый каламбур. В издательском деле встречаются люди, готовые на все, лишь бы переманить под свою крышу автора, пусть даже им он и не нужен. Зачем прилагать столько усилий, желая заполучить того, кто не принесет тебе прибыли? А что не съем, то надкушу!

Но хватит рассуждать о том, из какого сора рождаются книги, главное не это, а то, что Зинаида Борисовна убедится: в «Элефанте» работает Лариса Волкова и она сейчас в командировке. Старушка непременно откроет мне дверь.

— Входите, — сказала хозяйка и загремела замками.

Несмотря на бдительность, Зинаида оказалась хлебосольной хозяйкой. Она провела меня на кухню, заварила чай, поставила на стол коробку с печеньем и сразу взяла быка за рога:

— Чем обязана вашему визиту?

Я откашлялась и стала излагать придуманную на ходу историю.

— Наше издательство выпускает серию книг-биографий.

— Вроде «Жизни замечательных людей»? — уточнила пожилая женщина.

— Верно, — обрадовалась я удачному началу разговора. — Но нас больше интересуют современники. Ну, например, Ирина Богданова.

— Ага... — протянула Руднева.

— О художнице есть много разной информации, — вещала я, — которая... как бы помягче сказать... э...

— Вранье! — коротко бросила старушка.

— Скажем лучше так: некоторые факты не соответствуют действительности, — улыбнулась я. — Людям вообще свойственно приукрашивать собственную жизненную историю, придумывать про высшее образование, награды или знакомство с великими мира сего. Женщины частенько лукавят насчет бывших мужей или любовников. Одна весьма популярная ныне актриса любит, например, вспоминать, что ее первый муж был профессор, академик, великий математик, сейчас живет в Америке и, вероятно, скоро получит Нобелевскую премию. На самом же деле бывший супруг знаменитости преподавал арифметику в школе, не обладал никакими учеными степенями и званиями. Вот в США он действительно уехал — его туда увезла вторая жена, решившая, что эмиграция принесет их семье счастье и благополучие. Но болтовню звезды кино никто не проверяет, поэтому она продолжает твердить про великого ученого.

— Угу... — пробормотала Зинаида Борисовна.

— У нас собран материал по Богдановой, — тараторила я, — но он односторонний, смахивает на речи, которые произносят на юбилеях: великая, гениальная, потрясающая, исполняет людские желания. У любого здравомыслящего человека возникают вопросы: каким образом странные рисуночки, смахивающие на детские каляки-маляки, помогают выздороветь больным малышам?

— Ага... — кивнула Руднева.

— Можно было бы заподозрить Ирину в мошенничестве, — не останавливалась я, — но в ротонде благодарностей много записок со словом «спасибо».

Те, кто получил «исполнялки», забрали своих деток домой здоровыми, удачно вышли замуж, нашли работу по вкусу. Как такое возможно? Простите, но я не верю в добрую фею с волшебной палочкой.

— М-м-м... — протянула хозяйка.

Меня смутила неразговорчивость пожилой дамы, и я решила пойти ва-банк, сделать старушке предложение, от которого она не сможет отказаться.

— Добрые люди подсказали нам, что в Беркутове живет Зинаида Борисовна, бывший секретарь партийной организации НИИ растениеводства. Вы прекрасно осведомлены о всех делах, которые происходят в городке, так сказать, держите руку на пульсе. Если ответите на некоторые мои вопросы, я буду очень благодарна. «Элефант» щедро оплачивает услуги своих помощников. Думаю, размер гонорара вас приятно удивит. Ну и, конечно, никто не узнает, от кого издатель получил информацию.

— Заманчивое предложение, — ожила Зинаида Борисовна, — в особенности для дамы, которая существует на пенсию. Мне оно нравится. И вы правы, я знаю много интересного об Ирине. Но, прежде чем мы приступим к беседе, разрешите посмотреть на ваши документы?

Я попыталась сделать вид, что неверно истолковала слова Рудневой.

— Нет, нет, ваши паспортные данные ни к чему. «Элефант» платит наличными, бумаг мы не оформляем, даже расписок не берем. Прямо сейчас я вручу вам задаток, и начнем.

Зинаида Борисовна чуть склонила голову к плечу.

— Странно ведут дела некоторые люди. Разве

можно столь небрежно подходить к решению финансовых вопросов? Что, если вы всучите мне сто рублей, а в издательстве скажете: «Я дала бабке десять тысяч»? Открывается прекрасная возможность для махинаций. Но вы не поняли, я хочу посмотреть на удостоверение личности Ларисы Геннадиевны. Не перепутала ваше имя? Или лучше обращаться к вам иначе — Виола Леонидовна?

— Ленинидовна, — на автопилоте уточнила я, ощущая себя кошкой, которую внезапно окатили ледяной водой.

— Простите, дорогуша! — всплеснула руками старуха. — Наверное, вам надоело постоянно указывать людям на эту ошибку.

— Как вы догадались, что видите перед собой не шеф-редактора Волкову, а Виолу Тараканову? — воскликнула я.

— Ваш творческий псевдоним Арина Виолова, — спокойно заявила пенсионерка. — Не увлекаюсь жанром, в котором вы работаете, но, судя по Интернету, у вас много поклонников и непростая биография. Вас можно уважать хотя бы за то, что вы смогли вынырнуть с социального дна, стать знаменитостью, несмотря на отца-уголовника и тяжелое детство[1]. Хотя теперь-то ваш папенька тоже уже не завсегдатай зоны, а актер, активно снимающийся в сериалах.

— Вы пользуетесь Интернетом? — задала я от растерянности дурацкий вопрос.

Зинаида Борисовна положила на стол руки. Ука-

---

[1] Подробно биография Виолы рассказана в книге Дарьи Донцовой «Черт из табакерки», издательство «Эксмо».

зательный палец одной из них был украшен массивным кольцом с большим бриллиантом.

— И что здесь странного?

— Ничего, — опомнилась я.

Руднева засмеялась.

— Ах, дорогая, молодежь вечно совершает ошибки, полагая, что никогда не состарится, останется вечно юной, задорной. Считает, будто те, кому исполнилось шестьдесят, давно выжили из ума, а уж семидесятилетние и вовсе глубокие идиоты, не способные отличить автобус от телевизора. Моя дочь этак классе в седьмом написала рассказ, у Лизы явно имелись задатки прозаика, ее тянуло к сочинительству, и я поощряла детские опыты. Приносит мне как-то девочка свой опус, и я читаю первую фразу: «В комнату вошел пожилой мужчина двадцати пяти лет».

Я рассмеялась. А Зинаида Борисовна откинулась на спинку стула и продолжила:

— Сама такой была. Но однажды проснулась и встать с кровати не могу, тело не слушается. Ну и началось: повышенное давление, холестерин, сосуды. И очень уж мне не захотелось становиться развалиной.

— Вы замечательно выглядите, — быстро сказала я. — Это не комплимент, а констатация факта.

— Знаю, — кивнула Руднева. — Мои одногодки давно умерли, а те, кто жив, еле ноги таскают. Тоже, считайте, покойники, просто пока еще дышат. При жизни скончались, ни пользы, ни радости никому от их существования на земле нет. И жить им незачем, цели не имеют. А у меня она есть. Поэтому я очень слежу за собой, бегаю каждый день, держу диету, много читаю, овладеваю современной техникой. Мозг — как рука или нога, перестанете конечностью двигать, она за ненадобностью отсохнет. Если желаете ясность мысли сохранить, напрягайте ум. Да, у меня есть компьютер, я активный пользователь, имею блог, общаюсь в твиттере. В Интернете полно глупых, завистливых, дурных людей, но много и хороших специалистов, я от них массу интересного почерпнула. В отношении правильного питания, например. Результат перед вами. Я намного старше вас, но, если наперегонки побежим, я прилечу к финишу первой. Потому что легко на приличной скорости пять километров каждый день преодолеваю. А сейчас даже думаю увеличить дистанцию. Хочешь совет? Уж извини, что перешла на «ты». Борись со старостью! Победить ее не удастся, но отсрочить приход вполне доступно. И встретить девяностолетие не безумной мумией, а нормальным человеком тоже возможно. Как же сохранить разум и не превратиться в руины?

Зинаида Борисовна растопырила пальцы на руках.

— Все просто. Никогда не думай, что жизнь заканчивается, считай себя тридцатилетней. Календарь и деление суток на часы люди придумали для удобства. Допустим, человеку по земным понятиям пятьдесят. А по марсианскому времени? Два года? Три? Все в мире относительно. Далее. Не размышляй о плохом. Не злись. Не завидуй. Ешь мало. Двигайся много. Учись постоянно. Не произноси фразы типа: «В молодости я...» Не осуждай других.

Ходи раз в полгода к врачу. Радуйся. Будь счастлива. Имей цель в жизни. Вот двенадцать простых принципов, соблюдая которые ты останешься юной до конца дней. Что касаемо морщин, то не обращай на них внимания. Возраст выдает взгляд, а не состояние кожи. Глядишь на мир тухлой рыбой — и тебе сто лет. А если глаз горит, значит, ты еще молод. Ты хочешь узнать подробности об Ирине Богдановой? Хорошо, расскажу, что знаю. Она аферистка. Никакой великой художницы и в помине нет. Есть истеричная, взбалмошная, странная особа, которую Максим Буркин прибрал к рукам. Слушай, дорогушенька, сначала я тебе кое-что про милейшего Максима Антоновича нашепчу.

Зинаида Борисовна отхлебнула из фарфоровой кружки чаю и завела рассказ.

...В Институте растениеводства Рудневу не любили и побаивались. Секретарю парторганизации приходилось разбираться не только со служебными вопросами, но и вмешиваться в личную жизнь сотрудников. К кому бежали женщины, у которых мужья заводили любовниц и собирались уйти из семьи? К Зинаиде. Руднева выслушивала рыдающих теток, потом вызывала к себе в кабинет ловеласов и проникновенно говорила:

— Не дури. Бабу на бабу менять — только время терять. Сейчас тебе с любовницей хорошо, но через полгода проблемы начнутся те же, что с законной женой. Ну и подумай, как потом фишка ляжет? За моральное разложение сотрудника по голове не погладят, из очереди на новую жилплощадь тебя выкинут, по службе в ближайшие годы не повысят, путевку в Сочи не дадут. И, кстати, тебе обещали стажировку в Болгарии. Ну так попрощайся с мечтой о загранкомандировке — за кордон выпускают лишь тех, у кого семья крепкая.

Мужчина бледнел, а Руднева проникновенно продолжала:

— Стоит твоя новая пассия таких жертв? У нее пониже пояса нечто невероятное или как у всех? Не дури, Ваня, возвращайся к Маше. Я никому о вашей размолвке не скажу, все информация в этом кабинете будет похоронена.

Пропесочив Ваню, Зинаида зазывала Машу и объясняла той, что даже после двадцати лет законного брака к мужу надо относиться с уважением и не отказывать ему в интимной близости.

Многие пары благодаря стараниям Зинаиды Борисовны остались вместе. Но вот парадокс: благодарности они к Рудневой не испытывали и дружить с ней не собирались.

Парторг искренне считала, что ее задача стать для сотрудников НИИ второй матерью, поэтому она никогда не обижалась на неблагодарных «малышей». Разные проблемы приходилось разруливать Зинаиде: она помогала устраивать детей сотрудников в институт; выбивала для них квартиры, машины, путевки на море; организовывала лечение больных, отправляла кодироваться алкоголиков и наркоманов, никогда не забывала про чужие юбилеи, жестоко карала лентяев и прогульщиков. Вообще говоря, большую часть этих дел следовало исполнять председателю профсоюза, но тот, откровенно побаиваясь активной Рудневой, фактически отдал ей бразды правления, и Зинаида Борисовна бодро руководила коллективом.

Когда в НИИ после окончания аспирантуры появился Максим Буркин, он сразу не понравился даме. Почему? Слишком молод для кандидата наук, дорого одевается, причем в импортные шмотки, имеет машину, явный карьерист. К тому же хорош собой. По Буркину моментально стала вздыхать почти вся женская часть города, но дальновидный Максим начал ухаживать за Лизой, дочкой одной из высокопоставленных сотрудниц НИИ, быстренько добился взаимности, сделал девушке предложение и получил от нее согласие.

Глава 23

Руднева попыталась помешать браку Максима. Она провела беседу с Лизой, сказала:

— Извини за то, что сейчас услышишь, но я действую как врач, который обязан вскрыть нарыв, а без боли от гнойника не избавиться. Я навела справки о Буркине. Максим долгое время состоял в любовниках у Ангелины Федоровой, чиновницы из министерства. Она на много лет его старше и боялась упустить молодого парня, поэтому изо всех сил толкала его вверх. Вот почему Макс стал кандидатом наук в двадцать два года. Вовсе не за научные достижения сей вьюноша диплом от ВАКа получил, в аспирантуре он положенные годы не отучился, оформил соискательство и в рекордно короткий срок работу наваял. Два года назад Федорова умерла и выяснилась интересная деталь: Ангелина, оказывается, прописала в свою квартиру Буркина. Уж не знаю, как ей это удалось. И машину она на парня оформила. Вот как Максим Антонович стал владельцем хором и колес. Сам ничего не заработал. В Беркутов он приехал, потому что на прежнем месте работы коллеги ему бойкот объявили за мерзкий характер, вздорность и прочие «хорошие» качества. Пока Федорова была жива, люди побаивались выказывать свое к нему отношение, но стоило Ангелине помереть, как с Максом общаться перестали. В Беркутове он надеется быстро карьеру сделать, а на тебе собрался жениться, потому что сама знаешь, кто у тебя мама. Хитрец рассчитывает, что теща зятю ковровую дорожку к директорскому креслу расстелет. Одумайся, пока не поздно, забудь про Буркина. Еще встретишь мужчину, который полюбит тебя искренне, а не по расчету в загс пригласит.

Но Елизавета не вняла здравому совету. Она стала-таки женой пройдохи, родила ему дочь. Научная карьера Лизочки завершилась с появлением на свет младенца. И конечно, дурочка рассказала Максиму о разговоре с Зинаидой. Буркин старательно делал вид, будто ничего не случилось — вежливо здоровался с парторгом, отпускал комплименты, в общем, вел себя так, как с остальными тетками в НИИ. А вот Лиза более никогда не общалась с Рудневой.

Беркутов маленький городок, волей-неволей Зинаиде и Елизавете приходилось сталкиваться то в магазине, то на почте. И всегда, завидя парторга института, жена Максима, как ошпаренная, выскакивала на улицу. Естественно, по местечку змеями поползли слухи. Руднева тоже делала хорошую мину при плохой погоде, и если кто-нибудь говорил ей слово критики про Буркина, быстро парировала:

— Лично у меня ни малейших претензий к Максиму Антоновичу нет. Что же касается сплетен, то на их выслушивание времени нет.

Шли годы, дочь Буркина подрастала, Максим получил-таки должность директора НИИ. А Рудневой стало известно, что неожиданным рывком карьеры пройдоха обязан... своей новой любовнице, занимающей высокую должность в министерстве. Похоже, очаровательный Макс пошел уже проторенным путем, вспомнил про роман с Ангелиной и решил использовать полученный опыт.

Зинаида Борисовна впала в негодование и решилась на новую беседу с Лизой. Как-то поздним вечером, зная, что Буркин уехал в Москву и не будет ночевать в Беркутове, парторг тайком, ночью, пришла к молодой женщине.

Елизавета сначала обомлела, увидев на пороге Рудневу, но впустила ее в дом, выслушала все ее обличения, а затем произнесла:

— Пошла вон!

Бедная Зинаида Борисовна... Ей-то хотелось вразумить слепо верившую подлому мужику глупышку. И что же Руднева получила взамен за заботу? Свое злое высказывание жена Буркина подкрепила сильным ударом кулака в спину, когда полуночная гостья выходила на лестничную клетку. Руднева не удержалась на ногах, упала, сильно разбила колени, стукнулась лбом о пол и была вынуждена обратиться к врачу. Руднева решила не откровенничать с травматологом и соврала, что поскользнулась на нечищеном тротуаре, — на дворе стояла зима. Во время беседы с доктором Зинаиде стало совсем плохо, у нее началась тошнота, закружилась голова, и ее увезли в палату с диагнозом «сотрясение мозга». Две недели она провела в полутемной комнате, ей запретили читать, смотреть телевизор, слушать радио и общаться со знакомыми. Через четырнадцать дней изоляции к ней наконец-то пропустили подруг, и Руднева узнала ошеломительную новость: жена Максима Антоновича покинула Беркутов, убежала со своим любовником, оставив супругу маленькую Катю.

Целый год жители городка судачили о происшествии. Наверное, люди и дольше бы перемывали косточки несчастному брошенному мужу, но НИИ стал стремительно хиреть, сотрудники начали увольняться, парторганизация тихо скончалась. Некоторое время Буркин отчаянно пытался удержать на плаву тонущий корабль науки, но в конце концов сдался. Последующие годы, до того как в Беркутове появилась Ирина Богданова, городок напоминал кладбище, из него сбежали все, кто мог. А вот Максим Антонович остался. Зинаида сначала не понимала, почему он тоже не ринулся прочь, но затем ей стал ясен его хитрый план.

Карьерист по натуре, Буркин в советские годы задумал пробиться к деньгам и высокому положению при помощи науки. А когда в России возник дикий капитализм, быстренько развернулся и попытался действовать на политической арене. НИИ растениеводства скончался, а его директор был вполне жив и активен. Буркин выставил свою кандидатуру на должность мэра, легко победил соперников и стал главой забытого всеми местечка.

Зинаида полагала, что Максиму наплевать на Беркутов и всех его обитателей. Амбициозный мужчина наметил план: сначала он мэр и депутат районной думы, потом попадает в областной парламент, а там уж недалеко и до въезда в Москву на белом коне. Руднева никогда не была дурой и отлично понимала, что Максим сумеет осуществить задуманное. В Беркутове у него конкурентов нет, остались одни убогие, в районе тоже ученых с докторскими степенями не осталось.

Прошло два года, Буркин получил-таки кресло в районной думе, и народ поговаривал, что Максим скоро займет должность ее председателя. И тут в Зинаиде Борисовне забурлила злость. Она решила помешать отвратительному типу. Но как это сделать? То, что ранее Максим шагал по служебной лестнице, используя любовниц, теперь никого не волновало. Да только Руднева не из тех, кто сдается. Она начала активно рыть компромат на Буркина и совершенно случайно узнала: его жена находится в психиатрической лечебнице. Лиза не удирала с любовником, ее привезли в частную клинику из больницы, куда супруга мэра попала с черепно-мозговой травмой.

Руднева засучила рукава и принялась разгребать обнаруженную навозную кучу, пытаясь откопать в ней жемчужное зерно. Времени на сбор информации ушла уйма. Зинаида старательно собирала пазл. А тем временем Катя, дочь Максима, выросла и превратилась для своего отца в настоящую проблему.

Когда Лиза исчезла из Беркутова, девочка ходила в младшие классы и очень страдала от того, что мама ее бросила. Но с годами Катя почти возненавидела мать — нашлись доброхоты, которые ввели ее в курс дела, рассказали о любовнике, ради которого Лиза оставила мужа и дочь.

В пятнадцать лет Катя пустилась во все тяжкие. Среди ее ближайших друзей были Вадим Сердюков, отпрыск начальника отделения милиции, и Гарик, сын главврача больницы Обоева. К местной золотой молодежи примкнули еще двое парней — Юра Силантьев, сын тихой, скромно живущей Раисы Кузьминичны, и Саша, внук тоже не очень богатой Валентины Сергеевны Колесниковой. И уж совсем Зинаиде было непонятно, каким образом в гоп-компании оказалась тщедушная, некрасивая и абсолютно нищая Фекла Шлыкова, чья мать беззастенчиво торговала своим телом и нарожала двенадцать детей невесть от кого.

От проделок юных безобразников стонал весь городок. То ребята ночью орали на улице песни, то устраивали погром в клубе. Потом сожгли сарай, принадлежащий одной из местных старух, задавили своими мопедами кучу куриц, Саша прилюдно помочился в местный колодец. Вадик на спор прошел по перилам моста, сломал поручни, свалился в реку и чудом остался жив. Катя вскрыла машину начальника почтового отделения, села за руль и въехала в стену жилого дома. Юра испугал до полусмерти стариков, которые явились в сберкассу получать пенсию, — когда они стали подниматься на крыльцо, сработал фейерверк, установленный хулиганом. Гарик вел себя прилично, но его речь часто бывала бессвязной, а взгляд остановившимся. Говорили, что младший Обоев таскает из аптеки больницы строго учетные препараты и лопает их горстями.

Только Фекла не была замечена ни в чем дурном. Хотя и с ней приключались истории, одна из которых помнится местным кумушкам до сих пор.

На окраине Беркутова находится погост, и даже в самые тяжелые полуголодные годы жители городка не переставили ухаживать за могилами. На кладбище имелся директор и штат могильщиков с уборщицами. Фекла, постоянно нуждавшаяся в деньгах, нанялась туда подметать дорожки и сгребать мусор. Территория кладбища большая, там находят последний приют не только беркутовцы, но и обитатели многих сел, расположенных в районе. Чтобы привести в порядок отведенный ей участок, Фекла подчас задерживалась дотемна. Директор жалел девочку, разрешал ей приходить после занятий, но предупреждал:

— Нельзя уходить, пока не выполнишь всю работу. Не забывай спускаться к могилам в овраге. Если увижу, что ты ленишься, уволю. Ты обязана тщательно следить за всеми погребениями!

Как-то летом Фекла задержалась на кладбище допоздна, стрелки часов показывали полдвенадцатого ночи, когда девушка, по обыкновению замотавшись в серую шаль, пошла к тем самым захоронениям в овраге. На центральной аллее ей встретилась незнакомка, которая перекрестилась и нервно произнесла:

— Слава богу! Девушка, я не местная, заблудилась. Шла с последней электрички, попала на погост. Как в Беркутов выйти?

Фекла довела тетку до ворот, а та возьми и спроси:

— Сама-то пойдешь домой? Вместе веселей будет.

— Нельзя мне, — тихо произнесла Фекла, — надо вернуться к моим могилам в овраг.

Женщина побелела, кинулась прочь, упала и сломала ногу. Несчастная решила, что общалась с привидением. Фекла, рыдая, рассказала эту историю Сердюкову, и Игорь Львович уладил дело миром. Пострадавшей пришлось признать: девочка ее не пугала, она сама неправильно поняла слова Феклы. Сердюков, кстати, потратил много времени на хлопоты, но девочку выручил.

Шлыкова не имела злого умысла, сказав «мои могилы», но почему наглые юнцы из ее компании избегали наказания? Вы спрашиваете всерьез? У одного папаша — главный милиционер околотка, у другой — мэр, третий растет в семье Обоева, а попасть на прием к Владимиру Яковлевичу хотели не только все беркутовцы, но и жители других поселений. Поэтому распоясавшиеся детки творили что хотели, знали: их всегда прикроют. Даже Юра с Сашей пребывали в такой же уверенности, ведь в компании существовало правило мушкетеров — один за всех и все за одного.

Зинаида Борисовна примолкла, потом поморщилась.

— Что-то не так? — спросила я.

Руднева скорчила гримасу.

— Мне всегда было интересно, почему Сердюков помог Фекле. Ну, ладно, он отмазывал Колесникова, тот ближайший приятель его сына Вадима. Юрка был не разлей вода с Гариком. Но как они ее называли — Фёка! С какой стати Игорь расстарался ради дочери проститутки? Он и ее мать перестал арестовывать, после того как младшая Шлыкова пошла в десятый класс, только журил, пальцем грозил, и все. А после смерти гетеры взял над Феклой шефство.

— Вадик был влюблен в девочку, — пояснила я, — потом женился на ней. Игорь понимал, что Фекла его будущая невестка.

— Может, и так... — протянула Зинаида. — Ладно, продолжу.

Итак, подростки безобразничали без удержу. А потом погиб Юра, его труп нашли вблизи «замка людоеда». В Беркутове быстро распространился слух, что паренька убил сексуальный маньяк. Сердюков созвал общее собрание родителей города и сказал:

— В ходе следствия мы пришли к выводу, что над Юрием издевался один из отпущенных не так давно из колонии заключенных. Преступник отсидел срок, полученный за нападение на подростка, и покинул зону, мы сейчас активно ищем уголовника. В Беркутове его нет, но, возможно, извращенец спрятался в какой-нибудь близлежащей деревне, там хватает пустых домов, либо его укрывает какая-то баба. Будьте бдительны, не отпускайте детей на улицу после восьми вечера, предупредите их, чтобы не общались с незнакомцами.

Кто лишил несчастного Юру жизни, так и осталось тайной. А спустя некоторое время после его похорон покончил с собой Гарик Обоев. Остальные члены компании притихли, мирно закончили школу. Катя и Вадим поступили в институт, Фекла стала женой младшего Сердюкова, Саша отправился служить в армию. Дочь Буркина и сын Сердюкова получили дипломы и вернулись в Беркутов. Саша демобилизовался, возвратился домой и — пропал, исчез без следа.

Но вернемся к Буркину. Зинаиде Борисовне довольно быстро удалось выяснить, что произошло с Лизой. Через день после того, как Руднева рассказала Елизавете правду о Максиме и его новой любовнице, Буркин под покровом ночи отвез жену в больницу. Елизавету осматривал спешно вызванный из дома Владимир Яковлевич. Главврач, оказав женщине первую помощь, сел вместе с ней в машину Максима, и троица укатила в Москву.

А потом «расследование» застопорилось. Руднева потратила много времени, пытаясь выяснить, куда же поехали ближайшие приятели. И ведь бывший парторг НИИ сумела-таки докопаться до истины. Обоев устроил Елизавету к своему бывшему сокурснику, крупному хирургу. У нее была черепно-мозговая травма, сломаны нос и челюсть, плюс выбито плечо. Максим Антонович объяснил столичному специалисту, что его супруга внезапно попыталась покончить с собой, выпрыгнула из окна квартиры. Апартаменты находились на втором этаже, и Лиза, по счастью, осталась жива.

Из хирургического отделения Елизавету перевели в психиатрическое, потом она очутилась в специализированной клинике, куда ни муж, ни дочь не заглядывают. Максим Антонович оформил заочно развод с женой и постарался забыть о несчастной.

Зинаида Борисовна прервала рассказ, стиснула кулаки и посмотрела на меня.

— Понимаете, что он совершил? Почему наврал про любовника Лизы и ее побег с ним?

Я кивнула.

— Буркин собирался строить политическую карьеру. В этом случае ему лучше было стать обманутым мужем, чем человеком, жена которого, узнав о его измене, попыталась покончить с собой. А Обоев помог Буркину замести следы, отвез Лизу в Москву и устроил в столичную клинику.

Руднева поморщилась.

— Кстати, про суицид вранье. Мне стало известно, что травмы Лизы не соответствуют тем, которые получает человек, выпрыгнув из окна второго этажа. Не вам объяснять, что судебная медицина точная наука, эксперт посмотрел на предоставленный ему материал и сказал мне: «Похоже, Елизавету избили».

— Вы прямо частный детектив, — не удержалась я от замечания.

— Мне была нужна правда! — отрезала Зинаида. — Я хотела точно знать, что случилось! И выяснила истину. Лиза была честной, откровенной, она по-настоящему любила мерзавца Буркина, верила ему, отметала в сторону всю неприглядную правду о Максиме. Но, видно, с годами позолота на лике мужа слегка пооблетала. Думаю, Лиза стала сомневаться в верности супруга. Вероятно, у них случались скандалы. Когда я сообщила Елизавете о новой его любовнице, она отреагировала бурно, ударила меня. Но, закрыв дверь, она уже знала: я не клеветница.

Руднева резко выпрямилась, хлопнула ладонью по столу и посмотрела на меня.

— Ну и как поступит уважающая себя женщина? Лиза дождалась возвращения Максима, начала задавать ему вопросы, а негодяй взбесился, зверски избил жену. А потом испугался содеянного и бросился к Обоеву за помощью. Владимир Яковлевич хороший человек, я его уважаю. Но в случае с Лизой он поступил гадко — прикрыл приятеля, спас негодяя от тюрьмы. Они пожертвовали репутацией Лизы, представили ее почти проституткой в глазах людей, и все ради карьеры мэра.

Мне следовало сдержаться, но я не смогла. Вопрос вылетел сам собой:

— Господи, зачем вы лезли в семью Буркина? Почему не оставили их в покое? Какое вам было дело до измен Максима Антоновича? Пусть мэр вам не нравился, казался павлином и фатом, но это не повод губить человеку жизнь!

Глава 24

Зинаида Борисовна вздернула подбородок:

— Любой честный человек на моем месте поступил бы так же!

Я молча смотрела на тетку. Почему она полагает, что имеет право вершить суд? Это работа парторгом сделала Рудневу такой? Ну да, в советские годы некоторые бабы бегали к руководству своего предприятия и жаловались на родственников, в основном, умоляли образумить мужей—алкоголиков или бабников. Но Лиза, судя по рассказу Зинаиды, никогда к ней не приходила, не просила навести порядок в ее семье. Какого же черта Руднева стала активничать? Она понимает, что тоже ответственна за произошедшее с Елизаветой? Не знаю, избил ли Максим Антонович свою жену или Лиза покалечилась сама, но если мэр и применил к супруге насилие, то, вполне вероятно, он потерял голову от злости.

Только не подумайте, что я оправдываю мужчину, распускающего руки, но будем объективны: иногда женщина ведет себя так, что даже святой взбесится. Зинаида Борисовна сообщила Елизавете про любовницу Буркина, законная жена налетела на супруга, устроила истерику, закатила образцовый скандал, Максим потерял самообладание, ударил Лизу или толкнул ее, а та упала... Некрасивая, мерзкая история, характеризующая Буркина отнюдь не с лучшей стороны. Но кто поднес к фитилю спичку? Кто с упорством, достойным лучшего применения, пытался разбить семейную пару? Ну да, заводить любовницу нехорошо. Но только постороннему человеку не следует вбивать клин между супругами. На беду, встречаются люди, которые, прикрываясь фразой: «Не могу скрывать горькую правду, она лучше сладкой лжи», рушат чужое счастье.

Руднева приподняла брови и вдруг сухо произнесла:

— Лиза моя дочь.

— Дочь? — изумилась я. — Родная?

— Да уж не приемная, — вздохнула Зинаида. — Мужик ей дороже матери был. Отрезала меня, как засохшую корку сыра.

— Значит, Катя ваша внучка... — пробормотала я.

Руднева подперла кулаком подбородок.

— Ну, она со мной не общается. Небось дорогой папочка наговорил дочурке много «хорошего» о бабушке. Катерина не знает правды про сумасшедший дом, до сих пор считает, что мать бросила ее.

— И вы не сообщили внучке о том, что узнали? — с недоверием спросила я. — Живете в одном, не очень большом городе, легко можете подстеречь Екатерину на улице или в магазине...

Зинаида Борисовна встала, прошлась по кухне и отвернулась к окну.

— Год назад Лиза умерла. Я давно похоронила свою дочь, понимала, что существует лишь ее тело, душа же давно скончалась. Но когда узнала, что Елизавета на кладбище, приняла решение пообщаться с Катей. Я не стала ее, как ты выразилась, подстерегать, у нее есть сотовый телефон, я просто позвонила внучке. У меня много знакомых, кое-кто до сих пор помогает по дружбе, и узнать номер Екатерины не составило проблемы.

— Она согласилась с вами встретиться? — не поверила я своим ушам.

Зинаида Борисовна кивнула.

— Да. Я рассказала внучке правду о Буркине и о ее несчастной, фактически убитой им матери. Екатерина отреагировала на удивление спокойно. И сказала следующее: «Папа давно, еще когда я училась в школе, предупредил, что бабка когда-нибудь пожелает побеседовать со мной. Я знаю черную правду о моей биологической матери: она бросила меня, уехала с любовником и не вспоминала ни обо мне, ни о законном муже. Брак с моим папой мать не разорвала официально, на бумаге осталась его женой, поэтому, когда ее, всю избитую, привезли в московскую больницу, врачи, открыв паспорт и увидев штамп загса, оповестили, как они думали, супруга о несчастье. Вместо того чтобы ответить: «Эта особа давно мне чужая», папа помчался в Москву и перевел мать на лечение в частную клинику. Там Елизавета и оставалась до самой смерти. После того как вашу дочь избили — очевидно, ее покалечил в драке любовник, — она потеряла рассудок и никогда не стала нормальной. Я простила мать, папа тоже отпустил ее с миром. Слава богу, он догадался оформить развод. Но с вами мы не хотим иметь ничего общего. И отец, и я знаем, какую роль вы, Зинаида Борисовна, сыграли в этой истории: вы беспричинно ненавидели мужа своей дочери, пытались разрушить их брак, рекомендовали ей бросить моего отца. Как видите, вы ошиблись. Папа ныне богатый, уважаемый человек, окруженный верными друзьями, имеет любящую дочь. А вы остались в одиночестве. Каждому воздалось по заслугам. Прощайте». Отчитала меня, встала и ушла, не оглянувшись.

— И вы не попытались остановить ее? — вздохнула я.

Руднева снова села к столу.

— А смысл? Она зомбирована негодяем-отцом, который, ловко перемешав правду с ложью, намухлевав с последовательностью событий, давно подал дочери блюдо под названием «мать-мерзавка». Екатерину воспитали в ненависти ко мне, сломать такую установку невозможно. Да, наверное, и не нужно. Катя считает родную бабушку чужим человеком? Пусть так. Мне, честно говоря, Екатерина совсем не нравится, в ней возобладала генетика Буркина, от Рудневых, похоже, ничего нет. Когда она вместе со своей гоп-компанией в городе безобразничала, я от стыда сгорала и радовалась, что Лиза не видит, во что ее дочь превратилась. Сейчас девчонка вроде присмирела, но надолго ли? Черного кобеля не отмоешь добела, рано или поздно Катерина снова вразнос пойдет. Я с девицей дел иметь не хочу, пусть ее господь накажет. А вот Максима Антоновича надо вывести на чистую воду. Я за ним давно приглядываю, собрала интересный материал.

Зинаида Борисовна встала.

— Пошли, покажу тебе обсерваторию.

Я в полном недоумении двинулась за хозяйкой, а та резво порысила в прихожую, открыла дверцы одного из стенных шкафов и начала подниматься по узкой винтовой лестнице, оказавшейся внутри. Я, весьма удивленная великолепной физической подготовкой Рудневой, последовала за ней. Уже на первом повороте у меня закружилась голова, я остановилась, а пожилая дама без передышки преодолела все ступеньки. В конце концов и я, изо всех сил пытаясь справиться с тошнотой, очутилась в круглой комнате.

— Давно увлекаюсь астрономией, — не моргнув глазом, соврала Руднева, — люблю наблюдать за звездами.

— Сколько у вас тут подзорных труб! — воскликнула я. — Можно посмотреть в какую-нибудь?

— Пожалуйста, дорогуша, — милостиво разрешила Руднева.

Я прильнула к окуляру. Ну надо же! Гостиница «Золотой дворец» как на ладони, отлично видно центральный вход. Чуть-чуть повернув прибор, я через незанавешенное окно холла разглядела Федора, который беседует с двумя приезжими, а еще левее находится окошко моего люкса.

Я выпрямилась и посмотрела на Зинаиду Борисовну. А та, похоже, умеет читать чужие мысли, потому что кивнула и сказала:

— Меня проинформировали, что в город прибыла известная писательница, автор детективных романов Арина Виолова. Мол, хочет написать книгу, в которой главным действующим лицом станет Богданова. В Интернете о тебе много разного. Я внимательно изучила все и поняла, что человек подобного склада никогда не удовлетворится материалом, полученным от Буркина и Ирины. Тебе захочется поговорить с разными людьми. Но как это сделать? Максим приставил к тебе овчарку, верную Марту, той велено не спускать с литераторши глаз, дабы проныра не пообщалась с кем не надо. Со мной, например. И как поступит Тараканова, подумала я. По логике характера, ей следует прикинуться усталой, лечь спать в номере, а потом, когда преданная, но глупая Марта уйдет, переодеться, натянуть парикочки, вылезти в окно и отправиться одной бродить по Беркутову. Что ты и проделала.

— Восхищена вашим умом и сообразительностью, — пробормотала я. — И давно вы увлекаетесь... астрономией?

— Достаточно времени, — ответила Руднева. — Хорошая оптика вещь дорогая, но у меня имеются кое-какие накопления, вот я и решила: зачем держать деньги в чемодане? Рубль обесценивается, лучше я приобрету все необходимое для своего хобби. Изучать другие планеты так романтично! Иногда, когда поворачиваешь телескопы, в зону видимости попадают разные жители Беркутова, случайно становишься свидетелем чьих-то действий. Но я не сплетница, что приметила, о том молчу.

Я подошла к другому оптическому прибору и присвистнула.

— Коттедж Максима Антоновича тоже как на ладони. При желании можно рассмотреть и особняк Сердюкова, и дом Обоева.

— Там, в заборе, у них есть незаметные калиточки, — деловито сообщила Зинаида Борисовна, —

можно в гости друг к другу, не выходя на улицу, ходить. Очень удобно.

— У вас в доме Буркина есть шпион! — воскликнула я.

— Ну что ты, — поморщилась Зинаида Борисовна. — Тайным агентам платят, а мне на это денег жаль. Да и ненадежны они, выдать могут. Нет, просто у меня есть друзья, которые, помня о всем хорошем, что я когда-то сделала для них или членов их семей, приходят в гости, делятся своими проблемами, рассказывают о трудностях. Такой друг есть и в окружении Максима Антоновича. У Буркина совсем не простой характер, на него наемные сотрудники жалуются. Вот я и узнаю кое-что, суммирую информацию, подвожу итоги, и получается интересная картина. Я всегда была объективной и не стану отрицать, что он одарен. Так вот, Максим Антонович гениальный... мошенник. Он смог обвести вокруг пальца не только жителей нашего города, но и большое количество людей по всей стране. Видела паломников? Ведь ни один из толпы не сомневается в способностях Богдановой. Знаешь, пока я вплотную не заинтересовалась художницей, мне и в голову не приходило, сколько в России дураков. Ирина исполняет роль, которую написал для нее Буркин. Но, повторяю, он гениальный манипулятор. Как обычно поступают чиновники? Разворовывают государственные средства, набивают собственный карман, покупают себе дома-дачи-машины и в конце концов, если не хотят делиться с другими, оказываются под следствием. Или, будучи поумнее, отдают часть дохода разным людишкам, те прикрывают Плохиша, и он спустя энное время мирно укатывает в Лондон, где пьет чай с молоком и играет в гольф. В нашем мире есть две силы: деньги и информация. Впрочем, капитал могут и отнять. А вот если знаешь что-то про других, тогда тебя выпустят в Англию, несмотря на размеры украденных мешков с золотом.

— Или убьют, — не выдержала я. — Шантаж очень опасное дело.

Зинаида Борисовна усмехнулась.

— Жизни лишаются глупцы, умные люди здравствуют в благополучии. Давай не будем спорить на посторонние темы. Максим Антонович создал оригинальный способ обогащения. Хотя нет, он просто использовал чужой опыт. Провинциальные непромышленные города, в которые государство не желает вкладывать средства, всегда пытались найти некую изюминку, чтобы привлечь к себе туристов. Где люди, там и деньги. Хорошо, если в местечке развит народный промысел, посуду или игрушки делают, платки расписывают, шали вяжут — тогда и магазины открыть можно, и маленькую фабрику. А если население безрукое, да и безголовое в придачу? Можно удариться в медицину, объявить целебной воду из местного источника, грязь из речки, траву из леса. Но еще лучше, коли обнаружится в вашем околотке знахарь, экстрасенс или гадалка. Вот тут налетят идиоты, которые верят в эти глупости. Те не к врачу лечиться спешат, а к колдунам направляются. Без толку говорить им: «Люди, возьмитесь за ум!» Знаешь, что меня больше всего удивляет? Почему-то эти дураки с аппендицитом к бабкам не рулят, а ложатся на операцию в обычную больницу. Но вот если, не дай бог, что-то совсем серьезное, то слетаются стаями к такой, как Богданова. Как назвать подобных кретинов? На язык просятся лишь нецензурные выражения.

— Экстрасенс кое для кого последняя надежда, — грустно сказала я. — Если официальная медицина от человека отказалась, отправила его домой умирать, куда податься несчастному? Вот он и идет к целителям. Меня удивляет не то, что люди едут в Беркутов и сутками простаивают во дворе, ожидая «исполнялку» от художницы, а то, что в ротонде много благодарностей. В частности, от родителей детей, ставших здоровыми.

Зинаида Борисовна исподлобья посмотрела на меня.

— Ну я же, как попугай, твержу тебе про гениальность Буркина. Мне потребовалось много времени, прежде чем я разобралась в этой афере. Сейчас расскажу историю в деталях, а ты пообещай, что напишешь книгу и назовешь всех мерзавцев по именам. Очень хочу ославить эту гоп-компанию, пусть понервничают, когда поймут: вылезло их дерьмо наружу. Произведение твое на полках не залежится, живо раскупят. Так как, договорились?

— Да! — мгновенно пообещала я. — Говорите.

— Начну с Ирины, — кивнула Зинаида Борисовна.

Глава 25

Руднева, конечно же, знала, что Илья Николаевич воспитывает дочь без жены, и сочувствовала ему. Богданов был тихим человеком, особых высот в науке не достиг, крупных открытий не сделал, тихо занимался селекцией моркови и жил ради любимой Ирочки.

Когда НИИ растениеводства стал умирать, сотрудники бросились с тонущего корабля прочь, а вот Илья оставался в отделе до последнего, приходил на службу, даже когда перестали платить зарплату. Максим Антонович разрешил своим подчиненным использовать полигон института как личный огород, и Богданов жил за счет отведенного ему земельного надела — сажал картошку, огурцы, поставил теплицу, имел несколько фруктовых деревьев. Почему он не кинулся, как многие, на поиски счастья в Москву? Илья Николаевич человек нерешительный, аморфный, не способный на кардинально меняющие жизнь поступки. К тому же у него на руках была маленькая девочка. Ну с кем останется Ирочка, если отец, по примеру других, начнет мотаться челноком в Турцию или Китай? Близких-то родственников, которые могли бы присмотреть за дочерью, у Богданова не было.

Ира ходила в местную школу, ничем особенным от одноклассников не отличалась, разве что сторонилась шумных компаний, не пользовалась в детском коллективе популярностью и была очень почтительна со всеми взрослыми, а папу почитала как Бога. Отца Ирочка слушалась беспрекословно, любое его слово являлось для нее законом.

Зинаида Борисовна порой завидовала Богданову. Ну как ему, никогда не повышавшему голос, удается добиваться от девочки подчинения? Ира не имела собственного мнения, пользовалась папиным, носила одежду, которую тот ей покупал, читала книги, данные отцом, и везде ходила вместе с ним. Богданов никогда и никуда не отпускал девочку одну, провожал на занятия, встречал после уроков.

А еще Илья Николаевич упорно пытался развить у Ирочки творческие наклонности. Сначала он, как большинство родителей, вспомнил о музыке и определил Ирочку в класс, где обучали игре на фортепьяно. Девочка недолго разучивала гаммы — ее быстро отчислили за отсутствие слуха. Отец не расстроился, а отдал дочурку в театральную студию. Имейте в виду, что возить ее ему приходилось на электричке в Москву. Три раза в неделю Илья Николаевич катил вместе с Ириной в шумный город, терпеливо сидел в холле, ожидая окончания занятий, а потом доставлял ребенка домой. Многие беркутовские школьники мотались в столицу, подрабатывали на стихийно возникших рынках, и никого не сопровождали взрослые. Десятилетний считался в Беркутове почти взрослым. Под бдительным присмотром папы находилась одна Ирина.

Из театрального кружка девочку тоже попросили, руководитель коллектива счел ее бездарностью. Илья Николаевич не опустил рук, а стал возить Иру в изостудию. Олеся Гавриловна, художница, которая вела занятия, воспитывала дочку Зою, почти ровесницу Иры, была не замужем и решила, что одинокий Богданов может стать ей хорошим супругом. Женщина была неглупа, сообразила, что путь к сердцу Ильи лежит через его дочь, и стала превозносить талант Ирины. Ее детская мазня была объявлена гениальной. Олеся Гавриловна даже ухитрилась договориться с каким-то журналом, и корреспондент, не поскупившись на эпитеты, написал о юном даровании хвалебную статью. Илья Николаевич скупил, наверное, весь тираж издания и подарил по экземпляру чуть ли не каждому беркутовцу. Один достался Зинаиде Борисовне.

— У Ирочки яркий талант, — с несвойственным ему энтузиазмом заявил Илья, вручая Рудневой еженедельник, — ее работы восхитили маститого критика. Скоро откроется персональная выставка моей дочери. Сейчас Олеся Гавриловна, наш преподаватель живописи, договаривается с одним из лучших залов Москвы, там вывесят полотна моей дочки и еще пару произведений других талантливых учеников, в частности, Зои, дочери Олеси. Очень приятная девочка, что не удивительно при такой прекрасной матери. Я очень рад встрече с Олесей Гавриловной, она непременно подготовит Иру к поступлению в Строгановку. Ирише только тринадцать, мы успеем подковаться по всем предметам.

Похоже, Илью Николаевича переполняли чувства, раз он совершенно неожиданно разоткровенничался с Рудневой. Зинаида Борисовна абсолютно искренне желала Богданову удачи и порадовалась, что он нашел свое счастье. Но творения Ирины, мягко говоря, удивили бывшего парторга. Картины девочки напоминали работы детсадовцев: кособокие домики, схематично изображенные человечки.

слишком яркие, резкие краски, никаких полуто-
нов. Подобные «гениальные произведения» могут
привести в восторг лишь родителей, остальные
взрослые люди снисходительно улыбнутся, разгля-
дывая их.

— Ира изобрела новый стиль, — пояснил Богданов, — называется графический примитивизм.
В нем работает еще и Зоя. Вот ее картина.

Илья Николаевич показал пальцем на одну из
фотографий. Зинаида Борисовна удивилась.

— Ну надо же, как похоже на Ирины картины!

— Олеся Гавриловна считает, что у графическо-
го примитивизма большое будущее, — кивнул Богданов, — к этому направлению примкнут многие
художники. Я непременно увижу творения Иры в
лучших музеях мира — в Москве, Лондоне, Нью-
Йорке, Риме!

Руднева вежливо кивала в такт его словам.
Надо же, до чего некоторые люди могут потерять
связь с реальностью. Лучше б Ирине побыстрей забыть про кисти с красками да постараться овладеть
нормальной профессией, которая позволит ей заработать на кусок хлеба. Например, выучиться на
парикмахера.

Амбициозные планы Ильи Николаевича скоро
стали известны в Беркутове всем. Богданова словно
подменили — ранее хмурый и нелюдимый, теперь
он с радостной улыбкой кидался к едва знакомым
людям и, вскользь поздоровавшись, начинал говорить об успехах дочери.

Надежды отца разрушила внезапная болезнь девочки. У Ирины обнаружилось заболевание крови,

ее поместили в больницу, которой заведует Обоев. Жители Беркутова, ранее тихо хихикавшие в кулак после разговора с Ильей, теперь стали жалеть его. Все понимали, как Богданов обожает дочь, и сочувствовали ему.

— Как там Ирочка? — спрашивали люди, столкнувшись с Ильей в магазине. — Передайте ей привет.

— Непременно, — кивал тот. — Она поправится! Знаете, рисунки Иры, оказывается, обладают уникальной силой. Моя дочь одарена сверхэнергетикой, которой щедро делится с окружающими. Ирочка, лежа в кровати, рисует небольшие картины и раздает их соседям по палате. Все, кто получил от нее презент, тут же выздоравливают. Владимир Яковлевич считает, что Ира совершает чудеса.

Находились наивные, которые воспринимали заявления Богданова всерьез, но основная часть населения городка лишь тяжело вздыхала, слушая лихорадочно сыплющего словами Богданова. Похоже, дела у Иры совсем не так хороши, как хотелось ее папе, раз Обоев придумал сказочку про рисунки, думали они. Ясно же, врач просто хочет внушить девочке, что та нужна на этом свете, надеется пробудить в больной силы бороться за свою жизнь.

Еще через какое-то время по городку полетел слух, что Ирине пытаются найти донора — ей требовалась пересадка костного мозга. Руднева, когда это известие дошло до нее, расстроилась: видно, Ирина не жилица. Но тут вдруг случилось чудо — почти по всем параметрам в качестве донора подошла дочь Олеси Гавриловны. На тот момент дама переселилась из столицы в Беркутов, въехала в дом на левой стороне. Зоя согласилась на операцию, и Ирина стала быстро поправляться.

Если у Ильи Николаевича и были какие-то сомнения в отношении женитьбы, то после подвига, совершенного Зоенькой, они испарились без следа. Илья Николаевич сделал Олесе Гавриловне предложение, объявил Зою своей второй дочерью и сестрой Иры. Торжественную регистрацию бракосочетания было решено провести после выписки Ирины. Но за несколько дней до того, как Ире предстояло вернуться домой, Олеся Гавриловна погибла. Будущую жену Богданова, поехавшую в столицу за покупками, сбила машина, кто сидел за рулем, осталось неизвестным.

Илья Николаевич похоронил Олесю и отбыл из Беркутова вместе с Зоей и Ириной. Где он жил, чем занимался, Рудневой неизвестно, Зинаида Борисовна не особенно интересовалась судьбой бывшего сотрудника НИИ и девочек. Пристальное внимание парторга они привлекли, лишь когда возвратились в Беркутов...

Рассказчица встала, налила себе в чашку холодной заварки, выпила ее и глянула на меня.

— Это начало истории. Каковы ваши впечатления?

— Некоторым людям достается слишком много страданий, — вздохнула я. — Илье Николаевичу с лихвой хватило бы болезни дочери, судьбе не следовало отнимать у него любимую женщину. А потом его хватил удар. Вам не кажется, что это слишком?

Зинаида Борисовна начала медленно ходить от окна к холодильнику.

— Ирина въехала в Беркутов с шумом. В город слетелись журналисты. Максим Антонович представил Богданову как великую художницу, которая признана в Америке... Ну, не стану сейчас повторять ту лапшу, какую мэр навешал на уши корреспондентам. Думаю, Буркин элементарно заплатил тем, кто первым растиражировал ложь об исполнении желаний от картинок живописицы-волшебницы, а уж дальше понеслось как по накатанному.

Я открыла рот, но хозяйка не дала мне вымолвить и слова.

— Я еще не закончила! Слушай внимательно!

Чтобы люди поверили в сказочку про магические «исполнялки», Буркин разыграл спектакль. Он нашел в Москве спившуюся актрису Фаину Максимову, привез ее в Беркутов, поселил на отшибе в домике, за которым начинается лес. Лишнего внимания баба не привлекла. Она алкоголичка-тихушница, на улице и в канавах не валяется, пьет исключительно за закрытой дверью. Не знаю, сколько заплатили Фаине, но она начала всем врать, будто перебралась в Беркутов из-за умирающего сына Павлика. Дескать, от мальчика отказались врачи, вот она и покинула столицу в надежде, что на свежем воздухе ребенок протянет дольше. Около месяца Фаина бродила по Беркутову, излагая свою историю, а потом случилось чудо, о котором Максимова закричала во весь голос. Оказывается, ее совершенно случайно окликнула Ирина, ехавшая в машине. Художница протянула Фаине «исполнялку» и пообещала: «Твое самое заветное желание сбудется».

Максимова была невостребованной актрисой, страдавшей алкоголизмом, но роль матери умирающего ребенка, которого спасла Богданова, удалась ей на все сто. Увидев якобы, что сын поправляется, Фаина побежала во двор дома, где поселилась Ирина, упала на колени, начала биться головой о землю и выкрикивать слова благодарности. «Случайно» именно в сей драматический момент к художнице приехал корреспондент областной газеты. Он увидел ошалевшую от счастья женщину, взял у нее интервью и через день опубликовал материал под впечатляющим заголовком «Чудеса наших дней».

Зинаида Борисовна села к столу.

— Вскоре к порогу Богдановой ринулись родители детей, лежащих в больнице Обоева. Там просто война началась! Ирина не подвела — выглянула наружу и дала картинку какой-то матери. И ее ребенок пошел на поправку. Все! С той поры паломники осаждают Беркутов.

Я закашлялась, а Руднева неожиданно рассердилась.

— Не веришь? Среди тех, кто вхож в дом Максима Антоновича, у меня есть близкий друг. Так вот, он уверяет, что Фаина часто заявляется к Буркину, и ей дают продукты, деньги. Правда, странно? Зачем мэру выступать благотворителем в отношении какой-то бабы? Что связывает городского главу и неудачливую актрису? Есть еще один момент: сын Фаины умер. Павлик подсел на наркотики и погиб от передозировки героина.

Я моментально вспомнила фотографии, которые бродят по Интернету. И среди них снимок, на котором мальчик, с виду третьеклассник, протягивает Ирине букет.

— Наркотики? — не удержалась я от возгласа. — Но Павлику, когда он пришел к своей спасительнице с цветами, едва исполнилось десять!

Зинаида Борисовна хмыкнула.

— А трогательная фотография, правда? Одно время этот кадр, сильно увеличенный, висел при входе в беседку, где народ записочки со словом «спасибо» прикрепляет. Потом рекламная акция прекратилась. Павлик-то умер, а люди могли поинтересоваться, где сейчас ребенок, как ему живется. После того как снимочек убрали, про Павла стараются не вспоминать, у мошенников много других чудес. А журналисты, уж извини, если я твоих в некотором роде коллег обижу, идиоты. Они переписывают из Интернета чужие материалы. Вот и ходят байки про чудесное исцеление Павла, но никто из писак не додумался до простого вопроса: а где сейчас мальчик-то? Кстати, парню на том фото тринадцать лет.

— Не может быть, — удивилась я, — он совсем маленький, щуплый.

— А какой ребенок получится у алкоголички? — скривилась Руднева. — Богатырь? Илья Муромец? Зачат в пьяном угаре, в младенчестве и раннем детстве плохо кормлен, никто беднягу на спортивные занятия не водил. Вот и результат: в тринадцать лет он выглядел чуть ли не первоклассником. Задержка развития, обычное дело для детей таких родителей. На фото Павлика еще подретушироли, а в жизни он был совсем страшненький, ходил ссутулившись, ногами шаркал, рос медленно, мышц никаких. Не повезло парню, не у той матери родился. Я не удивилась, когда о его смерти от героина узнала, Павлику было тогда то ли шестнадцать, то ли семнадцать. Думаешь, смерть сына повлияла на Фаину и та бросила пить? Как же! Заливает глаза по-прежнему. Кстати, мой друг сообщил, что Максимовой дают еще какую-то особенную водку, Буркину ее привозят с другого конца России. Правда, странная идея — снабжать пьяницу алкоголем?

Я вспомнила пустую бутылку в виде кедровой шишки, увиденную на полу у дивана в домике, где спала нетрезвая Фаина, и найденную резинку для волос, которую украшал пион из ткани. Информатор Зинаиды не солгал, я слышала, как Фаина вымогала у помощницы мэра продукты, а Марта не хотела ничего давать ей, упрекала за назойливость. Сдалась Марта лишь после того, как Фаина вспылила и пообещала рассказать всем правду об «исцелении» сына. Услышав угрозу Максимовой, Марта сразу засюсюкала и накидала в сумку шантажистке много продуктов. Однако водки она в ее мешок не положила, несмотря на то, что Фаина клянчила бутылку. Видимо, Максим Антонович, узнав о визите актрисы, велел Марте спешно идти к ней и вручить ей сорокаградусное пойло. Наверняка мэр считал, что пьяная Фаина представляет меньшую опасность, чем трезвая. Кто поверит глупостям, которые несет плохо соображающая женщина? И Марта выполнила распоряжение, приволокла «кедровку» и случайно потеряла украшение для волос.

Руднева постучала указательным пальцем по столу.

— Теперь о том, почему после получения «исполнялки» у родителей выздоравливают дети. Далеко не все больные, которым поставлен серьезный диагноз, уходят на тот свет, многие благополучно избавляются от недугов. Иногда Владимир Яковлевич лукавит, не сообщает отцу-матери об истинном положении дел. Знаешь, как доктора разговаривают? Они стараются не обнадеживать родственников. Спросишь у врача: «Каков прогноз для больного?» Тот ответит: «Делаем все необходимое». Или: «Лечение проводится в полном объеме». Ни за что не дождешься улыбки и сообщения: «Ваш ребенок непременно поправится». В лучшем случае, когда доктору уже понятно, что малыша можно выписать, он объявит: «Началась стадия ремиссии. Она может длиться долго, вероятно, вы победите болезнь. Главное, соблюдайте предписания...» Ну и так далее. А теперь представь ситуацию. Ты получила от Богдановой каракули, и через пару дней Владимир Яковлевич, который ранее при виде матери пациента пробегал мимо, опустив взгляд, или отделывался общими словами, с радостным видом заявляет: «Готовьтесь к выписке». И как ты отнесешься к произошедшему?

— Как к чуду, — вздохнула я.

— Вот-вот! — закивала Руднева. — Народ полагает, что дети выздоравливают из-за дурацкого рисуночка. Мол, художница-волшебница осуществила их заветное желание. Но все наоборот: «исполнял-ка» пишется, когда ребенок выздоровел. Ирина малюет рисунок и отдает тому, кому ей велено. Она марионетка в руках Максима.

Глава 26

— Вероятно, вы правы, — пробормотала я. — Но что получает от мошенничества Владимир Яковлевич? Он не кажется богатым человеком!

— Давай поставим вопрос шире. Что получают Буркин, Сердюков и примкнувший к их компании директор школы Степан Матвеев? — вкрадчиво произнесла Руднева. — Ответ один: деньги. Все, к чему прикасается Богданова, начинает приносить доход. Да, «исполнялки» она рисует бесплатно, но паломникам приходится платить за гостиницу, покупать еду, в городскую казну текут средства. Еще продажа книги об Ирине, ее альбомов, ленточек желаний... Всего и не перечислить. Но самый интересный момент — пожертвования. Едва паломник очутится во дворе, как ему объяснят: заветную картинку получают не все. Но это не значит, что ты уедешь разочарованным. Ступай в сад желаний, купи тесемку, повяжи ее на дерево и попроси Богданову о помощи. При этом необходимо соблюсти два условия. Первое: просить можно лишь нечто хорошее. Если рассчитываешь отнять чужого мужа, то на твою голову обрушится беда. Второе: непременно сделай благотворительный взнос. Грубо говоря, поделись деньгами. Сумма не регламентируется. Можешь передать сто тысяч? Огромное спасибо, они пойдут на благие цели. Есть пятьсот рублей? Тоже большая тебе благодарность, нам любая копеечка ценна. Куда отправляются немалые отчисления? Например, на строительство храма. В Беркутове-то церкви нет, народ ходит молиться в Кускино. Максим Антонович затеял масштабную стройку, котлован вырыли, который год фундамент кладут — говорят, проблемы с подземными водами. А пока строители с источниками борются, местное начальство успело себе машины купить, детей на коммерческих отделениях институтов выучить, одеться-обуться. Небось и счета в банках есть, и недвижимость за границей. Качают деньги из Беркутова, а глупый народ осанну мэру поет за то, что Ирину сюда зазвал. Простой люд теперь ларьки, кафе держит, паломников переночевать пускает, думает, что жизнь удалась.

— Обоев очень скромно одет, — заметила я.

— А Владимир Яковлевич старается для больницы, — возразила Зинаида. — Теперь в его клинику даже из Москвы просятся, такая там современная аппаратура. Обоев участвует в афере, но барыш он больным отдает. Приобрел томограф, построил лабораторию, автобус пустил, который по деревням ездит — можно анализы сдавать, не покидая родной хаты. А вот Буркин исключительно о собственном кармане печется. Ну да ты главного не услышала! Ирины-то Богдановой давно на свете нет. Она умерла.

Я прикинулась дурочкой:

— Художница жива-здорова, я видела ее вчера за ужином. Вот поговорить нам не удалось, у бедняжки мигрень началась.

— Ха-ха! — отрывисто произнесла бывший парторг. — Ирина погибла, мой друг точно знает. Можешь мне поверить. Илья Николаевич стал свидетелем смерти дочери, и у него от этого инсульт случился.

— Погодите! — остановила я Зинаиду Борисовну. — У меня немного другая версия развития событий: Илья Николаевич получил удар, а Ирина, свято верившая в доктора Обоева, переехала в Беркутов ради лечения отца.

— Нет, все не так, — надулась Руднева. — Буркин придумал историю про художницу-волшебницу и приволок Ирину в Беркутов. Илья Николаевич прибыл вместе с дочерью. Но Богданова-старшего журналистам не показывали, ничего о нем не сообщали. Он тихонечко жил в доме, никому не мешал. Сейчас расскажу, что знает мой друг.

— Если хотите, чтобы я написала книгу, да еще открыто назвала фамилию Буркина, уличив его в махинациях, назовите имя вашего источника информации, — потребовала я. — Иначе может получиться игра в испорченный телефон: вам кто-то наболтал о том, что сам узнал от других. Нет доверия таким сведениям.

— Мой друг сам все видел! — возмутилась Зинаида Борисовна. — Он честный человек, просто в силу обстоятельств он обязан жить в доме. Он всегда сообщает только правду.

— Отлично, — кивнула я, — готова встретиться с ним.

— Он не захочет, — быстро заявила Руднева.

— Почему? — спросила я.

— Мой друг имеет дело только со мной, — выпрямилась Зинаида Борисовна.

— Вы испытываете неприязнь к человеку, который вопреки воле матери женился на вашей дочери. Когда Елизавете пришлось выбирать между вами и любимым, она предпочла его. Находись я на вашем месте, мое отношение к Максиму Антоновичу было бы явно негативным. Но если ненавидишь человека, трудно к нему относиться объективно. А вдруг вы, Зинаида Борисовна, не так истолковали слова своего друга? Приняли белое за черное? Неверно оценили услышанное? Я напишу, опираясь на ваш рассказ, детектив, а потом Буркин подаст на меня в суд. И правильно сделает. Где хоть какие-то доказательства его махинаций?

— Ирина никогда не жила в Америке, — топнула ногой Руднева. — О ней в США даже не слышали. «Исполнялки» — это мошенничество. То, что некоторые люди, случайно получив оные, удачно выстраивают потом семейную жизнь или находят хорошую работу, элементарная психология. Женщина берет дурацкую картинку и не сомневается, что к ней придет счастье, поэтому у нее пропадает зажим, исчезает нервозность, испаряется тоска из взора, и — пожалуйста, женишок на пороге!

— Вы считаете, что срабатывает психологический механизм, а другой человек уверен в действенности «исполнялки», — возразила я собеседнице. — Я не могу писать книгу, опираясь лишь на ваши слова. Хотя возможен вариант. Нельзя встретиться с вашим другом? Не надо. Я опишу события в Беркутове, но назову город иначе, а Максима Антоновича Буркина переименую в Батуркина Михаила Андреевича.

— Нет! — закричала Руднева. — Так его никто не узнает, а мне нужно, чтобы вся грязь всплыла наверх. Я хочу отомстить за Лизу!

— Тогда пригласите сюда вашего информатора, — не дрогнула я.

— У нас с ним уговор: я никогда никому не расскажу о том, кто сообщает мне правду про мерзавца, — нехотя призналась Руднева.

Я посмотрела на экран телефона. К сожалению, время поджимало, мне пора было бежать в гостиницу.

— Давайте договоримся таким образом. Вы побеседуете с мужчиной...

В глазах Зинаиды Борисовны неожиданно промелькнула усмешка.

— И что?

— Если ваш друг стучит на Максима Антоновича, значит, он не любит мэра, — продолжала я.

Руднева слушала внимательно.

— Скажите ему, что писательница сохранит его имя и фамилию в тайне. И у вашего приятеля появится реальный шанс подложить свинью Буркину. Пусть тайный агент сегодня поздно вечером, скажем, в районе полуночи, придет к вам.

— Ну не знаю... — протянула собеседница. — У него семья, могут возникнуть сложности с уходом из дома ночью. Лучше, наоборот, утром. Завтра, в девять.

— Хорошо, — быстро согласилась я, — ровно в указанное время я позвоню в дверь. Большая просьба: если наша встреча сорвется, случится некий форс-мажор, отправьте мне эсэмэску вот по этому телефону.

Я достала из сумки визитку и протянула ее Зинаиде Борисовне. Та уставилась на карточку.

— Вы умеете отправлять эсэмэски? — на всякий случай спросила я.

Зинаида Борисовна рассмеялась.

— Мою соседку Галю внучка Лена попыталась приобщить к прогрессу. Приобрела для бабушки мобильный и давай обучать ее, как по нему письмо посылать. Процесс занял пару месяцев, наконец бабка вроде усвоила науку. Получила Лена от нее сообщение, открывает, а там текст: «Здравствуйте, смс! Прошу вас, смс, передайте Лене, пусть она вечером зайдет к бабушке. Спасибо, смс. С уважением, Галина Петровна».

Я рассмеялась, а Зинаида Борисовна взяла визитку, положила ее в карман юбки и сказала:

— Полагаете, что человек, освоивший Интернет, не слышал про сообщения на телефон?

— Извините, сама не знаю, почему спросила, — смутилась я.

— Потому что я пенсионерка, — хмыкнула Руднева, — значит, для всех молодых дура. До завтра, дорогая. У моего приятеля не будет форс-мажора.

До «Золотого дворца» я добралась за пару минут, влезла в окно и начала переодеваться.

Нет никакого сомнения, что «друг» Зинаиды Борисовны является объектом ее шантажа. Он вхож в семью Буркина, вероятно, работает в доме. Значит, этому человеку не составит труда сделать то, что до сих пор не удалось мне — взять образец ДНК незнакомки, которая выдает себя за Ирину.

Давайте предположим на секунду, что Зинаида Борисовна говорит правду: Илья Николаевич приехал в Беркутов совершенно здоровым. Инсульт у него произошел уже после того, как он поселился в уютном коттедже. Богданов увидел, как умерла его горячо любимая дочь, и с ним случился удар. Кончина Ирины наверняка стала тяжелым испытанием и для Максима Антоновича. Ушлый мэр организовал приносящий хороший доход бизнес, и вдруг все рушится. Что случилось с Богдановой? Может, рецидив болезни? Представляю, в какой ужас пришел Буркин. Он ведь вложил немалые деньги в проект под названием «художница, умеющая исполнять желания», а выстроенная конструкция обвалилась. И ее не восстановить, потому что она возведена в расчете на личность Ирины. Нельзя же вместо Богдановой вывести к людям другого человека и сказать: «Знакомьтесь, это Маша Иванова, она тоже может сделать вас всех счастливыми. Становитесь в очередь за нарисованными Машенькой картинками».

Но вот если промолчать о кончине волшебницы, тайно похоронить ее, а в доме поселить другую женщину, одеть и причесать, как Богданову, научить соответствующим манерам, то люди не заметят разницы. У Ирины в городе не было близких друзей, нет ни мужа, ни детей, никто не проговорится, не воскликнет: «На самом деле это не наша мама!» Художница показывается на людях не каждый день, она молчалива, быстро рисует кому-нибудь «исполнялку» и исчезает в доме. Или, как в случае со мной, высовывает бумажку из окна машины. Невозможно разглядеть, кто прячется в салоне за тонированными стеклами.

Я взяла расческу и попыталась хоть как-то пригладить торчащие в разные стороны вихры.

Хорошо, пусть вместо Ирины в особняке проживает другая особа. Предположительно, Аня Фокина. Максим Антонович платит ей деньги, и она старательно исполняет роль Богдановой. Рисунки, которые малевала сама Ира, настолько примитивны, что их сумеет нарисовать практически любой. Палка, палка, огуречик, вот и вышел человечек!

Я села на кровать и втянула ноги на матрас. В голове моей вспыхивали отрывочные мысли.

Труп женщины, обнаруженный возле замка людоеда... Погибшую стараниями Сердюкова и опознали как Анну Фокину. Но на самом деле это была Богданова... Ирина скончалась несколько лет назад, однако поток паломников в город лишь увеличивается, Беркутов хорошеет на глазах, Максим Антонович с приятелями туго набивает карманы...

Женщина, изображающая художницу-волшебницу, отлично вжилась в роль, знает, как себя вести. Когда высокопоставленный чиновник попросил Буркина организовать встречу Арины Виоловой с Ириной, мэр не стал сопротивляться. Ну, с одной стороны, он никак не мог отказать человеку, от которого зависит решение какого-то важного для него вопроса, а с другой — не очень волновался по поводу моего общения с Богдановой. Повторю: мошенница, выдающая себя за Ирину, давно выучила роль, у нее отработаны ответы на все вопросы. Максим Антонович знает, что журналистов, как правило, интересует одно и то же. По его мнению, и детективщица спросит нечто тривиальное, вроде: «Где вы черпаете вдохновение для создания картин?» На худой конец, если гостья из Москвы проявит излишнюю настырность, художница всегда может просто встать и уйти — у нее же репутация странного, необщительного человека. Нет, Буркин не волновался. Но что происходит, когда я появилась в Беркутове?

Вместо того чтобы быстренько устроить мое свидание с Богдановой, меня всеми силами удерживают от общения с ней. Почему? В интересах Максима Антоновича поскорей избавиться от столичной надоеды. Мэру, наоборот, нужно бы содействовать моему разговору с Богдановой, потом дать в мою честь званый ужин, а утром помахать платочком вслед моей машине и вздохнуть с облегчением: внедорожник детективщицы уезжает из Беркутова.

Есть еще один момент. Визит писательницы как раз весьма выгоден Максиму Антоновичу. Да, тиражи моих книг не такие, как у Милады Смоляковой, но их читает не одна тысяча людей. Понимаете, какая это реклама для Богдановой? После выхода книги, где одной из главных героинь будет художница, поток паломников непременно возрастет. Буркину и его гоп-компании просто необходимо свести Иру со мной! Однако разговор под разными предлогами откладывается.

Богданова показалась во время ужина минут на

пять и тут же убежала якобы из-за возникшей от мигрени тошноты. А сегодня я узнала про новый инсульт Ильи Николаевича. Любая воспитанная женщина, услышав от Марты о внезапной болезни отца художницы, сразу сказала бы: «Пожалуй, мне лучше уехать домой». Вероятно, Максим Антонович рассчитывал именно на такую реакцию госпожи Таракановой. Но та оказалась наглой, ясно дала понять: пока не пообщается с Ириной, она останется жить в Беркутове.

Ну и теперь возникает новый вопрос: если Буркин так не хотел допустить моей встречи с художницей, почему он сразу, когда ему позвонил Корсаков, не отказал ему? Сказал бы следующее: «Мы невероятно рады принять в Беркутове Виолу Ленинидовну. Но понимаете, Ирина сейчас больна гриппом. Она ежедневно встречается с большим количеством людей, вот и подцепила вирус. Вчера у Богдановой температура до сорока подскочила». И все, мой визит был бы отложен недели на две. За это время лже-Ирину можно прекрасно подготовить к беседе с автором криминальных романов. Но нет, Буркин произнес: «Как прекрасно, что к нам приедет Виола Ленинидовна! Ждем ее с нетерпением!»

Если суммировать все вышеперечисленное, можно сделать единственный вывод: в тот день, когда я прибыла в Беркутов, с Ириной, вернее, с женщиной, исполняющей ее роль, что-то случилось, и теперь ее никак нельзя оставить с кем-либо наедине для разговора по душам.

Интересно, что еще придумает Максим Антонович, чтобы проплыть между Сциллой и Харибдой?

Да уж, Буркину не позавидуешь, ему ведь непременно надо выполнить просьбу Корсакова и в то же время не разрешить мне пообщаться с Богдановой. И как справиться с двумя взаимоисключающими задачами? Почему мэр тянет время? По какой причине все же обещает мне встречу с художницей? Может, псевдо-Ирина пьяница и хозяин города ждет, пока она выйдет из запоя?

Глава 27

Из раздумий меня вывел стук в дверь.

— Войдите! — крикнула я, быстро вставая с кровати.

В номер вошла Марта.

— Можно?

— Конечно, — ответила я.

— Поработали? — заботливо осведомилась помощница мэра.

— Да, — кивнула я, — набросала план книги. Знаете, Ирина станет одной из главных героинь будущего романа. Сначала я предполагала, что художница появится лишь в ряде эпизодов, но теперь понимаю: действие закрутится вокруг Богдановой. У меня огромный список вопросов к ней.

Марта смущенно потупилась.

— Так неудобно... поверьте, честное слово...

— Что еще случилось? — всполошилась я.

— У Максима Антоновича к вам огромная просьба, — почти прошептала Марта. — Понимаете, в Беркутове полным-полно ваших фанатов, а книжного магазина у нас пока нет, народ привозит литературу из Москвы. Варю, жену Игоря Львовича Сердюкова, помните?

— Естественно, — кивнула я, — мы вместе ужинали.

Марта сложила руки на груди.

— Она постеснялась сама вас попросить, меня подослала. Варвара директор нашей городской библиотеки. Ваш визит в Беркутов никто не освещал, но и тайны из приезда знаменитой писательницы не делали.

Марта оглянулась на дверь и чуть понизила голос.

— А еще Федор... Он ужасный трепач! Сказал своей дочери Тоне про то, кто в президентском номере поселился. Антонина ваша страстная поклонница и мигом в школе язык распустила. В общем, сегодня утром к Варе явилась делегация старшеклассников...

Ситуация, которую обрисовала Марта, выглядела так. Подростки удрали с занятий, прибежали в библиотеку, и наглая Антонина заявила:

— Варвара Андреевна, все знают, что вы дружите с Максимом Антоновичем. И еще мы в курсе, что в Беркутове находится наша любимая писательница Арина Виолова. Пожалуйста, устройте нам с ней встречу сегодня вечером. Хотим использовать уникальную возможность пообщаться с детективщицей, задать ей вопросы.

Варвара попыталась корректно избавиться от тинейджеров.

— Хорошо, что вы сказали о своем желании. Мэр непременно договорится с Виолой Ленинидовной, она специально приедет к нам для автограф-сессии.

— Хотим сегодня! — загудел хор голосов.

— Дети, будьте благоразумны, — начала упрашивать школьников Варвара, — госпожа Тараканова собирает материал для нового произведения, это сложная, кропотливая работа. Времени у нее мало, навряд ли она согласится пожертвовать ради вас парой драгоценных часов. Идите спокойно в класс, может быть, летом или осенью мы пригласим Виолу...

— Нет, — перебили ребята, — сейчас!

Варвара Андреевна начала злиться.

— Вы уже взрослые, а ведете себя, как дошколята. В первую очередь вам нужно думать об учебе. Сбежали с уроков! Вот уж молодцы! Ступайте в школу и больше не прогуливайте занятия...

Антонина не дала Сердюковой договорить, перебила ее гневным заявлением:

— Если нам сегодня не организуют встречу с любимой писательницей, мы объявим забастовку. Вообще в школу ходить не будем!

Выдав все это, Марта задохнулась, перевела дыхание и уже более спокойно добавила:

— Варе кое-как удалось убедить безобразников вернуться на занятия. Но, чтобы дети вновь сели за парты, ей пришлось им пообещать, что вы сегодня на минутку заглянете в библиотеку.

Я изобразила недовольство, поморщилась и села в кресло, пробурчав:

— Вообще-то я не планировала встреч с читателями.

Помощница мэра опустилась на корточки и умоляюще заглянула снизу в мои глаза.

— Виола, дорогая, я понимаю, что Варя поступила опрометчиво, она не имела права ничего обещать маленьким шантажистам. Но дети так вас обожают! Они учатся в седьмых классах, им предстоит сдача РОЭ, надо упорно готовиться. Но ребята решили бойкотировать уроки, если вы к ним не придете. Классный руководитель в шоке, учителя нервничают, Степан Николаевич впервые столкнулся с детским бунтом. Помогите нам!

— Что такое РОЭ? — не поняла я.

— Региональный обязательный экзамен, — пояснила Марта. — Если семиклассник его не пройдет, ему все лето придется не отдыхать, а заниматься, чтобы в конце августа еще одну попытку сделать. Сейчас над детьми издеваются, как хотят, напридумывали всяких РОЭ, ГИА и ЕГЭ. Чуть ли не с первого класса их экзаменуют. Понимаете, что получилось? Дети вас требуют, могут из-за бунта этот РОЭ, будь он неладен, в массовом порядке завалить.

Я тяжело вздохнула.

— Ладно, так и быть, побеседую с безобразниками. Когда это надо сделать?

Марта демонстративно посмотрела на сверкающие камушками часики.

— Через пятнадцать минут. Сейчас ребята собираются в библиотеке. Они уполномочили Антонину сделать заявление, выдвинули взрослым ультиматум: «Если Арина Виолова не придет, мы останемся в зале. Не покинем помещение даже ночью, объявим голодовку».

— Придется выполнить требование юных наха-
лов, — сердито сказала я.

— Это они от любви к вам так себя ведут, — за-
причитала Марта, — просто мечтают увидеть вас.

Я встала.

— Хорошо. А на завтра у меня назначена беседа
с Ириной. Надеюсь, она не сорвется.

— Не беспокойтесь, — кивнула Марта, — Богданова никуда не денется. Кстати, вы говорили о
множестве вопросов к художнице. Не дадите мне
список? Ирина просмотрит, подумает, как обсто-
ятельнее ответить. Понимаете, она человек, которому легче рисовать, чем говорить. Ирочка подчас
не сразу находит нужные слова, долго размышляет,
как донести до собеседника свою мысль. В общем,
далеко не птица-говорун.

Я взяла сумочку.

— К сожалению, вопросы в моей голове, я не переносила их на бумагу.

— Ничего! — воскликнула помощница мэра. —
Значит, ваше интервью будет долгим.

В читальном зале, развалясь на стульях, сидели
школьники, человек двадцать. Удивительно, но среди них больше было мальчишек, девочек оказалось
всего две — яркая брюнетка в мини-юбке и блузке
зеленого цвета и более скромная шатенка в джинсах
и полосатом пуловере. Кроме подростков, в библиотеке присутствовали Варя и Степан Николаевич.
Едва я вошла в зал, как директор начал командовать
парадом:

— Ребята, поприветствуем всемирно известную
писательницу!

Раздались жидкие хлопки.

— Вы так ждали встречи, а теперь еле аплодируете, — укорила подростков Варвара. — Ну-ка покажите, как вы любите Виолу Ленинидовну!

Школьники забили в ладоши, застучали ногами по полу, а симпатичный паренек в красном свитере громко засвистел.

— Ливанов, прекрати! — приказал директор.

— А че? Я ниче, — загундосил мальчик, — сами велели любовь продемонстрировать.

— Ну не свистом же! — нахмурился Матвеев.

— Виола Ленинидовна, садитесь, — захлопотала Варя, подводя меня к длинному столу. — Водички? Чаю? Кофе?

— А нам какао! — крикнули из зала.

Дети дружно рассмеялись.

— Ну погоди, Борисов! — возмутился Степан Николаевич.

— Это не я, — откликнулся тот же голос. — Чего вы придираетесь? Чуть что, так сразу Борисов!

— Если не ты, то кто? — спросил директор.

— Ливанов, — прозвучало в ответ.

Ребята захохотали. Варвара стукнула ладонью по столу.

— Хватит. Начинаем встречу. По вашим многочисленным просьбам в библиотеку пришла знаменитая писательница Арина Виолова. Настоящее имя ее Виола Ленинидовна Тараканова. Вы обожаете ее детективы, так?

— Да, — нестройно ответил зал.

— Принесли с собой самую любимую книгу

Арины? — не успокаивалась Варвара. — А ну, покажите!

Взметнулся лес рук. Я постаралась сохранить серьезное выражение лица. Ну надо же! У всех присутствующих моей самой любимой книгой оказалась одна и та же. Она называется «Шестое чувство пятой точки» и появилась в продаже всего неделю назад. Томики были совершенно новые. Полагаю, не стоит объяснять, как обычно выглядит книга после того, как ее прочитал семиклассник. Минимум на ней останутся пятна от мороженого. И никто из мальчишек не пририсовал усы, рожки и хвост главной героине детектива, чье изображение занимало большую часть обложки. Думаю, сегодня утром спешно отправленный в Москву гонец приобрел на вокзале новинку от Виоловой и раздал ее «фанатам».

— Отлично, — похвалила детей Варвара. — А теперь вопросы. Кто начнет?

Повисла тишина.

— Ну же, не стесняйтесь, — приободрил школьников директор, — Виола Ленинидовна добрая.

Я улыбнулась, окинула зал взглядом и добавила:

— Я ем детей только на завтрак, на обед и ужин уже нет. Они слишком калорийны, боюсь, холестерин повысится.

Ребята захихикали. А девочка в мини-юбке спросила:

— А как зовут вашего папу?

— Антонина! — укоризненно покачала головой Варвара. — Разве у тебя был такой вопрос? Ты же мне перед началом встречи совсем другой озвучила.

— У моего отца в паспорте написано Ленинид, — перебила я хозяйку библиотеки. — Он родился в то время, когда детям любили давать так называемые революционные имена. Ленинид происходит от слов «Ленинские идеи».

— Он точно в тюрьме сидел? — крикнул Борисов.

— Безобразие! — возмутился Степан Николаевич. — Евгений, ты помнишь о том, что получаешь тройки исключительно из жалости к твоей бедной маме Нине Романовне, которая одна тянет тебя?

— А че? Я ниче, — привычно заныл Борисов, — так в Интернете написано.

Я кивнула:

— Верно. Ленинид Тараканов имеет уголовный опыт. Но он изменился, более не попадает на зону, снимается в сериалах. Мой отец пример того, чего может достичь человек, если победит себя. Вот сейчас Евгения назвали троечником, а он может к концу года стать отличником. Это не очень трудно, надо лишь справиться с ленью.

— Катя, твой вопрос! — велела Варя после того, как я замолчала.

Девочка встала, откашлялась и монотонно прочитала по бумажке:

— Уважаемая Виола Ленинидовна, когда вы написали свой первый роман? Спасибо.

— Молодец, — похвалила ее Варвара. — Госпоже Таракановой отвечать на такой вопрос интересно, и нам за вас не стыдно.

Дальше «пресс-конференция» покатила, как по льду. Дети послушно поднимались с мест и зачитывали составленные для них вопросы. Даже хулиган Борисов присмирел и тоже вежливо поинтересовался:

— Когда выйдет ваша новая книга?

Я покорно отвечала, наблюдая за тем, как аудитория мается от скуки.

Целых два часа меня и школьников продержали в библиотеке. Потом ребятню, сразу повеселевшую, отпустили домой, а меня угостили чаем с домашними пирожками и, сто раз поблагодарив, препроводили назад в гостиницу.

Я открыла в номере окно и стала наслаждаться свежим воздухом. Марта наговорила мне кучу лжи, но была в ее словах и часть правды: в Беркутове люди дышат полной грудью, тут не закашляешься от смога.

До моего слуха неожиданно долетел шорох, потом голос девочки:

— Шпалы взял?

— Ага, — ответил мальчик.

— В шоколаде? — уточнила собеседница.

— Ага, — подтвердил паренек.

— В темном? Белый она не ест, считает его сахаром, — не успокаивалась подружка.

— Че, я дурак, по-твоему? — воскликнул мальчишка, и я сразу узнала Борисова.

— Не, Жень, ты не дурак, — захихикала его спутница, — ты ваще дебил!

Раздался стук, затем тихий вскрик, и опять прорезался голос девочки:

— Не умеешь драться, не лезь. Получил?

— Заткнись, Тонька! — зашипел Евгений. — Просто у меня рука болит, а то бы я тебе вмазал.

— Ну, мы идем или как? — наседала Антонина.

— Ваще-то я один попрусь, — вздохнул Евгений, — тока переоденусь. Вау!

— Что? — насторожилась девочка.

— Труба, блин, горячая, обжегся, — сказал Борисов. — Больно!

— А ты че хотел? — оборвала его стоны Тоня. — В подвале завсегда так, здесь коммуникации проложены. Ну, полезешь?

Я высунулась наружу и поняла, что разговор доносится не с улицы, а из небольшого подвального окошка, которое находилось прямо подо мной.

— Если штаны порву, мать убьет, — зудел Борисов. — А как я шпалы понесу?

— В зубах! — коротко ответила Тоня.

— Обалдела?

— Сам балда! — не замедлила с ответом Антонина. — Прикинь, как Райка офигеет. Помнишь, ты говоришь ей, что ты Юрка и пришел с того света свою мать проведать, принес ей печенья?

Я быстро отошла от окна и поспешила из номера к рецепшен.

Глава 28

За короткую дорогу я успела придумать, как отвлечь внимание бдительного Федора, но на мое счастье администратора за стойкой не оказалось. Его громкий голос долетал из-за занавески, отгораживающей парадную часть холла от той, что предназначалась для персонала.

— Просто безобразие! Иван, немедленно объяснись! — гремел Федя.

Я не стала подслушивать, в чем провинился рабочий, он же веселый Топтыгин и автономный душ, и двинулась в параллельный коридор. Отлично помню, как туда стройным шагом направилась группа туристов категории «самый затрапезный эконом». Федор еще сказал: «Они сняли общий номер, который расположен внизу». Вероятно, где-то там есть и вход в подвал с трубами, об одну из которых сейчас обжегся хулиган Борисов.

Долго искать не пришлось, я быстро обнаружила просторное помещение, заставленное койками. Прошла вперед по узкой галерее и увидела металлическую, выкрашенную в серый цвет створку. Дверь легко, без скрипа, отворилась, перед глазами предстала узкая лестница, по которой я и спустилась в подвал. По его правой стене змеились разнокалиберные трубы, вдоль левой громоздились котлы отопления, бойлеры и фильтры. Под потолком тускло светили маломощные лампочки, спрятанные в «стаканы» из проволоки. Странно, но здесь царила относительная чистота, сыростью не пахло, не носились крысы.

— Ну, давай же, не жуй сопли, — донесся до меня голос Тони.

Я на цыпочках пошла на звук, пробралась между какими-то гудящими установками, увидела свободную площадку, круглое открытое окошко под потолком и двух подростков, стоящих ко мне спиной.

— Меняй штаны быстрей! — приказала Тоня. —

Нужны простые, такие джинсы, как у тебя, тогда не носили.

— Отвернись, — буркнул Борисов.

Антонина сделала поворот через плечо и очути-лась лицом ко мне. Глаза дочери Федора стали похожими на совиные, и она взвизгнула:

— Мама!

— Заткнись, блин! — на автомате велел Евгений и тоже обернулся.

— Добрый вечер, дорогие фанаты, — ехидно произнесла я. — Чем занимаетесь?

— Пипец... — выдохнула Тоня.

Девочка явно испугалась, Борисов тоже струхнул, но, в отличие от присмиревшей Антонины, он сразу полез, так сказать, в драку.

Люди делятся на две категории. Одни, испытав стресс, становятся тише воды, ниже травы, другие принимаются размахивать шашкой. Женя оказался из последней.

— Никакие мы не фаны! — заявил мальчишка.

— Правда? — улыбнулась я. — Зачем же тогда автограф-сессию требовали устроить?

— Она нам на фиг не нужна, — буркнул Евгений.

— Но вы пришли, — напомнила я.

— Степан с Варькой велели, — призналась Тоня. — Собрали тех, кто не успевает, сказали...

— Сказали, что в город приехала писательница и нам надо оказать ей уважение, — перебил ее Борисов. — Обещали, что тем, кто явится в библиотеку и задаст вопрос, а потом просидит всю встречу, можно будет не беспокоиться о РОЭ, нужные баллы ему обеспечены.

— Нам бумажки раздали с вопросами и ваши книги, — подхватила дочурка администратора отеля.

— Ваще-то я дюдики не уважаю, — решил и дальше резать правду-матку Евгений, — читаю только про путешествия и оружие.

— А я ваще книги не люблю, — скривилась Тоня, — лучше в Интернете посижу или киношку погляжу.

— И нечего нас фанами называть! — заявил Борисов.

— Верно, — кивнула я, — никакие вы не фанаты, вы конформисты.

— Кто? — хором спросили школьники.

— Приспособленцы, — пояснила я, — люди без принципов, готовые на все ради собственного благополучия. Из таких во время Второй мировой войны набирали полицаев на оккупированных фашистами территориях. Надеюсь, вам рассказывали на уроках истории про Великую Отечественную? А в мирные годы из конформистов получаются стукачи.

— Эй, чего вы обзываетесь? — обиделся Борисов.

— Мы просто хотим экзамен сдать, — заныла Антонина.

— Это и есть конформизм, — сказала я. — Честный человек возразил бы: «Нет, Степан Николаевич, я книги Виоловой в руки не беру, они полное дерьмо» — и отказался бы от участия в представлении. А вы поступили иначе — сами презираете

Виолову, но за хорошую оценку решили хвалить ее. Не вызываете вы, ребята, у меня уважения.

— Меня мать за двойку убьет, — надулся Борисов, — я не ради себя старался. Мне ваще на отметки плевать.

— Хороший аргумент, — кивнула я. — Знаешь, те люди, что писали доносы на своих коллег или соседей, тоже так себя оправдывали, говорили: «Моя семья живет в крошечной комнате, если в квартире еще пара помещений освободится, их нам отдадут. Я ради родных стараюсь». И давай строчить донос в НКВД, мол, «Иванов Николай Иванович, с которым я, Петров Иван Петрович, проживаю в одной коммуналке, ругает Советскую власть...». Ну и как дальше развивались события? Иванова сажали в лагерь, где он быстро умирал, а Петров получал его жилплощадь.

— Мы так не делаем! — пискнул Борисов.

— Так вы еще маленькие, — усмехнулась я, — подрастете — научитесь. Сегодня вот удачно в обмен на участие в спектакле первый экзамен сдали, за отметку хвалили писателя, которого совсем не любите и не читаете. Ну и кто вы после этого?

Антонина вытерла рукой лоб, а Борисов жалобно протянул:

— А че, надо было двойку огрести? Мне не трудно вопрос задать.

Я в упор посмотрела на детей:

— Не могу ничего советовать в данной ситуации, в таких делах каждый решает сам. Лично мне всегда казалось, что лучше говорить правду. Хотя я тоже частенько лукавлю и испытываю желание получить что-то в награду, слегка приврав. Вопрос: где граница? На что можно пойти ради этой самой награды? Ну, ладно, хватит об этом... А тут вы чем занимаетесь?

— Курим, — быстро нашлась Тоня.

— Не вижу ни сигарет, ни окурков, — улыбнулась я. — Зато заметила пакет с печеньем под очаровательным названием «шпалы в шоколаде», черные брюки на полу и рядом с ними кепку того же цвета. Знаете, о чем мне говорят эти вещи и печенье?

Школьники отступили к стене, я сложила руки на груди.

— Пожилая женщина Раиса Кузьминична, мама покойного Юры, обожает эти самые шпалы. Откуда мне известно о гастрономических пристрастиях Силантьевой? Да совершенно случайно услышала о любви старухи к лакомству от продавщицы магазина. Дом Раисы Кузьминичны и отель «Золотой дворец» стоят почти впритык друг к другу. В полу подвала есть люк. Евгений должен натянуть другие брюки взамен джинсов, надеть старомодную кепчонку, взять пакет с угощением и спуститься еще ниже под землю. Полагаю, там проходит техническая галерея, соединяющая два помещения. Женя собирается вылезти в доме Силантьевой и напугать ее, сказав: «Я Юра, пришел с того света угостить маму». Глупее затеи и не придумать! Юрий в момент своей смерти был взрослым парнем, а не семиклассником, и мать никогда не спутает собственного сына с чужим человеком. Для вас это приключение могло закончиться встречей с полицией и отправкой в спецшколу. Но главное, вы даже не подумали, какую травму нанесли бы старушке Силантьевой. Дети, да вы просто сволочи!

— Нет! — затопала ногами Тоня. — Это она сука! Папа из-за Раисы работы лишиться может, ему Оскар это сказал. Папа так расстроился! У него инфаркт будет! Он умрет, как мама!

Антонина разрыдалась. Я обняла девочку.

— Ну хватит! Мы все погорячились. Я наговорила вам гадостей, а вы придумали глупость. Женя, видишь, вон там, у стены, стоит длинная скамейка? Тащи ее сюда, мы сядем и поговорим спокойно. Идет?

Евгений бросился за лавкой, Тоня перестала плакать. Через минуту мы уселись на жесткое сиденье и завели разговор.

До того как Оскар открыл гостиницу, Федор работал в НИИ растениеводства лаборантом, а когда научное заведение умерло, выживал за счет огорода. Мужчине очень повезло, что хозяин отеля предложил ему хорошо оплачиваемую работу управляющего и портье в одном лице. К приличному окладу прилагаются бонусы. Ну, например, на кухне ресторана часто остаются не съеденные постояльцами продукты, и куда они потом деваются, владельцу «Золотого дворца» безразлично. А еще некоторые паломники, те, что побогаче, оставляют администратору чаевые. Небольшие суммы Федору платят хозяева бара «Роза» и ресторана «У Беркута». Мзду портье отрабатывает вовсе не тяжким трудом — всякий раз, когда гости отеля интересуются, где лучше перекусить, он называет им адреса вышеупомянутых заведений. В общем, Федор считает, что жизнь удалась. Но он постоянно боится потерять место, поэтому старается изо всех сил, учит английский язык, на ночь читает книги по гостиничному делу.

Не так давно в «Золотом дворце» начались перебои с водой, и ремонтники сказали, что вся проблема заключается в каком-то центральном узле. Тоня не поняла суть дела, но, слушая беседы отца с рабочими, уяснила: чтобы устранить поломку, необходимо попасть в подвал Силантьевой. Вроде это не проблема? Ан нет! Противная Раиса Кузьминична наотрез отказалась впускать в дом посторонних. Старуху не смог уговорить даже сам мэр. На все просьбы и предложения бабка отвечала: «Идите вон!»

В конце концов Буркин махнул рукой на Силантьеву, и теперь новую трубу тащат кривым путем. Переулок перегородили, по нему ни пройти, ни проехать. А в гостинице продолжается чехарда с водоснабжением. Пару дней назад один из постояльцев, совсем даже не простой человек, а москвич с большими деньгами, здорово разозлился, что в его люксе нельзя днем помыться, позвонил Оскару и устроил скандал. Владелец отеля тут же вломил администратору. И ведь Оскару известно, что все неприятности происходят. из-за вздорности Силантьевой, но хозяина понесло по кочкам, он наговорил своему верному служащему много «хорошего». Федор, придя домой, стал пить сердечные капли, а потом заснул на диване, забыв раздеться. Тоне было так жаль папу, что не передать словами, девочка решила помочь ему и одновременно отомстить вредной бабке. Из смеси жалости со злостью и сформировался план, для осуществления которого был привлечен одноклассник Антонины Женя Борисов.

Дети знали, что у Раисы Кузьминичны погиб сын Юра. Правда, они думали, что тому было лет двенадцать, как им. Взрослые, говоря о Юрии, употребляли слово «мальчик», но никак не одиннадцатиклассник, для них тот был ребенком. В понимании же школьников выпускник вовсе не ребенок, а почти взрослый мужчина, мальчик — это ученик младших или средних классов. Вот парочка и решила, что Юра — их ровесник. И придумала следующий план: Женя спустится в тоннель, где проходят коммуникации, дойдет до дома Силантьевой, пролезет к ней на кухню, протянет старушке пакет с печеньем и скажет, изображая призрак Юрия: «Мама, я пришел тебя навестить. Кушай на здоровье! И выполни мою просьбу: пусти в подвал ремонтных рабочих».

Антонина замолкла и посмотрела на меня.

— Понимаете? Разве можно отказать умершему сыну? Вообще никак! Значит, бабка разрешит слесарям трубу починить, папа успокоится, и Оскар заткнется. Ну ведь хорошая идея!

— Чес слово, хорошая, — эхом повторил Борисов. — Я хотел дождаться, чтоб старуха поклялась: пущу, сынок, всех.

Я молча слушала детей. Давайте вспомним, что им всего двенадцать лет, отсюда и «гениальный» план. О том, как отреагирует несчастная Силантьева, когда перед ней возникнет «Юра» с печеньем, режиссер и сценарист не подумали. Хорошо, что я поймала школьников до того, как они осуществили свою «хорошую идею». Но у меня появилось к ним несколько вопросов. Я повернулась к Тоне.

— Как вы узнали, что из отеля можно пройти в дом Силантьевой?

— Папа говорил, — заморгала Тоня. — Сюда рабочие приходили, люк поднимали. И еще они сказали, что в избе Силантьевой все заперто, пока бабка сама не откроет, никто к ней не попадет. Ломать у Раиски люк нельзя — это нарушение канст... конст...

— Конституционного права, — вздохнула я.

— Точно! — закивала девочка. — Так Максим Антонович сказал.

— Мы уже в тоннель спускались, — похвастался Женя, — там сухо. Хотите посмотреть?

— Давай, — кивнула я.

Борисов отодвинул огромный засов на крышке люка, схватил железное кольцо, торчащее из нее, и дернул. Совершенно неожиданно большой диск зашипел, сам поднялся вверх, а затем отъехал в сторону, держась на каких-то железках.

— Пневматика, — с уважением произнесла Тоня, — сто лет назад сделали, а работает, как новая.

— Современное всё дерьмо, — со знанием дела подтвердил мальчик. — Мама говорит, что сейчас так, как при советской власти, ничего не делают, кругом одно китайское, пластмассовое, а оно сразу портится. А раньше все было надежное и простое. Беркутов был научным городом, тут все самое умное производили. Вот как этот люк. Раз — и открылся! Вроде тяжелая крышка, а даже ребенок ее сдвинет.

Я заглянула вниз.

— Ну надо же, сколько труб!

— Ага, — кивнула Тоня. — Рабочие говорят, это... это...

— Магистральная развязка, — подсказал Евгений. — Если пойти направо, дойдешь до подвала бабки, и конец. А налево галерея фиг знает куда ведет. Мы с Тонькой по ней далеко ходили. Там сначала чисто, сухо, но потом с потолка капает.

— И дерьмом вонять начинает, — сморщилась девочка. — Пошли, покажу, как к Раисе пройти. Или вы боитесь? Ваще-то в подземелье крысы шастают.

— Встреча с грызунами не самое приятное в жизни... — протянула я. — Но мое любопытство огромно, как египетская пирамида.

— И я такая же! — обрадовалась Тоня. — Прямо чую, что не надо туда лезть, а потом интересно делается, и прусь. Женька первым пойдет, вы второй, я третьей — крышку захлопну, надо ведь знать, за что потянуть.

— Ступени железные, круглые, — деловито предупредил Евгений, — аккуратнее идите, нога соскользнуть может.

— Вот поэтому ты первый и спускайся, — предложила Тоня. — Если мы с тетей Виолой сверзимся, то на тебя упадем, больно не будет.

Глава 29

Похоже, дети не один раз лазили туда, где пролегают подземные коммуникации. Евгений, ловко перебирая руками и ногами, за считаные секунды оказался в галерее, а Тоня умело закрыла крышку. Тоннель, по которому мы шли, был сухим, с высоким потолком, и в нем не пахло сыростью. Вдоль стен тянулись трубы, попадались железные короба. Потом я увидела довольно большую нишу и, не сдержав любопытства, сунула в нее нос. Углубление имело форму буквы «т» и оказалось совершенно пустым, но почему-то выложенным кафелем. Я сразу узнала узкую плитку серого и черного цвета. В советской стране такой кафель назывался «кабанчик». Понятия не имею, отчего облицовочный материал получил это имя, но он был везде — на полу и стенах в поликлиниках, магазинах, подъездах, учреждениях, школах. Даже сейчас «кабанчик» подчас можно встретить там, где с коммунистических времен не делали ремонт. Ну, например, в Беркутове, в нише под землей.

— А там бабкин люк, — сказала Тоня, дергая меня за рукав, — вот лестница.

Я оторвалась от разглядывания Т-образного углубления и посмотрела на ступеньки, уходящие вверх. В потолке виднелась круглая крышка. Я задала очевидный вопрос:

— Вы тут хотели подняться и попасть в дом к Силантьевой?

Школьники дружно закивали. Я демонстративно почесала затылок.

— Знаете, есть несколько совсем непонятных для меня моментов. Вы дружили ранее с Раисой Кузьминичной, а потом поругались с ней из-за того, что старуха не впустила к себе рабочих?

Тоня возмутилась.

— Да вы чего? С Силантьевой никто не дружит. Она того, ку-ку. Из дома не выходит. Ну разве очень редко, в аптеку.

— Да, — подтвердил Женя, — только туда и шастает. Думаю, из-за моей мамы.

— Из-за твоей мамы? — удивилась я. — Прости, не понимаю.

Антонина села на корточки.

— Тетя Нина в аптеке работает, она там одна на все, и продавец и директор.

— Фармацевт-провизор, — поправил Женя. — Мама очень строгая, все правила соблюдает, никогда без рецепта лекарство не отпустит, если оно не в открытом доступе. А есть такие таблетки, на которые надо особую бумажку иметь. Там все важно — какие печати стоят, когда выписано, потому что средство очень сильного действия или наркотическое. Если мужик придет и даст такую бумажку, а на ней указано, что препарат нужен женщине, мама ему допрос устроит, потребует паспорт, запишет данные. И ни за какие деньги не отпустит три коробки, если врач написал «одна упаковка».

— Продукты бабке ее жиличка Светка носит, — перебила приятеля Тоня. — Ей не трудно, она в магазине работает.

— Говядина вторсырье... — пробормотала я, вспоминая говорливую продавщицу, с которой общалась, едва приехав в Беркутов.

— А в аптеке мама Свете ничего не дает, — продолжал Борисов. — Старухе очень сильные транквилизаторы прописаны, и мамка говорит, что, похоже, бабка их вместо конфет хавает и при этом хорошо выглядит. Знаете, те, кто долго антидепрессанты употребляет, становятся медлительными, разговаривают тихо, с соображением у них напряг. А Раиска к маме в аптеку вихрем влетает, хапает пилюльки и домой скачет. Ваще прямо человек-молния, не берут ее транквилизаторы.

— Хорошо, — кивнула я, — с Силантьевой, значит, вы совместно чай не пили. А теперь скажите, как хотели в ее дом попасть?

— Крышку люка сдвинуть, она такая же, как в гостинице, — пожал плечами Борисов. — Лаз выходит на кухню старухи, он прикрыт половичком.

— В отеле люк в подвале, а у Райки там, где она жрет, — уточнила Тоня.

— Дорогие мои, — вкрадчиво заговорила я, — если вы ни разу не бывали в гостях у Силантьевой, откуда знаете столько подробностей? Про кухню, про половичок...

Школьники переглянулись. А я тем временем продолжала:

— И как вы собирались открыть крышку? На что угодно готова спорить, что сверху задвинут чугунный засов, как в подвале отеля. Ну и последнее: откуда знаете про любовь Раисы Кузьминичны к печенью с романтичным названием «шпалы в шоколаде»? Она ни с кем не общается, живет обособленно.

Дети хранили упорное молчание. Я присела на корточки и взяла Тоню за руку.

— Вам ведь это все рассказала Светлана, девушка, которая снимает квартиру у пенсионерки? Больше просто некому.

Антонина встала и прижалась спиной к стене.

— Ну... да... — сказала она после длинной паузы.

— У бабки дома есть привидение! — вдруг заявил Борисов. — Светка его слышала, вот!

— А теперь признавайтесь, какое отношение к этой истории имеет продавщица, — приказала я.

Тоня опустила голову.

— Она хорошая, лучше тех, кто раньше у папки был. Веселая. Не вредная. Мы дружим.

Я молча слушала рассказ девочки, в котором поначалу не прослеживалось ничего необычного.

Федор давно лишился жены, но вступать в повторный брак не торопился, не хотел приводить в дом мачеху для Тони. Но и монахом мужчина не жил, случались у него любовницы. Антонина, в отличие от многих детей, ревностно относящихся к родителям и яростно протестующих, если одинокий отец или мать пытаются наладить личное счастье, была девочкой разумной. Если к папе заглядывала какая-нибудь женщина, Тоня никогда не устраивала истерик, наоборот, старалась общаться с гостьей. Вот только большинство из них спустя месяца три после начала отношений с Федей уже покрикивали на сироту, делали ей замечания, пытались показать, кто теперь будет в доме хозяйкой. Тоня не жаловалась отцу, она очень-очень любит его и хочет, чтобы он чувствовал себя счастливым. Но Федор не слепой и не глухой, а дочь стоит у него на первом месте. Поняв, что очередная пассия притесняет Тоню, Федор моментально давал бабе отставку. И так бывало всякий раз, пока в его жизни не появилась молоденькая продавщица.

Светлана никогда не делала попыток скрутить Антонину в бараний рог и фразу типа: «Слушайся меня, я плохого не посоветую» не произносила. Постепенно девочка со Светой прямо-таки подружилась. А еще они обе любят Федора и искренне переживают по поводу ситуации с водой в отеле. Когда Оскар, пообещав уволить своего верного работника, довел его до нервного срыва, Светлана решительно сказала Тоне:

— Надо что-то делать. Ненавижу Силантьеву, жуткая гадина!

Старуха сдает продавщице сараюшку, а в свой дом не пускает. Сколько раз девушка просила ее: «Раиса Кузьминична, можно в ваш холодильник масло положить?» А бабка в ответ: «Не моя печаль, купи себе собственный». К водопроводу на кухне жиличке тоже дороги нет, а уж чтобы помыться, о том и говорить не стоит. Светлана вынуждена ходить в местную баню и таскать ведра с водой из колодца. А ведь остальные хозяева ведут себя по-человечески с теми, кто снимает дворовые постройки. Почему Света, несмотря на плохие условия, продолжает жить у Силантьевой? Ответ прост: деньги. Раиса Кузьминична вредная, но, вот странность, не жадная — не повышает арендную плату.

В принципе отношения между хозяйкой и жиличкой более или менее нормальные, они друг к другу не лезут. Бабка иногда дает Свете небольшую сумму и просит принести из магазина продукты. Продавщица, хоть и испытывает неприязнь к вредине, принимает во внимание пожилой возраст Силантьевой и идет ей навстречу. Вот только в аптеку из-за строгости провизора Нины Борисовой старухе приходится ходить самой.

В конце февраля Светлана увидела из окошка своей халабуды, как хозяйка, повесив ключ от избы под крыльцо, ушла со двора — явно за своими таблетками. Валил мокрый снег, а у девушки закончилась вода, и меньше всего Свете хотелось переться на другой конец улицы к колодцу. Тут ей и пришла в голову простая мысль. Аптека в Беркутове одна, находится в противоположной части города, старуха из экономии пошлепает пешком. Пока она прошкандыбает туда-назад, пока полается с провизором, требуя снизить цену на лекарство, пройдет часа два, не меньше. Вполне можно успеть набрать в доме бабки воды и помыться в душе. Конечно, некрасиво без спроса впираться на чужую жилплощадь, но... на войне, как на войне!

Светлана без труда открыла входную дверь. До той поры она была в избе один раз — когда договаривалась о съеме сараюшки, но помнила, что нечто напоминающее санузел находится в крохотной каморке, войти туда можно через кухню.

Света пересекла терраску, где на веревках сушилось нижнее белье хозяйки, дошла до кухни и двинулась к маленькой двери в стене. Но по дороге больно ушибла обо что-то торчащее из пола ногу. Девушка нагнулась, подняла домотканый половичок и увидела люк, закрытый на здоровенный чугунный засов. Решив, что это вход в подпол, Светлана набрала воды, пошла назад и вдруг услышала стон.

Продавщица остановилась. Звук повторился. Он

походил на тихий вой, затем перешел в шуршание, и опять понеслось еле слышное «у-у-у!».

Слов, чтобы описать ужас Светы, нет. Она, едва не уронив ведро, выбежала на улицу, трясущимися руками заперла дверь, повесила ключ на место и в тот же день описала свое приключение дочке Федора.

Антонина сразу сообразила: в доме зловредной старухи обитает привидение. Девочка, живущая в Беркутове всю жизнь и знающая местные легенды назубок, быстро поведала своей взрослой подруге, что раньше, в эпоху динозавров, на том месте, где сейчас стоит изба Раисы Кузьминичны, был большой дом, который немцы, оккупировавшие Беркутов, превратили в комендатуру. Фашисты провели в подмосковном местечке совсем немного времени, но черных дел успели натворить. Кое-кого из жителей они пытали и убили в комендатуре, а их тела сбросили в колодец у «замка людоеда». Советская армия прогнала захватчиков, здание бывшей комендатуры сгорело, и с той поры место, где оно стояло, пользовалось дурной славой, там никто не желал ставить избу. Несуеверным оказался лишь Кузьма Силантьев. Он построил на участке пятистенок и поселился там со всей огромной семьей, от которой сейчас осталась одна сбрендившая Раиса. А уж потом рядом возвели НИИ растениеводства и другие дома.

— Значит, люк у Силантьевой заперт... — протянула я, выслушав рассказ Тони. — Теперь мне понятно, почему вы решили прихватить с собой «шпалы в шоколаде» — про любовь старушки к печенью хорошо известно именно Свете. Так?

— Ага, — кивнул Женя.

— Но люк! — воскликнула я. — Вы собирались устроить спектакль, значит, знали, что сможете открыть крышку. Каким образом? В избе сегодня находится Светлана? Она отодвинет запор?

— Нет, — промямлила Тоня. — Бабка за лекарством только раз в три месяца шастает. Больше на улицу не высовывается. По двору ходит, а за ворота ни-ни. Светлане на кухню не пройти.

— Бабка откроет на стук, — пояснил Женя. — Надо в крышку кулаком погрохать, но по-особенному. Тук. Тук-тук. Тук-тук-тук. Тук. Шифр такой.

— Чем дальше в лес, тем толще партизаны... — пробормотала я. — Откуда вы узнали про условный сигнал?

Голос Тони опустился до шепота:

— Вы нам не поверите.

— Ну-ка, выкладывай! — приказала я.

— К ней ходит Ирина Богданова, — выпалила девочка.

— Художница, которая «исполнялки» рисует, — уточнил Женя.

Глава 30

— Кто? — обомлела я. — Вы врете.

— Знала, что так скажете, — удовлетворенно констатировала дочь Федора. — Мы...

— Дай я расскажу, — перебил подружку парень, — вечно ты вперед лезешь.

— Фиг с тобой, говори, — согласилась Тоня.

Женя затараторил, словно рассерженная сойка.

Сегодня подростки второй раз затеяли спектакль с появлением призрака покойного Юры. Первую попытку они предприняли несколько дней назад, поздно вечером. Вооружившись пакетом с печеньем, ребята спустились вниз, дошли до люка Силантьевой, Женя поднялся по лестнице, и тут только юные безобразники поняли: люк-то заперт! Их гениальный план накрылся медным тазом из-за здоровенной задвижки, о которой ни Тоня, ни Борисов, ни более старшая по возрасту, но не набравшаяся ума Светлана не подумали.

Ребята расстроились и потопали по тоннелю назад. И вдруг до их ушей долетело характерное шипение. Значит, кто-то открыл, а потом закрыл люк в отеле. Затем послышались тихие шаги — по галерее шел человек. По счастью, Женя и Тоня стояли как раз напротив Т-образной ниши, и они, не сговариваясь, бросились в укрытие. Незнакомец миновал углубление в стене и начал подниматься по лестнице, ведущей в кухню Силантьевой. Ребята не утерпели, осторожно высунулись в коридор и увидели на ступеньках художницу Богданову. Та добралась до люка, подняла руку и постучала в крышку. Тук. Тук-тук. Тук-тук-тук. Тук. Опять раздалось шипение, чугунина отъехала в сторону, женщина пролезла в люк, и крышка незамедлительно захлопнулась.

— Уверена, что это была именно Богданова? — только и смогла спросить я.

Антонина кивнула.

— Мы ее миллион раз видели.

— Лично? — уточнила я.

— Издали, — ответила девочка. — Но на фотках она повсюду!

— Такая странная, — высказал свое мнение Женя, — ни с кем ее не перепутаешь. Платья, как мешки разноцветные. А сверху, как моя мама, всегда в платок закутана.

— И еще волосы, — перебила приятеля Тоня. — Такую прическу тыщу лет никто не носит! До плеч и внутрь закрученные. Сейчас модно, чтобы пряди наружу завивались и лежали в легком беспорядке. Все используют брашинги, ну, круглые щетки для волос, а Богданова вроде на бигуди завивается. Да, точно на бигуди, иначе б у нее...

— Ну, теперь не успокоится, пока все про косметику не выложит, — неодобрительно проворчал Борисов. — Меня мама предупреждала, что про Ирину Ильиничну можно лишь хорошее говорить, потому что она Богом отмечена, а тому, кто гадости про нее треплет, непременно плохо будет. Нормальные у нее волосы, темные. Певица одна есть, французская, уже старая, у нее такая же прическа. С челкой до глаз.

— Мирей Матье... — пробормотала я. — И правда, Богданова чем-то напоминает парижанку, только она большие дымчатые очки не носит.

— Мама сказала, что у художницы такие стекла из-за окружающей отрицательной энергетики, — подхватил Женя. — Ведь Ирина Ильинична выходит к людям. Народ в толпе стоит разный, у всех либо горе, либо неприятности, либо неудачи, а такая хрень заразна. Пообщаешься с тем, у кого все плохо, он тебе в глаза поглядит, и нехорошее к тебе от него через зрачок войдет. Дружить надо со счастливыми, так мама считает, а она хоть и вредная, но очень умная.

— Ничего я плохого не сказала, — надулась Тоня, — только про волосы. Да, прическа у Богдановой, как у старухи, но это не обидно, потому что правда. И волосы можно постричь, покрасить...

— Значит, вы высунулись из ниши и увидели, как художница идет к лестнице? — перебила я девочку. — Почему же она вас не заметила?

Антонина с легким превосходством глянула на меня:

— Тетя Виола! Богданова уже поднималась по ступенькам, стояла лицом к стене!

— А на затылке у людей глаз нет, — снисходительно уточнил Женя.

— Верно, — согласилась я, — жаль, что природа не предусмотрела у людей орган зрения, так сказать, заднего обзора, мне бы он очень пригодился. Теперь вопрос: если вы наблюдали исключительно спину, то как догадались, что это — Богданова?

— Ну тетя Виола... — с укоризной протянула девочка. — Уже сто разов сказали, что по одежде и волосам. Никто у нас в городе так не выглядит.

— Она это была, стопудово, — закивал Женя. — Но я ваще-то сразу глаза отвел.

— Почему? — заинтересовалась я.

Мальчик замялся.

— Мама говорит, что Ирина Ильинична особенная, нельзя ее в упор взглядом сверлить. Богдановой это может не понравиться, и она тебе отрицательную энергию пошлет.

— Как Лапину, — прошептала Тоня. — У нас в городе есть дядя Иван. Он постоянно кричал, что Богданова обманщица, ходил с плакатом перед ее домом. А потом у него внучка умерла, она меньше меня была. Во как! Давно это случилось, несколько лет прошло, я еще маленькая была. Теперь Лапин молчит, но уже поздно.

— Понятно, — кивнула я. — Но вернемся к вашей идее напугать бедную Раису Кузьминичну...

— Мы подумали, — перебил меня Женя, — когда постучим так же, бабка решит, что внизу Богданова, и откроет. А там я с печеньем...

— Ну и дальше по плану, — завершила речь приятеля дочка Федора. — А чего она вредничает, рабочих не пускает? Моего папу Оскар уволить может!

— Дайте честное слово, что не сделаете новой попытки проникнуть в дом к старухе, — потребовала я. — Только в этом случае я не расскажу о том, что видела вас сегодня.

— Чес слово! — нестройно ответили дети.

— Хорошо, — одобрила я. — Теперь пошли назад.

Когда мы выбрались из подземной галереи в подвал гостиницы, Женя сказал:

— Ну, я погнал домой...

— Погоди, — остановила я мальчика, — надо идти осторожно, чтобы не попасться на глаза Федору.

— А мы не через центральный ход сюда лазим, — заявила Тоня.

Тут только я догадалась спросить:

— Как же вы попадаете в техническое помещение?

— Пошли, покажем, — хитро заулыбался Борисов и шмыгнул влево за какие-то ящики.

Через секунду мы оказались перед странной, похоже, фанерной дверью. На ней не было ни замка, ни щеколды, ни даже простого крючка.

— Вот это да! — удивилась я. — Заходи, кому не лень! Хороши порядки в гостинице...

Антонина моментально бросилась на защиту отца:

— Дверь прорубили, когда произошла авария. В отеле живут клиенты, они платят деньги за номера, и им обязаны предоставить покой и комфорт. «Золотой дворец» лучший в городе! И в районе! И в области! И ваще в России!

— Нормально, — захихикал Женя, — наикрутейшая гостиница в мире. Ну, Тонька, ты даешь!

Девочка махнула рукой.

— Отстань! Черный ход здесь давно был, и раньше железная дверь стояла, но она была узкая, только для людей. Папа один раз от нее ключ посеял. Ой, он так расстроился! Всю гостиницу перерыл — нету. А знаете, какой Оскар жадный? Папе бы пришлось за свой счет новый замок врезать. Потом смотрит, а ключик-то на месте, на доске висит. Вот как бывает, никуда он не девался, папка его просто не заметил. Когда труба сломалась, нужно было проем расширить, иначе в подвал не прошли бы здоровенные штуки для ремонта. Ну и вход фанерой закрыли, чтобы рабочие спокойно ходили, постояльцам не мешали. Папа пока железную дверь на место не возвращает, проем не уменьшает, думает, вдруг еще понадобится. Хоть сейчас трубу тянут через улицу, но...

— Понятно, — остановила я Тоню. — Однако пока в отель через черный ход может беспрепятственно пройти любой человек.

— Вот и нет! — возмутилась девочка. — Совсем не любой, а только свой, кто знает про дверь.

Мы вышли на улицу и очутились на небольшом пятачке внутреннего двора, огражденного дощатым забором. Прямо по курсу маячили мусорные контейнеры, а за изгородью возвышался красивый кирпичный дом. В окнах второго этажа горел свет.

— Кто там живет? — спросила я.

— Максим Антонович, — ответил Женя.

— Да ну? — удивилась я. — Была у мэра в гостях и отлично помню дорогу к отелю. От крыльца Буркина надо повернуть налево, пройти чуть вперед, затем направо и прямо, тогда упрешься в «Золотой дворец».

— Так отель весь изогнутый, червяком извивается, — снисходительно пояснила Антонина, — и вы сейчас видите особняк мэра сзади.

— Ну, побежали домой, — спохватился Женя. — Спокойной ночи, тетя Виола. Вы же никому про нас не расскажете?

— Нет, — качнула я головой, — я не нарушаю данного слова.

— Вы прикольная, — похвалила меня Тоня.

А Евгений на всякий случай решил подлизаться:

— Обязательно почитаю ваши книги.

— Буду рада, — стараясь не рассмеяться, ответила я.

— У вас на ботинке шнурок развязался, можете упасть, — заботливо предупредила девочка. — И вы какую-то тряпку выронили, вон валяется.

Я присела на корточки, чтобы затянуть шнурки, и увидела резинку для волос, точь-в-точь такую, как та, что Марта обронила в доме Фаины Максимовой. Только сейчас «пион» оказался не темно-бордовым, а желто-оранжевым. Я взяла цветок и спрятала его в карман, посчитав это доказательством того, что Ирина была во дворе.

Резиночки делает Фекла. Тихая, незаметная жена Вадима рукодельница, и, наверное, она дарит «цветы» не только Марте, но и остальным женщинам, живущим или работающим в доме Буркина. Волосы Богдановой достаточно длинные, чтобы забрать их в хвост. На людях художница всегда показывается с одной прической, она тщательно работает на имидж, но дома-то может расслабиться. Я выпрямилась и замерла. Минуточку, а может, тут недавно пробегала Марта?

Семиклассники тем временем отодвинули одну из досок забора и пролезли в образовавшуюся дыру. Я последовала их примеру и оказалась на улице, где стоит ларек Тамары.

Мне повезло: в тот момент, когда я приблизилась к дверям гостиницы, около нее остановился огромный автобус, из салона стали высаживаться люди. Я смешалась с толпой и вошла в холл. Федор суетился за стойкой, которую облепили паломники, а мне удалось никем не замеченной шмыгнуть в коридор.

Глава 31

Даже в ранний утренний час Зинаида Борисовна встретила меня при полном параде. Волосы пожилой дамы были уложены в высокую прическу, а на лицо она нанесла легкий макияж.

— Вы опять в другом образе, от кого скрываетесь? — спросила она.

— Марта полагает, что писательницы обожают спать до полудня, — улыбнулась я. — Не хотелось ее разочаровывать и внезапно столкнуться с ней на улице. Вы живете в самом центре, рукой подать до особняка.

— Проходите в гостиную, — предложила Руднева, — мой друг уже пришел.

Я живо скинула плащ, ботиночки, ринулась в комнату — и замерла, едва переступив порог. На покрытом красно-черным пледом диване сидела Фекла.

— Вы? — в растерянности спросила я.

Шлыкова кивнула.

— Ваш друг — жена Вадима? — не успокаивалась я, на сей раз обращаясь к Зинаиде Борисовне. — Я думала, он мужчина.

— Мы с Феклушей не разлей вода, — пропела Руднева. — Так, милая?

Шлыкова опять кивнула.

— Часто пьем вместе чай, — щебетала старуха, — обсуждаем всякие дела, проблемы, между нами секретов нет. Верно, дорогая?

Шлыкова снова сделала быстрое движение головой, и мне показалось, что она не испытывает большой радости при виде «лучшей подруги».

— Сейчас Фекла расскажет все, что знает! — тоном глашатая, читающего на площади царский указ о казни очередного боярина, заявила Зинаида. — Абсолютно все! Твоя книга, Виола, станет бестселлером, потому что ни одному писателю не придумать такого. Жизнь заворачивает куда более крутые сюжеты, чем человеческая фантазия.

— Все? — пискнула Фекла, и я увидела в ее глазах страх.

— Мы же договорились! — с напряжением в голосе произнесла Руднева. — Пришла пора сорвать маски. Или ты передумала?

— Нет, — прошептала Шлыкова.

— Правильно, — расплылась в улыбке Зинаида Борисовна, — верное решение. Виола не станет называть в своем романе по имени того, кто рассказал, что на самом деле происходит в доме Буркина.

— Нет, для развития сюжета это совсем не нужно, — подтвердила я. — Но вы же хотите, чтобы главные герои носили свои подлинные имена?

— Конечно, — кивнула Руднева.

Через приоткрытую дверь в комнату ворвался звук сирены. Зинаида Борисовна бросилась к окну, одновременно хватая телефон.

— Что-то случилось, вон как несутся... Интересно куда? Сейчас позвоню Татьяне Ивановне. Алло, милая...

Я молча смотрела на Шлыкову. Та сидела на диване, чуть сгорбившись, втянув голову в плечи. Руки молодой женщины судорожно расправляли на коленях длинную юбку мешковатого платья, и мне внезапно стало понятно: Зинаида Борисовна обязала несчастную прийти сюда и принудила к откровенному разговору. Каким образом можно заставить взрослого человека сообщать информацию вопреки его воле? Да очень просто — методом шантажа. На что угодно готова спорить, Рудневой известна какая-то тайна Феклы. Старуха пригрозила ей: не расскажешь писательнице, что знаешь о Богдановой, я молчать о твоем секрете не стану. И куда деваться бедняжке? Интересно, на чем жену Вадима удалось подловить? Но уж точно не на адюльтере. Сомневаюсь, что на бесцветную, смахивающую на больную мышь Шлыкову кто-то из мужчин может посмотреть заинтересованным взглядом.

— Сегодня ночью сгорел дом Фаины Максимовой. Сама она погибла, задохнулась в дыму, — сообщила Руднева, кладя трубку на стол. — Допилась, алкоголичка. Одного не пойму: зачем полиция с ревом по Беркутову носится? Людей только переполошили. Умерла так умерла, спешить к трупу незачем. Мне Файку не жаль, получила, что заслужила. Давай, Феклуша, говори, не сиди, словно тебя сонной травой одурманили.

Шлыкова еще сильнее сгорбилась, но послушно заговорила.

С ранних лет Фекла была влюблена в Вадима. Да, девочка отлично понимала: максимум, на что она может рассчитывать, это на краткосрочный роман, поэтому тщательно прятала чувство. Фекла и Вадик дружили, были членами спаянной компании, куда кроме Шлыковой входила еще одна девочка — Катя Буркина. Мужская часть группы уважительно относилась к женской. Один раз Вадик здорово отдубасил десятиклассника, который оскорбил Феклушу, намекнув на занятия ее матери. Младший Сердюков нежно заботился о подружке, таскал ей из дома продукты, иногда приносил не нужные матери одежду и обувь, был готов навешать оплеух любому, кто обидит Феклу. Но точно так же сын Игоря Львовича вел себя и по отношению к Кате, разве что не приносил обеспеченной Буркиной еду и шмотки.

А потом все изменилось — Вадим влюбился в Феклу и женился на нищей девушке. Игорь Львович и Варя приняли невестку, никогда даже намеком не давали ей понять, что она недостойна войти в их семью. Слава богу, на момент бракосочетания беспутная мать Феклы скончалась, а ее многочисленные братья и сестры частью умерли от пьянства, частью уехали кто куда и связи со своей родственницей не поддерживали. Девушку смело можно было считать одинокой сиротой. Шлыкова заколотила дом матери, расположенный в самом конце улицы Льва Толстого, и перебралась к Вадиму. У нее началась другая жизнь.

Ирина Богданова появилась в Беркутове в тот год, когда Фекла вышла замуж. Вадим доверял жене, его отец с мачехой тоже, они не стесняясь обсуждали при ней дела. Часто к Сердюковым забегал Максим Антонович, заходила Катя, и Феклуша была в курсе всей аферы с художницей. Идея привезти в Беркутов «великую живописицу» родилась спонтанно, на эту мысль Буркина натолкнул старый приятель Илья Николаевич Богданов, некогда спешно уехавший из города, после того, как его любимую женщину Олесю Гавриловну сбил шофер-лихач.

Максим Антонович давно ничего не слышал об Илье, тот исчез, словно в воду канул, а потом внезапно появился на пороге Буркина с просьбой о помощи. В Беркутов Илья прибыл не один, а с Ирой и Зоей, называя последнюю также дочерью.

Фекле сразу стало понятно: Богданов дошел до края. Илья Николаевич выглядел нищим, его спутницы тоже, одежда на них была из самого дешевого секонд-хенда. За ужином троица никак не могла наесться. Девушки мазали на хлеб масло толстым слоем и клали в чай по пять кусков сахара, а Илья Николаевич жадно поглощал колбасу, слопав всю нарезку с блюда, и безостановочно говорил. Денег Богданов просил не на жизнь, а на персональную выставку Ирины.

Максим Антонович выслушал просьбу друга и вежливо ответил:

— Хочу тебе помочь, но, извини, сам сильно стеснен в средствах.

— Да у тебя дом полная чаша! — возмутился Илья. — Столько еды на столе!

Буркин крякнул.

— Мы не голодаем, но на организацию экспозиции необходимы немалые средства. Ты вообще где хотел выставлять картины дочери? Имеешь хоть представление о стоимости аренды зала?

— Нет, — честно ответил Илья. — Думал взять у тебя в долг, а уж потом ехать в Пушкинский музей.

— Куда? — оторопел Буркин.

— На Волхонку, — уточнил Богданов. — На мой взгляд, там лучше всего!

— Ну ты даешь... — только и смог произнести мэр. — Я полагал, речь идет о фойе кинотеатра в спальном районе.

— Моя дочь — великая художница! — побагровел гость. — Она достойна самого лучшего! Ира, покажи картины...

Девушка протянула Буркину большую папку. Фекла не утерпела и, забыв о приличиях, глянула через плечо мэра. «Живопись» оказалась странной. На одних листах разноцветные домики, кособокие, схематичные фигурки, ярко-желтое солнце с карикатурно прямыми лучами. На других — скопище треугольников и пунктирных линий.

— Впечатляет? — гордо произнес отец.

— М-м... — протянул Буркин.

Мэр явно находился в замешательстве.

— Ты не знаешь всего! — закричал Илья.

Следующие полчаса Богданов толкал страстную речь, рассказывая о невероятном таланте своей дочери. Главную новость он приберег на «десерт». Оказывается, кроме ярко выраженных способностей художницы, Ирина обладает еще и талантом экстрасенса. Она создает для некоторых людей маленькие рисуночки, и если кто получит таковой, то его заветное желание непременно исполнится.

Илья перестал нести бред, и все присутствующие в столовой ощутили неудобство. Ну что сказать отцу, который натурально помешался на своей дочери, считает ее гением? И как общаться с Ирой, которая на протяжении всей речи Ильи лишь кивала?

Но когда отец замолчал, открыла рот сама «художница»:

— Правильно, я могу помочь каждому хорошему человеку. Плохому— нет. А для добрых создам «исполнялку».

Собравшиеся еще больше оторопели. У всех мелькнула одна мысль: похоже, и у дочурки, и у папы серьезные проблемы с головой. Вот Зоя казалась нормальной, но она за весь вечер и слова не проронила.

Честно говоря, Фекла полагала, что после своего выступления Илья Николаевич долго в доме Буркина не задержится. Но Максим Антонович неожиданно сказал:

— Время позднее, чего тебе, Илюша, домой на электричке катить, оставайтесь переночевать.

Через день, когда Фекла снова зашла к мэру — принесла ему по просьбе свекрови какие-то домашние заготовки, — она увидела в гостиной Зою, которая читала книгу Смоляковой. А еще через сутки Вадим рассказал о том, какая идея пришла в голову Максиму Антоновичу: надо объявить Ирину великой художницей-целительницей и тогда, вероятно, в Беркутов потянется народ.

— Думаешь, получится? — спросила Феклуша у мужа.

— Надеюсь, да, — ответил тот. — У нас почти готов план. Дураков вокруг толпы, а у нас клиника, где полно больных детей, начнем оттуда. Если несколько ребят выздоровеют благодаря «исполнялкам» Ирки, народ ее на руках будет носить.

— Разве хорошо обманывать людей? — заикнулась Фекла.

— Мы не ради себя это устраиваем! — воскликнул Вадик. И пояснил: — Людям хотим помочь. Сейчас-то в Беркутове беда, но если сюда поедут те, кто поверит в Богданову, казна города пополнится, у народа начнется иная жизнь.

— Здорово, — согласилась Феклуша. — Но как уговорить Ирину? Она, похоже, не очень с головой дружит.

Вадим засмеялся.

— Любой недостаток можно превратить в достоинство. Ирка с левой резьбой? Прекрасно. Кстати, знаешь, почему она поверила в свои сверхъестественные способности? В детстве Ира лежала в отделении у Обоева, совсем плохая была, и Владимир Яковлевич попросил ее рисовать маленькие такие картинки, размером с сигаретную пачку. Врач хотел, чтобы больная ощутила свою значимость, нужность людям, надеялся, что это даст ей силы для борьбы с тяжелым недугом. Доктор забирал ее «шедевры» и говорил пациентке: «Отдал твою волшебную карточку одному мальчику, и тот выздоровел». Кто ж тогда знал, что Ирина встанет на ноги и навсегда поверит в свою способность творить чудеса? Но нам ее вера на руку. Богданова будет с горящими глазами «исполнялки» малевать и раздавать, а уж мы об остальном позаботимся.

Я слушала Феклу, не перебивая. История про нанятую актрису Фаину Максимову и ее непутевого сына Павлика, умершего через несколько лет после «чудесного исцеления» от передозировки героина, мне была уже известна. Знала я также, что Буркин до самого последнего времени давал Фаине продукты.

— Максим Антонович очень добрый человек, — вздохнула Шлыкова, — а Файка этим пользуется. Вернее, пользовалась. Надо же, она в огне задохнулась! Теперь больше никто не станет Буркина шантажировать. В последние месяцы Максимова окончательно зарвалась, по три-четыре раза в неделю прибегала. Вчера Марта ей сказала: «Поимей совесть, нельзя же постоянно к нам за харчами являться. Куда тебе столько?» А та ответила: «Не твое дело, клади в сумку по списку. Здорово будет, если я расскажу правду про моего Павлика и про то, как детки выздоравливают?» Максим Антонович категорически запрещал пьянчужке спиртное давать, только еду, но Марта подозревала, что алкоголичка продукты на водку меняет. В тот день, когда вы, Виола, у мэра ужинали, Марта пожаловалась на Максимову, и Буркин возьми да заяви: «Зря ты ей в «кедровке» отказала. Теперь давай бабе водку без ограничений, авось быстро до смерти допьется». Ну и Марта понеслась на другой конец города с литровкой. Мы все сообразили: Фаина теперь огромная проблема. В Беркутове полно посторонних, среди них попадаются папарацци, которые под видом паломников в толпе шныряют, пытаются несуществующую грязь отыскать. Не нужно, чтобы Фаина глупости трепала, пусть лучше пьет.

Я постаралась сохранить невозмутимое выражение лица. Отличные слова — «пытаются несуществующую грязь отыскать». Похоже, Фекла забыла, что вся история Ирины Богдановой построена на лжи.

Но Фаина, как выяснилось из дальнейшего рассказа Шлыковой, была не самой главной проблемой Максима Антоновича. Основным врагом тщательно созданного проекта стала сама Ира. Пиар-компанией художницы-целительницы занимался Сердюков-младший, и, надо отдать ему должное, у него все прекрасно получилось. Вадик нашел борзописцев, которые за определенную мзду написали нужные статьи, остальные корреспонденты живо подхватили лакомую тему, и понеслось. После «чудного исцеления» Павлика в Беркутов хлынули родители больных детей. Со стороны прессы и паломников все складывалось лучше некуда. А вот с Ириной была беда.

Богданова делала, что ей на ум взбредет. Она искренне считала себя великой художницей, не желала выполнять никакие просьбы Максима Антоновича, не хотела понимать, почему должна отдавать «исполнялку» тому человеку, на которого ей указывает Обоев. Ирина ничего не знала об афере и однажды почти поставила проект на грань срыва, вручив «волшебную картинку» совсем не той тетке. Счастливая мать убежала, а на следующий день явилась со скандалом во двор — ее малышу стало значительно хуже, Владимир Яковлевич потерял последнюю надежду на его выздоровление. Буркину стоило больших трудов и денег уговорить женщину молчать.

После этого случая стало ясно, что Богданову нельзя выпускать к людям. И тогда Вадику пришло в голову осуществить рокировку. Почти спятившая от чувства собственного величия Ирина малевала в мастерской уродливые полотна, Илья Николаевич восхищался дочерью, а перед народом и журналистами появлялась вполне вменяемая Зоя, одетая в темный парик и замотанная в бесформенные платья-балахоны вкупе с шалями. Подмены не заметил никто. И все бы шло хорошо, но в один далеко не прекрасный вечер Зоя тоже слетела с катушек.

Максим, Катя и другие люди, знавшие об афере, отлично понимали: чтобы их общий бизнес благополучно процветал, Илье и Ирине надо сидеть тихо в доме. В общем-то, ни полусумасшедший Богданов, ни его ненормальная доченька никуда не рвались, их вполне устраивала нынешняя сытая, беспроблемная жизнь. Но у Ирины подчас случались истерические припадки. Начинались они всегда одинаково. Во время общего ужина Ира отодвигала тарелку и капризно заявляла:

— Меня никто не любит. Папа, мы уезжаем.

Илья Николаевич замирал с вилкой в руке, а дочь принималась кричать:

— Я работаю с утра до ночи, мои картины нужны людям, за ними стоит очередь! А вы меня не уважаете!

Крик перерастал в вопль, затем в судорожные рыдания. И это еще был самый легкий вариант, когда присутствующие мигом бросались к Богдановой, утешали ее, уводили в спальню и благополучно укладывали в кровать. Но иногда события развивались иначе. Ирина могла тенью выскользнуть во двор и, заливаясь слезами, пойти куда глаза глядят.

Понять, почему Богданова впадает в безумие, было не под силу нормальному человеку. Владимир Яковлевич стал давать художнице разные препараты, и тут выяснилось, что Ира принадлежит к редкой категории людей с парадоксальной реакцией на транквилизаторы и антидепрессанты. Приняв любую успокаивающую пилюлю, художница становилась совсем бешеной. Был лишь один способ держать ее в узде — бесконечно хвалить, говорить фальшивые комплименты, закатывать глаза, ахать и охать от восторга.

Беда случилась, когда Вадим отмечал свой день рождения. Младший Сердюков не имел большого количества друзей, общался лишь с членами своей детской компании, а новых приятелей не завел, поэтому за праздничным ужином оказались Катя, Фекла, Саша, внук Колесниковой, и представители старшего поколения: Максим Антонович, Игорь Львович с супругой Варей, Обоев, Степан Николаевич и, естественно, Илья Николаевич, Ирина и Зоя. Ах, да, Саша сидел за столом вместе с девушкой, которую звали Аней Фокиной. Последнюю никак нельзя было назвать совсем уж незнакомой, хотя она попала в дом Буркина впервые. Анечка училась вместе с Катей и Вадиком в одном институте.

Странная она была девушка, крайне обидчивая, подозрительная, очень ранимая, способная из одной мухи сделать трех слонов. Фекла, разговаривая с Аней, всегда старалась внимательно следить за своими словами, потому что Фокина могла неверно понять сказанное. А еще Аня совершенно не переносила критики и любое замечание, даже сделанное в чужой адрес, часто принимала на собственный счет. Услышав обидное, по ее мнению, высказывание, Анна спокойно улыбалась, и человек не понимал, что девушка оскорблена до глубины души. Но через неделю, десять дней, месяц, короче, по прошествии довольно длительного времени Фокина переставала общаться с провинившимся. То есть совсем — не разговаривала, не встречалась, не отвечала на телефонные звонки. А если случайно сталкивалась с ним, проходила мимо с таким видом, что сразу было понятно: к ней лучше не приближаться.

Почему, несмотря на ее противный характер, Вадик, Катя и Фекла общались с Анной? В нее был безответно влюблен Саша. Парень таскался за Анечкой, пытался оказывать ей услуги, заслужить ее благосклонный взгляд. Похоже, Фокиной нравилось быть объектом обожания. Она не сближалась с Сашей, но и не отталкивала его, держала при себе, как собачку, на коротком поводке. Близкие друзья только разводили руками, наблюдая за их отношениями, и надеялись, что вскоре Колесников надоест Фокиной.

И вдруг Аня ухитрилась поругаться с матерью, ушла из дома и заявила Саше, что более никогда не вернется в семью. Из-за чего произошла ссора, Шлыкова не знала, да ее и не интересовала причина, по которой Анна столь резко взбрыкнула. Но Фекле очень не нравилось, что Саша привез вздорную особу в Беркутов и поселил у своей бабушки. Отчаянно влюбленный Колесников рассчитывал, что теперь-то Аня поймет: лучше него никого нет — и согласится на брак.

Кстати, Фокина обладала артистическим талантом, умела прикидываться белой и пушистой и в два счета очаровала Колесникову. Наилучшее впечатление она произвела и на старших членов компании в тот злополучный день, когда отмечали годовщину рождения Вадима. Буркин, Сердюковы, Обоев, даже Илья Николаевич были восхищены милой, воспитанной девушкой.

Несмотря на то что праздник был у Вадика, за ужином все пели дифирамбы Ирине, именовали ее великой, гениальной, сравнивали с Леонардо да Винчи, говорили о созданных ею полотнах в мегапревосходной форме. Так продолжалось до момента подачи торта. Но едва десерт начали раскладывать по тарелкам, Зоя вдруг заорала:

— Перестаньте! Стыдно слушать!

Глава 32

Поскольку ранее во время комплимент-сессий Богдановой Зоя сидела, молча усмехаясь, никто от нее не ждал такого всплеска агрессии. А зря. Сейчас дочь Олеси Гавриловны кричала:

— Я работаю! Я хожу к паломникам! Я встречаюсь с журналистами! Я главная! Я, а не она!

Присутствующие заметно растерялись. Но тут на сцену выступила Ирина, которая не преминула исполнить арию под названием «Вы меня не любите».

Прежде чем Максим Антонович и остальные сообразили, как поступить, обе девушки, красные от злости, вскочили с места. Зоя бросилась к Ирине и с огромной силой, которую придал ей гнев, толкнула названую сестру в грудь. Богданова не удержалась на ногах, упала и угодила виском на острый угол стола.

Зоя не испугалась, наоборот, подбоченилась и выдала целый спич. Перечислила все свои детские обиды, вспомнила маму, которая, чтобы выйти замуж за Илью Николаевича, превозносила до небес Иру, называла ее мазюканье «графическим примитивизмом», заставляла собственную дочь во всем подчиняться Богдановой и даже рисовать в ее стиле. Зоя могла вещать долго, но тут Сердюков-старший, стряхнув с себя оцепенение, бросился к неподвижно лежащей Ире и воскликнул:

— Она умерла!

Представляете реакцию присутствующих? Все буквально онемели. Растерялись даже Обоев и Игорь Львович, объявивший о смерти девушки. Первым очнулся Илья Николаевич. Богданов встал, подошел к дочери и произнес:

— Ириша, вставай, не лежи на полу, простудишься. И зачем ты надела зеленые туфли? Сколько раз я тебе говорил, не форси, дома надо носить домашние тапочки, а не лодочки на каблуке.

— Я не виновата! — тут же зарыдала Зоя. — Она упала из-за неудобной обуви! Не сдавайте меня в милицию.

— Милиция уже тут, — буркнул Игорь Львович, имея в виду то, что сам работает в правоохранительных органах. — Без паники! Володя, посмотри, она точно не живая? Может, я, на счастье, ошибся?

Обоев присел у тела.

— Вскрытие назовет точную причину смерти, я могу предположить травму височной кости.

— Не живая? — повторил Илья Николаевич. — Что за ужас ты говоришь?

Владимир Яковлевич не успел сделать шага, как Богданов шлепнулся на колени, а потом лег на пол, растянувшись. Катя заплакала, Варвару стало трясти в ознобе, Фекла постоянно щипала себя за шею, боясь упасть в обморок. Относительное спокойствие сохранял один Сердюков-младший. Он позвал Марту и приказал ей:

— Немедленно вручаешь домработнице и тем, кто остался на кухне, деньги и отпускаешь домой. Скажи им: «Вадик в честь своего дня рождения хочет всем сделать подарки. Вот вам бакшиш, ступайте отдыхать!»

Убрав из коттеджа ненужных свидетелей, Вадим с отцом унесли тело Ирины в холодную кладовку. Зою напоили успокоительным и уложили спать. Илью Николаевича подняли с пола, кое-как довели до его комнаты и тоже уложили в постель. А потом состоялся военный совет.

Ни Саша Колесников, ни Анна не знали правды об Ирине. Но они стали свидетелями истерики Зои и случайного убийства ею дочери Ильи Николаевича, услышали весьма откровенные разговоры хозяев дома и поняли почти все.

Главные вопросы, которые задал вслух Максим Антонович, звучали так: что теперь будет с Ириной Богдановой? В смысле, кто станет исполнять роль художницы? По-прежнему Зоя? Но можно ли ей доверять после сегодняшнего?

Компания просидела до утра. В шесть Владимир Яковлевич пошел проверить, как там Зоя и Богда-

нов. Вернулся Обоев в тревоге: Илью Николаевича
парализовало, у него случился инсульт, а Зоя убежала через окно своей спальни. Присутствующие
впали в панику. Через два часа в коттедж придет
прислуга, а в кладовке лежит труп Ирины, и вообще...

И тут в беседу, впервые за ночь, вмешалась Аня.
Она предложила свою кандидатуру на место Ирины.
Естественно, за плату.

— Мне не нравится жить в лачуге у Саши, — откровенно призналась Фокина, — но мне идти некуда, и средств нет. Я готова поработать Богдановой,
пока вы не отыщете подходящего человека.

Владимир Яковлевич и Вадик дотащили обездви-
женного Илью Николаевича до машины и отвезли в
больницу. Старшего Богданова в городе не помнили,
новый пациент в клинике никого не удивил. Игорь
Львович и Степан Николаевич доставили тело Ирины к «замку людоеда» и забросали землей. Фокина
вернулась в избу Колесниковой, собрала все вещи
и тщательно вымыла не только свою комнату, но
и остальные помещения. Фекла, узнав, что Анечка
старательно отдраила дом, где жила, не сдержала
любопытства, спросила:

— Зачем ты так поступила?

И услышала в ответ:

— Мне показалось, что я должна принять меры
предосторожности.

Через день Аня надела парик, замоталась в ба-
лахоны-платки и стала весьма успешно изображать
Ирину. И никто из паломников и журналистов не
заметил подмены. Старую прислугу быстро рассчи-

тали, наняли других людей. Буркин и компания облегченно выдохнули.

Спустя некоторое время после дня рождения Вадима Саша уехал из города. Наверное, он понял, что Аня теперь совершенно для него недосягаема, и решил начать жизнь заново, подальше от провинциального местечка, где у него была не лучшая репутация.

Все катилось по накатанной плоскости до того момента, когда приезжий грибник решил собирать боровики в месте, которое давно пользовалось у жителей Беркутова плохой славой. То ли в спешке тело Ирины закопали не очень глубоко, то ли могилу размыло дождями, то ли еще по какой-то причине останки оказались на виду.

Не забудьте, что Сердюков был начальником милиции, вторым человеком в городе после Буркина и первым, кому доложили о перепуганном донельзя человеке с корзинкой. Игорь Львович успокоил мужика, взял у него показания и... отпустил домой, в Москву. Умолчать о находке было нельзя. Чертов любитель «тихой охоты» успел рассказать о ней дежурному и тем сотрудникам, что толпились рядом. Но время шло к вечеру, и Игорь Львович сказал коллегам:

— Завтра поедем. Сейчас темно, кости никуда не убегут.

Отправив подчиненных к семьям, он помчался к Буркину. У него родился план.

Меньше всего Игорю Львичу и всей гоп-компании нужно было расследование. На беду, накануне Сердюкову позвонил приятель из областного управления и предупредил: «Через десять дней к тебе нагрянут с инспекцией, подчисти все».

А тут неопознанные останки в лесу! Проверяющие могли вцепиться в это дело, начать его курировать, требовать отчета. И главный беркутовский мент решил ликвидировать неприятность до появления представителей вышестоящей инстанции. Как это сделать? Да элементарно — объявить, что скелет принадлежит пропавшей жиличке Колесниковой. Достав из сейфа заявление, которое ему принесла почти год назад Валентина Сергеевна, Игорь Львович полетел к мэру.

Куртка и ботинки, в которых Анна ушла из дома Колесниковой, были в полной сохранности. Фокина, изображая перед паломниками Богданову, никогда не надевала верхнюю одежду из дешевой синтетики и обувь из кожзама, в которой прибыла в Беркутов. Похоже, Анечка, до того как поехать к Саше, специально переоделась нищей девушкой. Почему? Сердюкова это не интересовало. Он просто прихватил шмотки, взял у Фокиной медальон и кинулся к «замку людоеда»...

Я во все глаза смотрела на Феклу. Что ж, вот и ответы на мои собственные вопросы, которые я задавала себе после беседы с Валентиной Сергеевной. Теперь ясно, по какой причине Игорь Львович не торопился искать Аню — он прекрасно знал, где та находится. А когда в лесу нашли тело, он вызвал старушку Колесникову, показал ей одежонку с украшением и добился от нее слов: «Да, это вещи моей жилички».

Вот только не надо спрашивать, почему никто из

других милиционеров не задался вполне резонными вопросами: например, по какой причине куртка, пролежав долгое время в земле, выглядит как новенькая. Никто из подчиненных не лез со своим интересом, местным ментам не хотелось портить отношения с начальством. Да и вообще им было все равно, чьи кости гнили в лесу.

А вот Валентина Сергеевна, когда у нее прошел первый ужас, прибежала к Игорю Львовичу и принялась задавать вопросы про крестик. Пожилая женщина высказала свое мнение: девушка никогда его не снимала, а раз на скелете креста нет, значит, останки принадлежат не Фокиной. И она сказала, что медальон, «найденный» на трупе, почему-то подозрительно чистый. Сердюков стал выкручиваться, врал, юлил, и бабушка Саши окончательно уверилась — в лесу нашли не Анну. Почему Валентина Сергеевна не поехала в область, не подняла шум? Колесникова сочла это бессмысленным, справедливо считая, что никто из милицейского руководства не примет простую пенсионерку, у которой нет ни денег, ни высокопоставленных друзей, ее отфутболят к какому-нибудь Ване, а тот звякнет Сердюкову... и все вернется на круги своя.

А Игорь Львович внезапно сообразил, какую совершил оплошность. Вдруг кому-то придет в голову задать простой вопрос: почему он до проведения экспертизы вызвал именно хозяйку дома, где жила Аня, как сразу догадался, кому принадлежат кости? И Сердюков вложил в коробочку с уликами фото, на котором были запечатлены Анна с Александром. Желая исправить один свой косяк, начальник от-

деления совершил другой: снимок-то был как но-
венький, явно не лежал в земле. Но менту повезло,
никто фото не заинтересовался. Короче, главный
беркутовский правоохранитель быстренько закрыл
дело. Причем не внес в базу данных сообщение о
том, что найдено тело Анны Фокиной. Ему же не
хотелось, чтобы в городок явились ее родственники.
Вот почему ни мать Ани, ни ее брат Костя так ничего и не узнали о судьбе девушки.

Вскоре Обоев дал приятелю фиктивную справку о
плохом состоянии здоровья, Сердюков уволился из
милиции и стал работать у Максима Антоновича...

Стоп, у меня остался один вопрос. Вероятно,
Фекла даст мне ответ.

— Почему Аня согласилась расстаться с медальоном? Это же семейная реликвия. Неужели Фокина
не понимала, что украшение к ней более не вернется?

Шлыкова зябко поежилась.

— Похоже, девчонка здорово разозлилась на
свою мать. Уж не знаю, что между ними произошло... Кулон она носила до того, как переехала к Буркину, потом сняла. Когда Игорь Львович попросил
медальон, Анна ответила: «Забирайте, но в обмен
на стоящую вещь». И Сердюков ей принес серьги
Вари, очень дорогие изумруды. Я не выдержала и
спросила, не жалко ли ей медальона?

Анна зыркнула на меня и сурово сказала: «Мне
нужны бабки, поэтому я тут и сижу. Медальон се-
мейный, а я с семьей дел иметь не желаю, он для
меня не память, не талисман, а обычный кусок зо-
лота. Сережки намного ценнее, отчего же не со-

вершить обмен. Вот крестик, хоть и копеечный, я никому не отдам. Я его получила... Да какая тебе разница, почему я медальон отдала! Не лезь ко мне! Не хочу вспоминать о родственниках!» Анна так разошлась, что я даже испугалась.

Так, так... Тут все вроде бы более-менее понятно. После этой встряски некоторое время в городке было просто чудесно. Беркутов, благодаря паломникам, хорошел. Буркин и компания богатели, Обоев почти все получаемые деньги вкладывал в клинику и сделал ее лучшей в области. Илья Николаевич слегка оправился после инсульта, сел в инвалидную коляску, ему наняли сиделку...

— А почему мэр оставил Богданова в своем доме? — встрепенулась я. — С какой стати Буркину заботиться о постороннем мужчине, тратить немалые деньги на уход за ним?

Фекла заморгала.

— Разве могло быть иначе? Максим Антонович замечательный человек, умный, добрый. То, что он придумал с Ирой, было затеяно для процветания Беркутова и его жителей. Исключительно ради людей!

— Мда... — протянула я. — У мэра и его друзей роскошные дома, машины и, полагаю, солидные счета в банках.

— Я не считаю деньги в чужом кармане, — неожиданно резко оборвала меня Шлыкова, — зато вижу, что местное население выбралось из нищеты. Илья Николаевич близкий друг Максима Антоновича, мэр не мог его оставить в беде. Буркин очень порядочный человек и за своих горой стоит. Даже речи не было, чтобы Илью Николаевича в специнтернат для одиноких больных отдать, он же там быстро умер бы. Нет! Максим Антонович ощущает ответственность за Богданова. Никто не виноват в смерти Ирины, произошел глупый несчастный случай. Ну да, мы скрыли факт кончины Иры, но думали о населении Беркутова. Люди только голову подняли и опять в яме тонуть? Ведь если иссякнет поток паломников, что станет с городом?

— Не будем спорить, — миролюбиво сказала я. — И что, Аня до сих пор играет роль Богдановой?

— Нет, — выдохнула Фекла. — Она всех поставила в идиотское положение. Однажды не вышла к завтраку, и Максим Антонович решил, что девица хочет поспать подольше, велел ее не будить. Но когда она и к обеду не появилась, Буркин, конечно, забеспокоился. Поспешил в ее комнату, увидел застеленную кровать, шкаф без вещей и обнаружил записку: «Прощайте, вы мне надоели. Аня».

— Куда она отправилась? — подскочила я.

Шлыкова пожала плечами.

— Тайна, покрытая мраком. В пять тридцать утра у нашего вокзала на одну минуту останавливается поезд «Москва — Воркута». Анна Фокина билет не покупала, мы проверяли, но ведь можно уехать инкогнито, просто заплатив проводнику. От столицы до Полярного круга много километров, мало ли где она сошла.

— Верно, — кивнула я. — Значит, Аня жива?

Фекла округлила глаза.

— Сейчас? Понятия не имею. Мы о Фокиной больше ничего не слышали. Когда она убегала из

Беркутова, была вполне здорова, имела при себе деньги. Максим Антонович отлично ей платил.

— Ты лучше не про Фокину вещай, а говори о том, как Буркин поступил дальше! — приказала Зинаида Борисовна.

Лично меня интересовала только судьба Анны, но я решила дослушать рассказ Феклы до конца.

Глава 33

Говорят, в жизни все случается дважды. Не знаю, насколько верно сие утверждение, но в отношении Максима Антоновича и компании оно сработало без осечек. Бизнес, построенный на вранье, после бегства Фокиной второй раз оказался на грани краха. Выход из положения неожиданно подсказал Обоев. Владимир Яковлевич мечтал приобрести для клиники современный томограф, и он испугался, что паломники, к которым перестанет выходить Ирина, быстро разбегутся, денежный ручей иссякнет и больница не обзаведется современным диагностическим оборудованием. Поэтому он предложил:

— Роль Ирины может сыграть моя жена Людмила.

Владимир Яковлевич женился снова вскоре после смерти Татьяны. Никто Обоева не осудил, все знали, каково ему пришлось — врач потерял почти одновременно и супругу и сына. В год, когда случились оба несчастья, на Владимира Яковлевича было страшно смотреть, он не заходил домой, переселился в рабочий кабинет. Старшая медсестра ухаживала за начальником и очень быстро окрутила его. Всем было понятно: Людмила — хитрая и корыстная особа, которая просто использовала удачно подвернувшуюся возможность изменить свою жизнь к лучшему. А главврачу нужна была женщина, способная вести домашнее хозяйство. Любовью в этом браке и не пахло. Хотя Люда направо и налево вещала о своих горячих чувствах к мужу, ей почему-то никто не верил. Люди знали, что больше всего на свете новая жена Обоева любит шопинг, тратит на покупки все сбережения главврача и постоянно устраивает ему скандалы с припевом: «Дай мне побольше денег». Владимир Яковлевич давно понял, что совершил ошибку, связавшись с Людой, но они не разводились. Почему? У Феклы нет ответа.

Максим Антонович обрадовался предложению друга. Мэру очень не хотелось нанимать актрису, то есть привлекать к авантюре постороннего человека, у компании уже был печальный опыт с Фаиной Максимовой. Хорошо хоть от алкоголички-тихушницы можно было откупиться продуктами. А Людмила какой-никакой, но близкий человек, тайна останется в своем кругу.

Буркин переговорил с ней, и был заключен договор. В отличие от Зои и Анны, Обоева будет жить дома, утром будет приходить в особняк мэра, а вечером уходить назад, благо дома врача и главы города разделяет общий забор с калиткой.

Чтобы ее подруги не удивлялись, куда на целый день исчезает Люда, Владимир Яковлевич сообщил, что супруга пишет книгу, поэтому ездит собирать материал, часто посещает редактора. Но ему никто не верил, народная молва живо разнесла слух: бывшая медсестра носится в столице по магазинам.

Частично это было правдой. Жена Обоева имела выходные дни (ей не всю неделю приходилось исполнять роль Богдановой), и у нее наконец-то появились приличные деньги. Людмила потребовала купить ей машину, гоняла в Москву и «шопилась» там от души. Ясное дело, ей хотелось показать новые шмотки, и она, дождавшись свободного часа, обязательно шла в людное место, разодетая, словно поповна на Пасху. Злые языки тут же перемололи все по-своему, местные кумушки считали, что Люда с утра до ночи проводит время в столичных магазинах.

Месяц назад симпатичная иномарка Обоевой сгорела. Ничего криминального с машиной не случилось — в ней замкнуло проводку. Пожар потушили быстро, но у местных опять родилась своя версия: Владимиру Яковлевичу так опостылело поведение жены, что он уничтожил тачку, чтобы лишить супругу возможности мотаться в Москву и там профукивать наличность. В действительности Людмила тратила собственные деньги, и у них с Обоевым установились нормальные, дружеские отношения.

И опять все вроде утряслось. До того дня, когда в Беркутов прикатила писательница Арина Виолова.

Визиту литераторши местный царек и его окружение не обрадовались, но и тревоги не испытали. До сих пор, правда, знаменитости к художнице не приезжали, но Максим Антонович был спокоен. А вот Обоеву очень не понравилось желание Виоловой проинтервьюировать Ирину. Главврач высказал мэру свое мнение по этому поводу, Буркин разумно ответил:

— Принять Виолу Тараканову меня попросил сам Корсаков, я не мог отказать Борису Ивановичу. И совсем неплохо, если она состряпает книгу, где в центре сюжета окажется история Богдановой, нам нужен пиар.

Фекла перевела дух, взяла стакан с маленького столика и принялась пить воду. Я терпеливо ждала, пока она утолит жажду. Хорошо помню случайно подслушанный мною в день приезда разговор в кафе. Главврач очень злился из-за предстоящего визита писательницы. Наверное, боялся, что его жена не сможет правильно поговорить со мной.

Фекла вернула на столик пустой стакан и продолжила историю.

Обоев пытался убедить Максима отказать писательнице, но Буркин остался непреклонен. Знаменитость ждали где-то к полудню. В районе половины двенадцатого Людмила должна была прийти в дом мэра, облачиться в одежду Богдановой и в очередной раз исполнить хорошо выученную роль. Но Люда не появилась. Игорь Львович поспешил к Обоеву, ему даже не понадобилось входить в дом, чтобы понять: случилось несчастье. Люда лежала во дворе, она была мертва. Судя по открытому настежь окну спальни, супруга Обоева свалилась со второго этажа и сломала шею...

Я выпрямилась и сменила позу. Меня привели в дом Буркина, оставили одну в комнате, а Максим Антонович именно в этот момент узнал о смерти Люды. Я слышала беседу Сердюкова, мэра и Обоева, но слова «она ушла от нас» никак не связала с чьей-то смертью. На что угодно готова спорить: в момент гибели на бедняжке Людмиле были туфли, похожие на те, что надела в день своей кончины Ирина. В тот момент, когда Игорь Львович и Вадим (я уверена, что это были именно они) подняли труп Людмилы, к забору, отделяющему особняк мэра от дома врача, подрулил на инвалидной коляске Илья Николаевич. Обоеву удалось частично реабилитировать больного, он просится в туалет, самостоятельно ест, пьет, а еще ему нравится удирать от сиделки. Что он и проделал в тот день. Думаю, Богданов услышал голоса, поставил свое кресло вплотную к изгороди и прильнул глазом к щели между досками.

И что же он увидел? Тело женщины на земле, мужчин, которые пытаются его поднять, а главное, зеленые туфли, валяющиеся рядом. Зеленые туфли! В мозгу Ильи Николаевича моментально оживает другая картина, и ему кажется, что он сейчас снова в гостиной и видит, как умирает его обожаемая дочка Ирочка. Вид туфель деморализует несчастного, он спешно катит к дому, и тут проявляется сиделка. Богданов боится Валентину, та заботлива лишь при посторонних, но, оставшись с беднягой наедине, может отвесить ему оплеуху. Валентина незамедлительно дает подопечному пару затрещин, увозит его, не зная, что за сценой тайком наблюдает Фаина Максимова, явившаяся в дом мэра за очередной «данью». Вечером Илье Николаевичу удается снова ускользнуть от своего «цербера», он вкатывается в столовую, где сижу я с Буркиным и компанией... Ну да остальное известно.

Я оперлась руками о колени и чуть подалась вперед:

— Жена Сердюкова умная женщина. Поняв, что «выступление» Богданова может произвести плохое впечатление на гостью из Москвы, Варвара дает понять мужу, что нужно переключить ее внимание, и отправляет Игоря Львовича и вас «за шалью». А через считаные минуты в столовую входит Ирина, супруг же возвращается с пустыми руками. Фекла, роль художницы играли вы?!

— Верно, — кивнула Шлыкова. — Как вы догадались?

— Зачем посылать за платком двоих... — скривилась я. — И, полагаю, «исполнялку» из машины мне тоже дали вы?

Фекла снова кивнула, а я продолжила расспросы:

— У Ильи Николаевича действительно случился новый инсульт?

— Да, — подтвердила Шлыкова, — его отвезли в больницу, но прогноз плохой.

— Конечно, — пробормотала я, — человек во второй раз пережил смерть обожаемой дочери. Что же произошло с Людмилой? Почему она выпала из окна?

Шлыкова поежилась.

— У Люды была гипертония и вегетососудистая дистония. Владимир Яковлевич прописал жене таблетки, которые требовалось глотать по утрам. Обоев любит повторять, что сейчас стыдно страдать от повышенного давления, оно в большинстве случаев хорошо корректируется медикаментами. Но Люда была такая безалаберная! В понедельник слопает лекарство, во вторник-среду-четверг забудет, а в пятницу спохватится и двойную дозу — хвать! Владимир Яковлевич ее очень ругал, говорил, что дозировка строго рассчитывается по весу, и вообще ни с одним препаратом нельзя пропускать прием или «догоняться» удвоенной дозой. А от дистонии Обоев велел пить ей другое средство, которое уменьшает головокружение. Но только жена его так же принимала. Сколько раз Людмила на моих глазах вдруг пошатывалась, или ее от стены к стене кидало, а пару раз она даже падала. А еще она частенько требовала: «Откройте окна, воздуха не хватает, жарко очень». Но спустя минуту заявляет: «Ужас как холодно, меня трясет». Так вегетососудистая дистония и проявляется — человеку то дышать нечем, то его в ознобе колотит, и голова кружится. Сейчас все думают, что Людмила в очередной раз свои лекарства не приняла или, наоборот, тройную порцию слопала, распахнула окно, ее повело и — бумс!

— Мда, логично... — протянула я. — А где тело несчастной?

Шлыкова обхватила плечи руками.

— В надежном месте, в морге больницы. После вашего отъезда Людмилу похоронят.

Я привстала.

— Зачем прятать труп, если смерть не криминальная?

Фекла расправила на коленях юбку.

— Максим Антонович так велел. Сказал: «У Таракановой репутация бабы, которая везде сует свой нос. Услышит, что Люда из окна упала, ни за что не поверит в несчастный случай. Мы от литераторши тогда вообще не избавимся, начнет тут копать. Постараемся ее назад отправить, а Люду погребем после того, как на дороге пыль за машиной Арины уляжется». Но вы все никак не уедете.

Я иронично усмехнулась, а Шлыкова продолжала:

— Мне велели подготовиться как следует и сегодня во время полдника снова изобразить перед вами Ирину. В прошлый раз за ужином мне все спонтанно делать пришлось, поэтому я лишь показалась и ушла, а сейчас должна буду вам отвечать. Пока новую Богданову не нашли, я ее заменю. Понимаю, о чем вы думаете! Знаете, у врачей все люди больные, психиатры считают окружающих сумасшедшими, учителя полагают, будто мир состоит из двоечников и отличников. Вы пишете криминальные романы, вот и думаете в первую очередь об убийстве. Но ее смерть и правда несчастный случай. Зачем кому-то убивать Людмилу? Ну да, она обожала покупать одежду, бижутерию, а потом ходить по городу, демонстрируя новинки. О жене Обоева сплетничали, несли глупости, вокруг ее имени роились слухи. Люду недолюбливали в основном, конечно, бабы, которые ей просто завидовали. Как же, торчит дома, не работает, сорит деньгами мужа... Покажется Владимир Яковлевич в больнице с озабоченным лицом, народ давай шептаться: «Вот несчастный мужик! Опять с супругой поругался, та всю семейную кассу в ЦУМе-ГУМе оставила». Но на самом-то деле все было не так. Людмила просаживала свою зарплату, ту, что ей Буркин платил. И она хорошо работала, всегда четко выполняла указания Максима Антоновича, ни разу не подвела его. С мужем не ругалась, у них, наоборот, отношения окрепли, ни разу после того, как Люда стала изображать Ирину, супруги не повздорили.

— Вы это уже говорили, — попыталась я остановить Феклу.

— И еще сто раз повторю! Короче, незачем было лишать жизни Обоеву. Да еще в день вашего приезда в город. Все наши буквально на уши встали, чтобы вы ничего не заподозрили. Только новой Богдановой пока нет, а вы уезжать без интервью не хотите. И вы сами говорили про Илью Николаевича. От него столько проблем, столько денег на его содержание идет: сиделка, лекарства, всякие процедуры. Намного проще сдать Богданова в приют, он по документам одинокий инвалид, государство обязано его под свое крыло взять, но Максим Антонович с ним возится. Почему? Ответ один: мэр интеллигентный человек, не способный бросить друга в беде. А Фаина? С Максимовой было заключено устное соглашение, ей выплатили большие деньги за то, что актриса-пьянчужка с сыном разыграли спектакль. И домик на Льва Толстого Фае даром достался, живи себе не хочу. Буркин не стал бабу из города гнать, распорядился ей продукты давать. Почему? И снова тот же ответ: Максим Антонович интеллигентный человек. А если б хотел от Фаины избавиться, давным-давно велел бы ее убрать. Получается, столько лет ее кормил, а сейчас пожар устроил? Наш мэр не способен на убийство.

— Он мошенник, — отчеканила долго молчавшая Зинаида Борисовна. — Махинатор-комбинатор.

Фекла вздернула подбородок.

— Не для себя старается! Посмотрите, как город

расцвел, народ разбогател. Знаю, вы не любите Буркина, но будьте объективны.

— Сама глаза раскрой! — ринулась в бой Руднева. — Кто особняк отгрохал? Машины шикарные
себе и Катьке купил? Девчонка ходит в шубе из со-
боля, по кольцу с брильянтом на каждом пальце!
Сколько Сердюковы, Матвеев и Буркин себе на-
гребли? Один Обоев приличный, денежки в клинику несет, но это не оправдывает мошенничества.

— Хотите, чтобы город снова впал в нищету? —
воскликнула Фекла. — Мне все равно, сколько у
кого миллионов или хоть миллиардов, но и простым людям сейчас живется хорошо.

Только я хотела прервать спор, как раздался звонок в дверь.

Глава 34

— Зинаида Борисовна, вы кого-то ждете? — насторожилась я.

— Нет, — пробормотала Руднева.

— Нельзя, чтобы меня тут увидели, — занервни-
чала Фекла.

— Сидите тихо, — приказала хозяйка и пошла в
прихожую.

Спустя мгновение мы услышали ее голос:

— Кто там?

— Тетя Зина, открывайте, это я, — закричали с
лестницы. — Мы с Валериком к тебе сюрпризом,
гостинцы из Москвы привезли.

— Погоди, Аля, — ответила Зинаида, — сейчас
впущу, только оденусь, в ночной рубашке я.

— Хорошо! — заорала нежданная посетительница.

Руднева быстро вернулась к нам.

— Это дочь моей лучшей, ныне покойной, подруги. Она любит со своим сыном свалиться как снег на голову. Фекла, уходите чердаком.

Жена Вадима быстро встала и на цыпочках прокралась в холл. Я, тоже соблюдая осторожность, двинулась за ней. Открыв шкаф, мы поднялись в башенку, Шлыкова распахнула дверь, и передо мной снова появились ступеньки.

— Там чердак, — произнесла Фекла, — пройдем через него и спустимся по пожарной лестнице. Не бойтесь, она удобная. Не железная, не снаружи здания, а обычная, внутри дома. Выйдем через задний двор. Он крохотный, всегда пустой. Жильцы черным ходом никогда не пользуются.

Когда мы очутились внутри пыльного, заваленного всякой ерундой чердака, я, шагавшая позади, воскликнула:

— Какая у тебя махрушка! Желтый пион... У Марты есть похожая.

Шлыкова остановилась и неожиданно гордо сообщила:

— Это мое хобби, я делаю разные аксессуары — браслеты, сережки. Но наибольшим успехом пользуются резиночки для волос.

— Очень красивые, — похвалила я. — А мне можно купить?

— Я их не продаю, — улыбнулась Фекла. — Какого цвета хотите?

— Желтую, как у тебя, — сказала я. — Очень оригинальная! Ты кому-то еще такие делала? Марте?

— Нет, у нее все в темно-красной гамме, — пояснила Шлыкова. — Катя любит голубые, Ольга синие. Охряные исключительно у меня. Почему-то людям этот цвет не по душе.

— Необыкновенно красивый аксессуар, — повторила я, — но он вроде не очень прочно волосы держит, соскальзывает.

Фекла пощупала «хвост».

— Я взяла один раз шелковый материал, сделала из него несколько штук, поняла свою ошибку и опять перешла на хлопковую ткань.

— А зачем ты бегаешь через тоннель с трубами в дом Раисы Кузьминичны? — в лоб спросила я.

Шлыкова попятилась.

— Кто, я? Куда? Ну и глупость вы спросили! Зачем мне ходить к Силантьевой?

Я достала из кармана желтый «пион» и слукавила:

— Я нашла это в подземной галерее. Феклуша, не ври, тебя видели двое местных детей. Не спрашивай, зачем они полезли в люк. Ребята слышали условный стук: тук-тук, тук, тук-тук-тук, тук. Надеюсь, я точно его воспроизвела, не ошиблась.

Фекла медленно опустилась на какой-то ящик, стоявший на пути, а я продолжала:

— И еще одно. Извини, но ты никак не могла считаться хорошей партией для обеспеченного Вадима. Однако, несмотря на твое простое происхождение и полное отсутствие приданого, младший Сердюков повел тебя в загс. Ладно, я могу предположить, что он вдруг страстно полюбил подругу детства, а родители, готовые на все ради счастья сына, с распростертыми объятьями приняли нищую невестку. Но я в изумлении: Фекла, почему ты сейчас столь откровенно беседовала со мной? Зинаида Борисовна ненавидит Буркина, использует тебя в качестве шпиона, ты докладываешь Рудневой обо всем, что происходит в доме. Чего ради? Ведь ты вроде любишь Вадима, но рискуешь потерять его. Зинаида ждет, что я опубликую книгу, в которой расскажу правду про Ирину Богданову, назову по именам действующих лиц. Роман я пишу за месяц, потом его готовят к печати. Сейчас весна, а в сентябре, во время Московской международной книжной ярмарки, новинка уже будет презентована читателям. И что тогда произойдет? Как скоро Буркин и К° догадаются, кто предатель? Думаешь, Вадим останется с тобой, когда все пойдет прахом?

Фекла закрыла лицо руками и затрясла головой.

— И тем не менее ты была предельно откровенна, — не останавливалась я. — Мне пришло в голову лишь одно объяснение: тебя шантажируют. Руднева узнала какую-то твою тайну и эксплуатирует тебя. Твой секрет как-то связан с Раисой Кузьминичной, да? Хочешь мой совет? Расскажи обо всем Вадику. Если он тебя по-настоящему любит, то непременно поможет. Нельзя потакать шантажисту, такие люди никогда не успокаиваются. Зинаида Борисовна будет мучить тебя всю жизнь.

Фекла подняла голову, из ее глаз хлынули слезы. Она попыталась вытереть их руками, но заплакала еще сильней.

— Мы не хотели... это вышло случайно... Игорь Львович приказал молчать... Зинаида знает, я не понимаю откуда... он не хотел... она докапывалась... я ей вроде подруга теперь... Ой, больше не могу, мне так плохо, так плохо!

Я опустилась на ящик возле Феклы и обняла ее за плечи.

— Тише. Сейчас что-нибудь придумаем. Из любой беды можно найти выход.

Но Шлыкову заколотило в ознобе.

— Нет! — закричала она. — Мы его убили! Как такое исправить?

Едва слова прозвучали, Фекла зажала обеими ладонями себе рот. Но поздно, я уже все поняла.

— Вы лишили жизни Юру Силантьева?

Феклуша уронила руки.

— Мы не хотели, он сам упал туда.

— В колодец у «замка людоеда»? — предположила я.

Шлыкова прижалась ко мне всем телом и зачастила:

— Я больше не могу молчать. Мне жаль Сашу! Он страдает. Его мучают. Юру уже не вернуть. Я одна во всем виновата. Я почти не сплю. Только закрою глаза, как он сразу тут. Месяц назад мне Юра привиделся, сидит на бортике колодца и смеется: «Привет, Фека. Скоро я тут не один буду, Сашка вот-вот придет». И я поняла: Колесников умрет. Но что же делать, а?

— Сашу кто-то похитил? — осторожно спросила я. — И ты знаешь, где он?

В ответ — кивок.

Я погладила Феклу по спине.

— Александр пока жив, но над ним издеваются, и он может умереть?

Снова утвердительное движение головой.

— Если Саша погибнет, ты до конца дней будешь винить себя в его смерти, — тихо сказала я. — Скажи мне, где находится Колесников?

— Но тогда Сашка расскажет правду, — пролепетала Фекла, — выдаст нас. Вадима накажут. Я больше не могу! Господи, как страшно... Я спасала Вадика и Катю. Они не знают. Никто не в курсе...

Шлыкова обняла меня, прижалась лицом к моей груди и неожиданно разоткровенничалась.

...Вадик, Юра, Саша, Гарик, Катя и Фекла, будучи подростками, весело проводили время. Как бы школьники ни хулиганили, они знали: Игорь Львович всегда их выручит, постарается ради горячо любимого сына. И старший Сердюков оправдывал их надежды.

Юный возраст — время влюбленности. В компании был свой треугольник: Юра обожал Шлыкову, Фекла любила Вадима, а тот был равнодушен к ней.

Обычным местом сбора у ребят был «замок людоеда». Старшеклассники облазили все развалины, изучили буквально каждый камень и обожали пугать случайных прохожих. Если они видели, что кто-то вечером идет по тропинке в сторону развалин (некоторые жители Беркутова пытались таким образом срезать дорогу до дома), тинейджеры начинали выть на разные голоса. Как правило, люди пугались и удирали. А после того как Саша, замотавшись в простыню, выбежал на тропинку и начал прыгать перед какой-то остолбеневшей теткой, в Беркутове всерьез заговорили о привидениях.

Один раз безобразники, скучая, курили около колодца. Вадик, решив подначить Силантьева, сказал:

— Слышь, Юрка, если десять раз пробежишь сейчас по краю, Фекла тебя поцелует.

Тут надо сказать, что пресловутый колодец, откуда ранее добывали воду, представлял собой глубокую яму, из которой над землей торчало нечто, похожее на гигантскую трубу, обложенную неровно обтесанными камнями. Парапет, через который следовало перегнуться, чтобы бросить вниз ведро, был довольно узким, — стены трубы были толщиной с гимнастическое бревно и поднимались над уровнем земли примерно на метр.

— Не, он испугается, — лениво обронил Гарик Обоев.

— Юрка ваще трус, — подхватила Катя.

— Идите вы все! — возмутился Силантьев. — Че я вам, дурак, носиться по кольцу?

— Зато тебя Фека поцелует, — заржал Саша.

Юра покраснел.

— Она не станет.

— Точно не буду! — рассердилась Фекла.

— А если я тебя попрошу? — спросил Вадик. — Ну, ради меня...

— Ладно, — быстро согласилась Шлыкова. — Только при условии, что он десять раз пробежит без остановки, иначе фигушки.

— Давай, Юрок, вперед! — потребовал Гарик.

Силантьев стал отнекиваться, но Обоев прице-
пился к нему, подначивал и подначивал Юру, обзы-
вал его трусом. В конце концов тот залез на бордюр
со словами:

— Только поцелуй взасос!

— Ага, — хихикнул Гарик, — на счет «три»!

Фекле, предполагавшей в случае согласия Юры
на опасное приключение просто чмокнуть Силантьева в щеку, идея не понравилась. Но Юра уже
подошел по кругу.

— Не хочу его целовать, — шепнула Феклуша на
ухо Вадику.

— И не надо. Ща у него голова закружится, и
Юрка свалится, — пообещал Вадик. А Гарик закричал:

— Быстрей! Раз-два!

Подростки начали хлопать в ладоши. Ритм убыст-
рялся, Силантьев побежал. Шестой круг, седьмой...

Фекла испугалась — никак ей действительно придется целоваться с Юркой.

— Сделай что-нибудь, — зашипела она на ухо
Вадюше.

— Спокуха, — ответил тот и внезапно выставил
прямо перед Юрой руку.

Силантьев не успел затормозить. Вероятно, он
даже не понял, что приятель решил сподличать. Гарик же именно в эту секунду заорал:

— Чего тащишься? Раз-два!

Юра налетел на вытянутую руку Сердюкова и
упал. Вадик рассчитывал, что приятель шлепнется
на траву или просто соскочит на землю, но Силантьев, оступившись, полетел в колодец. Он даже не

вскрикнул, до ушей приятелей донесся лишь глухой стук. И все.

Посмотреть вниз отважился один Саша.

— Он мертвый, — прошептал Колесников, — лежит неподвижно, голова лицом к спине повернута.

Подростки запаниковали и разбежались по домам, твердо договорившись, что никогда никому не расскажут о происшествии.

Первым раскололся Саша.

На следующий день после происшествия Колесников не пошел на занятия, а купил у местной бабки-самогонщицы бутылку, сел в укромном месте и выпил почти половину. Потом побрел домой и по дороге столкнулся с директором школы. Степан Николаевич стал ругать парня, а тот возьми да и признайся в убийстве Силантьева.

Услышав, кто повинен в смерти Юры, Матвеев отвел Сашу к себе домой и позвонил Сердюкову. Игорь Львович допросил Вадика с Феклой и кинулся к Максиму Антоновичу. Буркин ринулся к Обоеву. Владимира Яковлевича сразу не нашли, об ужасном происшествии узнала Татьяна Обоева. Мать Гарика свалилась с сердечным приступом и умерла через пару часов.

Старший Сердюков приказал всем детям молчать. Ночью Игорь Львович, Максим Антонович и Степан Николаевич тайком достали тело Юры из колодца и положили на землю. Утром труп «случайно» нашли, и глава городской милиции объявил о появлении в городке сексуального маньяка, якобы уже отсидевшего срок и отпущенного с зоны домой...

Фекла опять закрыла лицо ладонями, я начала гладить ее по спине.

Ну, теперь понятно, по какой причине директор учебного заведения стал близким другом мэра и главного местного мента, ставшего затем правой рукой градоначальника, — Степан Николаевич помог их детям избежать наказания. Несмотря на то что ребята не имели злого умысла, они все же убили человека. Вполне вероятно, их могли отправить в спецшколу.

Матвеев человек умный. Он знал, до какой степени любопытны дети, понимал, что среди ребят Беркутова непременно найдется парочка-тройка особенно смелых, способных отправиться к «замку людоеда» и играть там в сыщиков. Вдруг юные пинкертоны и впрямь что-то найдут? Что, если им попадется не замеченная Игорем Львовичем вещица, свидетельствующая о том, что Юра был у колодца не один, а со своими лучшими друзьями? Или Степан Николаевич испугался за жизнь других школьников, которые тоже могли свалиться в колодец? Я не знаю, чем руководствовался Матвеев, но он подбросил во двор музея дорогую монету и распустил слух о спрятанном там кладе. Директор добился ожидаемого эффекта: дети разом забыли про развалины в лесу и принялись перекапывать дворик.

И еще мне стало ясно, по какой причине компания отвязных подростков внезапно перестала безобразничать, взялась за ум и ударилась в учебу. Юнцы сильно испугались и присмирели, когда им удалось выскочить чистыми из жуткой истории. Позже Вадик и Катя оказались в одном институте,

Саша отправился в армию, а Фекла нашла работу в Беркутове. О девочке начал заботиться Игорь Львович, фактически став ее опекуном.

Шлыкова опустила руки и чуть отстранилась от меня.

— Мы были разбиты, но старались держаться. А вот Гарик...

Младший Обоев словно сошел с ума. Он постоянно твердил, что виноват в смерти мамы и друга, плакал. Владимир Яковлевич поил сына транквилизаторами, но лекарства почему-то не помогали. На кладбище Гарику стало совсем плохо. Юру Силантьева и Татьяну Обоеву хоронили в один день, мальчик метался между двумя процессиями, рыдал, и в конце концов его увезли домой. Ну а затем Гарик покончил с собой.

Остальные члены компании оказались более устойчивыми психически.

Шло время, история с Юрой стала казаться Фекле миражом. Ну, словно ей приснился дурной сон. Вообще говоря, друзьям детства надо было перестать общаться, но они, наоборот, только крепче сдружились, превратились почти в родственников. Повзрослевшие подростки никогда не вспоминали Силантьева, вели себя так, словно Юры не было. Вадим женился на Фекле, и все вроде шло нормально, но тут из армии вернулся Саша. В отличие от приятелей, Колесников за ум не взялся, на воинской службе он научился лишь одному: пить все, что наливается в стакан.

Глава 35

Вернувшись домой, Александр ушел в запой. Потом стал везде таскаться с Вадиком, ждал его после лекций, тянул в кафе или клуб, стонал о безденежье. Сердюков пару раз пытался пристроить друга на работу, но кому нужен человек, постоянно заглядывающий в бутылку? Но вот, слава богу, Колесников познакомился с Аней Фокиной, влюбился в нее, привез к бабушке и вроде стал вести трезвый образ жизни. Фекла была очень рада этому обстоятельству. Ну а затем на день рождения Вадима погибла Ирина, и Аня переехала жить в дом Буркина. И вдруг нагрянул новый форс-мажор.

Крохотный переулок, в котором стоит дом Силантьевой, тогда не был перегорожен забором, но Фекла всегда старалась обходить жилье Раисы Кузьминичны стороной. А в тот день почему-то пошла мимо знакомой калитки и была остановлена старухой. Та выглянула из окна и велела:

— Зайди в дом!

— Зачем? — пискнула девушка. Однако послушалась.

Силантьева не предложила Фекле сесть (беседа состоялась в сенях), просто сказала ей:

— Я знаю, как погиб Юра.

— Он попал в руки к маньяку, — прошептала перепуганная жена Вадима.

Пожилая женщина схватила Феклу за плечо костлявыми пальцами.

— Сроку тебе сутки. Иди, поразмышляй и возвращайся.

— О чем размышлять? — дрожащим голосом уточнила Шлыкова.

— Ты мне говоришь, кто из вас столкнул Юру в колодец, я его накажу, и делу конец, — заявила Силантьева. — Остальных не трону. Живите, дышите. Знаю, вы с Катькой ни при чем. Ну, так кто? Вадим или Сашка?

— Откуда вам известно про колодец? — в обморочном состоянии прошептала Фекла.

Раиса Кузьминична грубо оттолкнула девушку, усмехнувшись.

— Поймала я тебя. Точно не знала, да догадалась. Очень уж вы, бывшие друзья сына, меня избегаете, мимо дома пройти боитесь. А еще нашлись люди, которые подсказали, что на теле бедного Юрочки были не те травмы, которые маньяк оставляет. Ну, всего я тебе сообщать не намерена. А ты сейчас своим вопросом мои догадки подтвердила. Повторяю: даю тебе сутки. Через двадцать четыре часа назовешь мне имя. Много я времени потратила, думая над тем, как умер Юра, подожду еще чуть-чуть.

Шлыкова бросилась домой. Она хотела поговорить со свекровью, но Варвара была очень расстроена.

— Игорь с Вадимом в Москву поехали, а сюда только что приходил Колесников. Представляешь, наглец попытался меня шантажировать, заявил: «Давайте денег, иначе я расскажу правду про Богданову».

— Не платите ему! — испугалась Фекла. — Надо Сашке сказать: «Если распустишь язык, мы про Юру заявим, и тебе больше всех достанется, потому что ты Силантьева подначивал, из-за тебя он по бордюру побежал».

— Но он тогда про Вадика расскажет... — возразила Варя. — Нет, всем надо молчать. Черт, мужа с сыном, как назло, нет, вернутся лишь завтра. Что же делать? Как избавиться от Александра? Нет, каков мерзавец. Мы его считали своим, а он...

Свекровь схватилась за грудь и осела на диван. Фекла знала, что у Варвары больное сердце. Ей нельзя нервничать! Невестка быстро принесла ей лекарство и поняла, как надо действовать. Сама судьба подбросила шанс, подсказала, каким образом заставить шантажиста замолчать: на него нужно натравить Силантьеву. Бабка настроена решительно. Наедет на Александра, тот испугается и сбежит из Беркутова.

Шлыкова помчалась к старухе. Едва Раиса Кузьминична открыла дверь, Фекла зашептала:

— Сашка Колесников его пихнул!

Силантьева втащила девушку в избу, подвела к темному образу и велела:

— Повтори имя перед Богородицей да перекрестись трижды.

И Фекла выполнила приказ.

— Хорошо, — кивнула пенсионерка. — Прямо сейчас приведи его ко мне.

— Зачем? — на всякий случай поинтересовалась Шлыкова.

— Скажи, я помираю, хочу перед смертью проститься, — буркнула бабка. — Не чужой он мне, сколько тут разов бывал, чай пил. А как Юрочка погиб, ни разу не заглянул. Я ему скажу кое-какие слова, и не будет больше парня в Беркутове, никто его здесь никогда не увидит.

Фекла пошла к Саше, радуясь, что все рассчитала правильно. Дома бывшего друга детства не нашла, обнаружила его в местном клубе. Неизвестно, как бы Александр отреагировал на просьбу Феклы, находись он в трезвом состоянии. Но парень принял хорошую порцию водки, поэтому возражений у него не было.

По дороге пьяницу совсем развезло, Фекла его почти тащила.

Силантьева прямо на пороге протянула Саше стакан с каким-то напитком, тот разом опустошил его, осел на пол и свалился на домотканую дорожку.

— Вы обещали его из Беркутова выгнать, а сами отравили! — испугалась Шлыкова.

— Нет, — зло каркнула старуха, — он долго жить будет. Это всего-то успокоительное. Просто на спиртное легло, вот мерзавец и лишился сознания. Ну-ка, помоги...

С этими словами бабка дернула за железное кольцо в полу, и открылся погреб.

— Бери вон те доски, — скомандовала она, — опускай их вниз, мы по ним подлеца скатим.

— Зачем? — жалобно спросила Фекла.

— Он моего Юрочку в могилу уложил, — заявила Силантьева, — сидеть теперь самому под землей. Навсегда!

Когда Колесников оказался в погребе, старуха связала ему руки, застегнула на теле железный пояс с замком, от которого к стене тянулась здоровенная цепь, вылезла наружу, закрыла люк и сказала:

— Вякнешь кому — плохо будет. За убийство пожизненное дают, вот Сашка его и получил...

Шлыкова замолчала, а я пришла в ужас:

— Колесников до сих пор сидит в подполе? Так вот почему старуха ни под каким видом не впускает рабочих — боится, что кто-нибудь из них обнаружит несчастного. И вот чьи стоны услышала продавщица Света, когда в отсутствие хозяйки без спроса зашла в ее избу. Лекарства! Доктор Ева говорила мне, что у Силантьевой уходит много успокоительного. Видимо, Раиса Кузьминична сама не принимает таблетки, а кормит ими пленника, чтобы не шумел. Ты обо всем знала и молчала? Как ты могла!

Фекла заплакала, а я не могла остановиться:

— Немедленно отвечай, зачем ты ходишь к Силантьевой?

Шлыкова забормотала сквозь слезы:

— У Саши недавно началась какая-то болезнь, и Раиса велела мне узнать, как его лечить. Я чуть не умерла, когда она месяц назад снова меня окликнула. Представляете, иду по улице, и вдруг тихий голос: «Фекла». Оборачиваюсь — Силантьева! А я-то думала, бабка вообще со двора не высовывается...

Раиса Кузьминична описала симптомы болезни пленника, и Шлыкова подошла к Обоеву с просьбой:

— Владимир Яковлевич, у меня есть подруга, которая живет в Петухове, ей к вам в больницу ехать далеко и неудобно. Скажите, пожалуйста, что с ней такое, у нее суставы болят, сердце щемит...

Фекла процитировала доктору весь рассказ Силантьевой. Врач возмутился:

— Разве можно, не видя больного, не сделав анализы, за глаза ставить диагноз? Смахивает на ревмокардит. Но твоя приятельница должна непременно приехать на прием. Симптомы многих болезней схожи. Насморк бывает от простуды, аллергии, свидетельствует о начале кори, иногда — о сосудистых нарушениях. Нельзя заниматься самолечением.

Фекла залезла в Интернет, прочитала кучу статей о ревмокардите, кое-какие из них распечатала. А потом пошла к черному ходу гостиницы — Раиса рассказала ей о том, как тайно проникнуть к ней в дом, велела запомнить условный стук.

— Просто приключенческий роман! — воскликнула я. — Не проще ли было воспользоваться калиткой? Изба Силантьевой одна в переулке, соседей нет.

— У нее слишком любопытная жиличка, Светлана, — мрачно возразила Фекла. — И потом, никогда не знаешь, кто тебя заметит. Думаешь, ни души нет рядом, а за углом притаились любопытные. Вон, как те дети, что за мной шпионили.

— Ключ от черного хода в отель, — воскликнула я. — Он куда-то подевался на короткое время, а потом Федор его на месте нашел!

Фекла потупилась.

— Я его ненадолго взяла и дубликат сделала. А потом ключик стал не нужен — железную дверь из-за ремонта заменили простой фанерной без замка. Раиса велела мне купить лекарства, причем приказала брать не в Беркутове. У нас тут одна аптека, и провизор Нина очень внимательная, могла поинтересоваться, зачем они мне. И я моталась в Москву.

— Но как же Зинаида Борисовна узнала о твоих тайнах? — изумилась я.

— Понятия не имею, — всхлипнула Шлыкова. — Пару месяцев назад Руднева якобы случайно столкнулась со мной в магазине и попросила: «Деточка, помоги мне сумку до квартиры донести». Я, естественно, не отказала. Зинаида предложила в благодарность меня чаем угостить, а когда мы сели за стол...

Фекла опять уткнула лицо в ладони и глухо сказала:

— Вот с тех пор я ей и стучу. Боюсь кому-либо рассказать, что ради спасения Вадика подставила Сашу.

Мне последняя фраза Шлыковой показалась странной. Почему Фекла не ринулась ни к мужу, ни к свекру? С какой стати ей бояться Игоря Львовича, который всегда прикрывал и сына, и его друзей? Я уже хотела задать собеседнице этот вопрос, как неожиданно в моей голове возник другой:

— Почему Раиса Кузьминична решила лечить Колесникова? Она же его ненавидит, считает убийцей своего сына.

Фекла вытерла лицо рукавом кофты.

— Так именно из-за ненависти она его и лечит. Хочет, чтобы Саша подольше мучился в подвале. Если умрет, его страданиям конец. Что мне-то теперь делать? Я устала! Каждый день думаю о Саше и больше так жить не могу.

Я вынула мобильный и посмотрела на экран.

— Возвращайся домой и честно расскажи Вадиму про Александра. Несмотря на все, мне тебя жаль, поэтому даю шанс ввести мужа в курс дела, объяснить ему свое поведение. Я через полчаса приду к Максиму Антоновичу для неприятного разговора, и, надеюсь, кошмар для Саши закончится.

— Вы сдадите меня Буркину? — побледнела Фекла. — Что ответите, если Максим Антонович спросит, откуда вы узнали правду про Ирину?

Я встала.

— Думаю, такой вопрос Буркину в голову не придет, перед ним возникнут более серьезные, прямо-таки животрепещущие проблемы. Еще раз повторяю: несмотря на совершенное тобой, мне тебя жаль, поэтому я даю возможность тебе поговорить с мужем, ради любви к которому ты и решилась на ужасный поступок. Похоже, у Силантьевой нелады с психикой, но ты-то вроде нормальная женщина. Не представляю, как ты могла жить, зная о мучениях Колесникова... Ладно, ступай к супругу. У тебя в запасе тридцать минут.

Фекла вскочила и побежала к маленькой дверце в стене. Я подождала, пока она исчезнет, и двинулась следом. У моего самого обычного на вид мобильного есть интересная функция: если нажать и пару секунд удерживать кнопку с цифрой «1», то на сотовый Кости Франклина придет сообщение, при виде которого он немедленно ринется в Беркутов в сопровождении особой бригады. Сигнал я послала, еще находясь в гостях у Зинаиды Борисовны. Если учесть, что машины, летящие по шоссе, оснащены мигалками и спецномерами, при взгляде на которые любой гаишник предпочтет отвернуться и сделать вид, что не заметил иномарки, несущиеся с запредельной скоростью, то, вероятно, Константин со товарищи уже в паре минут езды от центра Беркутова. Значит, мне надо поспешить в отель...

Когда группа людей во главе со мной и Костей позвонила в дверь дома Буркина, нам открыла Марта. Похоже, помощницу мэра никто ни о чем не предупредил, потому что она испуганно заморгала и спросила:

— Вы кто? Что случилось?

Франклин отодвинул ее, и мы прошли в гостиную.

Очень скоро выяснилось, что Фекла, Игорь Львович и Вадим отсутствуют — уехали в неизвестном направлении. Причем троица ничего не сказала о своем побеге Варваре. Мачехе Вадима стало плохо, ее увезли в больницу.

Я, пожалев Феклу и отпустив ее для откровенного разговора с Вадимом, совершила огромную глупость. Шлыкова наврала мне! Конечно, Сердюковы знали, что случилось с Сашей, невестка тут же доложила им, что сделала Раиса Кузьминична. Вадим и Игорь Львович сразу поняли, насколько удачно для них все складывается: глядишь, полусумасшедшая Силантьева и Александр скоро умрут, и история со смертью Юры наконец-то завершится.

В разговоре со мной Фекла неоднократно повторяла, что все, кто организовал аферу с Богдановой, интеллигентные люди, не способные на убийство. Что смерти, случившиеся в домах Буркина и Обоева, всего лишь цепь случайностей, как и гибель Юры.

Мол, никто не хотел его убивать, мальчик свалился в колодец из-за дурацкой шутки. Всего-то детская шалость, не более того. Зато ситуация с Александром не укладывалась в эту схему. Сердюковы знали, что Колесников находится в подвале Силантьевой, и пальцем о палец не ударили, чтобы помочь ему.

А кстати, почему же Фекла была шпионом Зинаиды Борисовны? Шлыкова могла не бояться шантажа. Как-то я забыла у нее это уточнить.

Эпилог

На следующий день после исчезновения родственников Варвара Сердюкова скончалась в больнице от инфаркта.

Владимир Яковлевич, Максим Антонович, Катя и Марта находятся под следствием по обвинению в мошенничестве. Что с ними будет, я не знаю, но полагаю, целая армия адвокатов, нанятых Буркиным, сумеет вытащить компанию из этой грязной истории. Пока все фигуранты отпущены под подписку о невыезде и живут в Беркутове.

Тело Людмилы Обоевой тщательно исследовали судебные медики и пришли к выводу, что смерть жены главврача была не насильственной. Она сама выпала из окна во время приступа гипертонии (или дистонии, точно не помню).

К сожалению, Сашу Колесникова спасти не удалось. Он умер в тот день, когда его вытащили из подвала. Раису Кузьминичну отправили в психиатрическую лечебницу, сейчас старуха находится под наблюдением врачей. Не стало и Ильи Николаевича — Богданов ушел на тот свет, не оправившись от второго инсульта. Где находится убежавшая Зоя, не знает никто. Впрочем, куда подевалась Аня Фокина, тоже остается загадкой.

Зинаида Борисовна живет и здравствует. Настал

ее звездный час — Руднева теперь совершенно открыто и громко называет мужа покойной дочери мерзавцем.

Если вы думаете, что после того, как правда о художнице-волшебнице Ирине Богдановой выплыла наружу, люди перестали приезжать в Беркутов, то жестоко ошибаетесь. Несмотря на шум и гвалт, поднятые в СМИ (все журналисты, ранее расхваливавшие автора «исполнялок», теперь спешили бросить в ее сторону камень), народ не поверил прессе. Обыватели перешептывались, возникла легенда о том, что художницу тайно перевезли в Москву, где она исполняет желания исключительно богатых и чиновных людей. А простым и бедным надо непременно приехать в Лукоморье и положить записочку с просьбами в место, о котором рассказывает по-прежнему лежащий у входа путеводитель. Я подозреваю, что слух об отправке Ирины из Лукоморья в столицу подпитывается кое-кем из жителей городка, возможно, Оскаром и Федором, которые не хотят, чтобы отель закрылся. Да, сейчас в Беркутов приезжает намного меньше паломников, но все равно их хватает, чтобы провинциальное местечко процветало.

Через полгода после описанных событий мы с Костей отправились в большой торговый центр. Мой приятель хотел купить матери подарок, а я была им приглашена в качестве эксперта-советчика. Пробегав час по бутикам, Костя решил приобрести очередную шаль и отправился оплачивать ее, а я вышла из магазина, села на скамеечку в центральной галерее. И вдруг услышала смутно знакомый голос:

— Милый, я хочу мороженое.

— Конечно, ковылялочка моя, — ответил мужчина.

Странно, слышанное всего один раз слово заставило меня вздрогнуть. Осторожно повернув голову, я увидела... дорого одетую Феклу и весело улыбающегося Игоря Львовича. Они устроились почти рядом со мной, у ног женщины стояли пакеты с покупками.

— Шоколадное, — капризно уточнила Шлыкова.

Игорь Львович нежно поцеловал свою спутницу и пошел по галерее в сторону супермаркета.

Я замерла без движения. Вот оно что! Ох не зря я во время ужина в Беркутове насторожилась, услышав от свекра обращение в адрес невестки «ковылялочка», произнесенное с какой-то щемящей нежностью. Не знаю, почему Сердюков-старший так называет Феклу, но сейчас мне все наконец-то стало ясно. Вовсе не Вадим, а его отец был любовью Шлыковой. И он отвечал ей взаимностью. Поэтому всегда помогал и не протестовал против брака нищенки со своим сыном. Игорь Львович не хотел скандалов, громкого развода с Варварой, дележки имущества, а просто ввел свою любимую в дом, и они жили счастливо. Знал ли Вадим об измене жены? Думаю, да. Более того, я теперь понимаю, что сын был в сговоре с отцом. Он не любил мачеху, несмотря на громкие слова: «ты мне мама». Жена никогда особенно не нравилась Вадику, его брак со Шлыковой — лишь прикрытие связи Игоря Львовича и Феклы. Вот почему троица, воспользовавшись моей глупостью, когда я отпустила Феклу поговорить с супругом, удрала, ничего не сказав Варе.

Я, почти не дыша, наблюдала за Феклой. А та достала из клатча зеркальце, помаду и начала спешный ремонт своего личика. Молодая женщина более не смахивала на больную мышь, выглядела вполне симпатично, макияж сделал из неприметной простушки почти красавицу. Сейчас, когда на ней были не мешки-балахоны, а джинсы и кожаная курточка, стало ясно: у нее прекрасная фигура.

Вот тут-то я, неотрывно наблюдавшая за Шлыковой, сообразила: Зинаида Борисовна шантажировала Феклу связью со старшим Сердюковым.

Да, да, навряд ли Руднева знала о судьбе Саши. Мне хочется верить, что «совесть Беркутова» все-таки не стала бы молчать о том, как поступила с Колесниковым Раиса Кузьминична с помощью Шлыковой, вызвала бы на помощь пленнику врачей. Хотя... Бывший парторг НИИ желала знать, что происходит в доме мэра, и могла ради получения информации держать рот на замке.

Именно собираясь выяснить побольше подробностей о жизни своего врага, Максима Антоновича Буркина, Зинаида Борисовна «занималась астрономией». В разговоре со мной Фекла бросила фразу: «Пару месяцев назад Зинаида якобы случайно подошла ко мне в магазине». Руднева попросила Шлыкову помочь ей донести до дома тяжелую сумку. Естественно, та не отказала, а доставив кошелку на кухню, услышала от Рудневой предложение: «Или ты рассказываешь мне все, что творится в вашем особняке, или я сообщаю о твоей интимной связи со старшим Сердюковым и о том, кто такая Богданова». Конечно же, Фекла побежала к Игорю Львовичу и все ему рассказала. Сердюков-старший понял: надо выходить из игры, пока Руднева не зазвонила в колокол. Но подхватить Феклу и Вадима и спешно сбежать он не мог. Нужно было подготовить квартиры, снять все свои деньги из разных банков, куда-то их перепрятать. На это требовалось время. Поэтому хитрый Сердюков велел любовнице ходить к Рудневой, прикинувшись насмерть испуганной, и по чайной ложке выдавать шантажистке информацию. Короче, тянуть время. Шлыкова блестяще справилась с этой задачей.

Зинаида Борисовна считала, что запугала Феклу, но на самом-то деле та играла с Рудневой в свою игру. Тихая, скромная, неприметная серая мышка в реальности оказалась кошкой с острыми когтями. И к Раисе Кузьминичне с лекарствами она бегала по указке Сердюкова. Игорь Львович понимал: пока Саша жив, Силантьева, творя собственную месть, будет молчать о давнем происшествии и о вине Вадима в гибели Юры. Он выигрывал время, готовился к побегу.

Да уж, ему пришлось здорово понервничать! Кругом одни шантажисты — Колесников, Силантьева, Руднева... Слава богу, мать Юры посадила Сашу на цепь, и оба на время перестали быть опасными. Но потом пленник заболел, и старуха потребовала лекарств. Небось именно Игорю Львовичу и пришла в голову идея надеть на любовницу один из париков лже-Богдановой и замотать ее в шали Ирины во время походов с пилюлями через подвал отеля. Так, на всякий случай. Как говорится, береженого бог бережет.

Шлыкова совершила всего две ошибки: потеряла махрушку в виде желтого пиона и рассказала мне историю с Юрой.

Думаю, Игорю Львовичу оставалось провернуть какую-то последнюю операцию с деньгами, и тут в город заявилась я и внезапно погибла Людмила Обоева. Когда Фекла доложила любовнику, что Руднева зовет ее на встречу с Ариной Виоловой, Сердюков приказал ей выяснить, что известно писательнице, и велел рассказать правду об Ирине. Зачем такая откровенность? Зинаида и так все знает, лучше изобразить страх, пообещать литераторше некий эксклюзив, задержать ее в Беркутове еще на пару дней, чтобы Игорь Львович завершил свои дела. Сердюков никак не предполагал, что я свяжу Шлыкову с гибелью Силантьева, заставлю ее признаться: «Мы его убили».

Почему Фекла, ранее проявлявшая хладнокровие, зарыдала, когда мы с ней были на чердаке? А вы подумайте, в каком стрессе она существовала. Изображала жену Вадима, шпионку Рудневой, доставляла лекарства Силантьевой, считала дни до побега, боялась, что их с Игорем план сорвется и Буркин, Обоев, Матвеев и Варя догадаются о затее отца и сына Сердюковых. От таких переживаний и сильный мужчина сдаст, что уж говорить о хрупкой женщине. Поэтому, когда ей дали новое задание, связанное с писательницей из Москвы, нервы Шлыковой не выдержали. Сначала-то она еще

крепилась, но потом в дверь Рудневой позвонила
родственница, Фекла испугалась, мы побежали на
чердак, и там моя спутница впала в истерику. Но,
даже заливаясь слезами, она из последних сил пыталась играть роль жертвы шантажа, прикинулась,
что боится Зинаиды. Однако все же ляпнула: «Мы
его убили».

А я совершила ошибку, отпустив Феклу домой.
Та кинулась к любимому, а у него уже все было
готово к побегу. Именно поэтому троица быстро удрала у меня из-под носа. Наверное, уже была снята
квартира в Москве, а активы бывший мент перевел
за границу.

Почему Вадим согласился стать мужем Феклы?
Не знаю, но думаю, все упирается в деньги, которые пообещал ему папаша. Игорь Львович собирал
капитал, и, пока не набрал нужного количества
средств, чтобы безбедно жить с Феклой на процен-
ты и обеспечить комфортное существование Вадику, семья Сердюковых выглядела вполне обычно:
отец, его вторая жена, сын и невестка. Но едва Сердюковы сколотили приличное состояние, они сбежали, бросив не нужную им Варю. То-то Вадик так
нахваливал мачеху! Не доверяйте человеку, который
безостановочно твердит вам о своей горячей любви — вероятно, прекрасными словами он маскирует
ненависть.

Мой приезд лишь ускорил развязку. Но не прика-
ти я в Беркутов, Сердюковы все равно бы сбежали.
Ну, не весной, так летом или осенью.

Я судорожно вздохнула. Лежавшая на моих коленях сумка с громким стуком упала на пол. Фек-

ла перевела глаза на источник шума, наши взгляды встретились, и пару секунд мы не отрываясь смотрели друг на друга. Шлыкова опомнилась первой — она вскочила и, забыв про покупки, кинулась к дверям супермаркета, где именно в это мгновение появился Игорь Львович с мороженым в руках. А я вместо того чтобы броситься за Феклой, закричала:

— Костя! Костя!

Как назло, в расположенном неподалеку кинотеатре закончился сеанс, зрители толпой вывалили в галерею.

Мы с подбежавшим Константином кое-как растолкали народ, добрались до магазина и поняли: ни Сердюкова, ни Феклы нет. Я затопала от злости ногами.

— Надо же мне было так глупо проколоться! Сначала уронила сумку, потом принялась тебя звать! Ясное дело, они удрали. Внутренний голос мне подсказывает: мы их больше никогда не увидим.

Костя обнял меня.

— Не нервничай. Все женщины в момент стресса зовут любимого человека.

Я разозлилась еще сильней.

— Какая еще любовь? Не неси чушь, мы просто друзья! Хватит с меня чувств, от мужчин одни неприятности! Теперь я живу монахом!

— Надеюсь, что ты изменишь мнение по поводу сильного пола, — улыбнулся Константин, — я подожду.

— Нет! — снова топнула я ногой. И добавила: — И всегда буду жить монахом.

— Это невозможно, — хмыкнул мой спутник.

— Почему?

— Потому что ты женщина, из тебя никак не получится монаха. В крайнем, самом неприятном для меня варианте, ты станешь монашкой, — еле сдерживая смех, пояснил Костя Франклин.

Я не нашлась что ответить. А он сказал:

— И не стоит доверять внутреннему голосу. Голоса в голове могут разное насоветовать. Ну, улыбнись! Мне так нравится, когда ты в хорошем настроении — у тебя тогда глаза горят.

Я взяла Костю под руку. Насчет внутреннего голоса он прав, не надо к нему прислушиваться. А вот насчет моих прекрасных очей... Знаете, когда у человека горят глаза? Это бывает в тот момент, когда тараканы в его голове собираются на веселую вечеринку.

Литературно-художественное издание

Донцова Дарья Аркадьевна

ПУТЕВОДИТЕЛЬ ПО ЛУКОМОРЬЮ

Ответственный редактор *О. Рубис*
Редакторы *И. Шведова, Т. Семенова*
Художественный редактор *В. Щербаков*
Технический редактор *О. Лёвкин*
Компьютерная верстка *Р. Куликов*
Корректор *В. Авдеева*

ООО «Издательство «Эксмо»
127299, Москва, ул. Клары Цеткин, д. 18/5. Тел. 411-68-86, 956-39-21
Home page: **www.eksmo.ru** E-mail: **info@eksmo.ru**

Подписано в печать 28.04.2012.
Формат 80x100 $^1/_{32}$. Гарнитура «Таймс».
Печать офсетная. Усл. печ. л. 16,3.
Тираж 200 000 (1-й завод 48 100) экз. Заказ 8532.

Отпечатано в ОАО «Можайский полиграфический комбинат».
143200, г. Можайск, ул. Мира, 93.
www.oaompk.ru, www.oaompk.рф тел.: (495) 745-84-28, (49638) 20-685

ISBN 978-5-699-54449-3

9 785699 544493 >

«Ни снег, ни ветер, ни безденежье, ни зависть и вредность окружающих, ни болезнь и вообще ничто на свете не остановит человека, который решил добиться успеха. Я желаю вам помнить: только мы сами хозяева своей судьбы!»

Ваша
Дарья Донцова

Добрые пожелания на каждый день от самого популярного и позитивного современного автора.
Подарочное издание на мелованной бумаге, 91 красочный разворот с яркими фотографиями!

365 поводов для оптимизма!

Дарья ДОНЦОВА

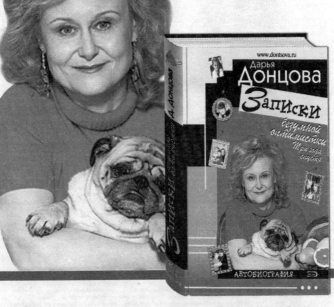

С момента выхода моей автобиографии прошло три года. И я решила поделиться с читателем тем, что случилось со мной за это время...

В год, когда мне исполнится сто лет, я выпущу еще одну книгу, где расскажу абсолютно все, а пока... Жизнь продолжается, в ней случается всякое, хорошее и плохое, неизменным остается лишь мой девиз: "Что бы ни произошло, никогда не сдавайся!"

Дарья Донцова

Кулинарная книга лентяйки-3
Праздник по жизни

ПОДАРОК для всех читателей:

раздел
«ВЕСЕЛЫЕ ПРАЗДНИКИ»

www.eksmo.ru
2011-272